岩波講座　世界歴史　21

二つの大戦と帝国主義 II

二〇世紀前半

岩波講座

世界歴史 21

二つの大戦と帝国主義 II

二〇世紀前半

岩波書店

第21巻【責任編集】

永原陽子

吉澤誠一郎

目次

展望｜*Perspective*

はしがき

世界犠牲システムの形成と肥大……藤原辰史　006

一、犠牲の現場　006
二、長い「破滅の時代」　017
三、供犠に供される人間　030
四、戦争に供せられた日常　045
五、「ゆたかな時代」に供せられた時代　054
六、生きていたことの痕跡　060

問題群｜*Inquiry*

ソヴィエト社会主義の成立とその国際的文脈……池田嘉郎　077

はじめに　077

一、帝国主義と第一次世界大戦　078
二、ロシア内戦と社会主義　084
三、ソヴィエト社会主義とアウタルキー　092
四、社会主義大国の出現　098

二〇世紀アメリカの勃興……中野耕太郎　109
はじめに――二つの「二〇世紀アメリカ」　109
一、兆し　112
二、一九世紀末の危機　114
三、革新主義の実験　117
四、第一次世界大戦のアメリカ　124
五、一九二〇年代　130
六、ニューディールと「アメリカの世紀」　133
むすびにかえて　137

イスラーム主義の盛衰……飯塚正人　143
はじめに　143
一、列強の優位が生んだイスラーム主義の思想　145
二、大衆イスラーム主義運動の誕生　149

三、巨大組織への成長　157
四、エジプト政治への進出とバンナー暗殺　162
五、一九七〇年代以降の展開　166
おわりに　170

焦点｜*Focus*
労働とジェンダー――交差する分業体制……石井香江　179
はじめに　179
一、第一次世界大戦期の労働とジェンダー　181
二、戦間期の労働とジェンダー　185
三、ナチ期の労働とジェンダー　189
おわりに　192

中央ヨーロッパが経験した二つの世界戦争……篠原　琢　201
一、歴史の断絶　201
二、第一次世界大戦期の帝国　203
三、帝国の解体と「リベラルな帝国」の再建　208
四、第二次世界大戦と住民追放　213
おわりに　218

インドにおける工業化の進展……野村親義 223
一、概観 225
二、レッセフェール経済政策 227
三、労働取引 229
四、資本取引 232
五、結論 236

日本植民地の経済――台湾と朝鮮……平井健介 241
はじめに――植民地経済の分析視角 241
一、植民地の開発――産業化、財政独立、帝国内分業 242
二、農業近代化の重荷――農民は忙しくなるばかり 251
三、植民地経済における「地域」――鳥の目と虫の目 254
おわりに 256

ネグリチュード運動の形成……中村隆之 263
はじめに――ネグリチュード運動とは何か 263
一、両大戦間期における人種意識の生成 264
二、脱植民地化期のネグリチュード運動 271
おわりに――ネグリチュード運動の遺産 277

アナーキストによる国境を越えた連帯……田中ひかる 281
はじめに 281
一、一九世紀末から第一次世界大戦前まで 282
二、第一次世界大戦とロシア革命におけるアナーキストたち 290
三、ロシア革命以降の時代 292
おわりに 295

コラム｜*Column*

幻の満洲国国歌
——スポーツと政治……高嶋 航 073
近現代のイスラームと家族……小野仁美 175
二つの大戦とフランス共和政の表象……長井伸仁 198
台湾人元「慰安婦」被害女性の声を聞く
——記録映画『阿媽の秘密』と『葦の歌』……三澤真美恵 261
ベトナム南部社会と宗教運動……武内房司 299

展　望 | *Perspective*

はしがき

本巻は第二〇巻とともに、二〇世紀前半の世界史を扱う。

この時代、世界はわずか三〇年ほどの間に未曽有の大戦を二度にわたって経験した。地球上のあらゆる場所に暮らす人が直接・間接にこの戦争の影響をこうむった。第二〇巻では、戦争を通じて生じた国際秩序の変容や各地での新たな政治体制の模索などを中心に、二〇世紀前半の世界史を示している。

一方、科学技術の発展とそれに呼応した経済システムが社会の様々な領域で人と人との関係や労働のあり方、人間の生き方を左右し、その究極の形として戦争があったことも、この時代の世界の大きな特徴と言える。戦争は時代を区切るものというよりは、前後の時代の大きな変動の連続性の中にあり、二つの大戦と一九世紀後半以来の「戦前」、二〇世紀後半の「戦後」とは一つながりであった。社会・経済の変容やその中での民族、思想や文化といった問題に重点をおく本巻は、二つの大戦をはさんだ世界史の連続性と非連続性を考えさせるものともなる。

そのような時代の全体像を、本巻の「展望」では、藤原辰史が「世界犠牲システムの形成と肥大」として描く。かつてない速度で進む科学技術の発展と経済「合理化」の中で、それが必要とし生み出し続ける「人間以下の人間」のカテゴリーに仕分けられる人々の生と死に光を当てることで、政治体制の相違や国家の枠を超えたこの時代の世界のしくみを浮かび上がらせる。それは、二〇世紀後半、ひいては今日の私たちの生きる世界のありように直結している。

「問題群」では、二〇世紀の世界史を形づくることになる三つの動きを取り上げる。池田嘉郎「ソヴィエト社会主義の成立とその国際的文脈」は、それまで一つの政治思想であり社会運動であった社会主義が現実の国家体制となる過程で、ロシアの社会主義者たちがどのような世界史認識をもちどのような革命を構想したかを考察することで、ソヴィエト社会主義の特質を論じる。中野耕太郎「二〇世紀アメリカの勃興」は、二〇世紀の世界で圧倒的なプレゼンスをもつアメリカが、国内社会と対外関係における多様な危機の克服を模索する中で一定の方向性を見出し、覇権国家としての道を開いていくことの意味を論じる。飯塚正人「イスラーム主義の盛衰」は、西欧帝国主義の展開に直面した諸地域における、イスラームを軸とする社会改革と国家形成の運動である「イスラーム主義」について、エジプトのムスリム同胞団の場合を中心に論じる。以上の三つの動きは、それぞれの地域での新しい社会と国家の模索であり実践であったが、それは二〇世紀の世界に生きるすべての人にとって無関係ではなく、その意味は今日なお大きい。

「焦点」では、六つのテーマを取り上げ、この時代の世界史を多面的に考察する。石井香江「労働とジェンダー――交差する分業体制」は、ドイツの場合を中心に、二つの大戦中および戦間期の女性の労働の実態を示し、戦争が社会全体のジェンダー秩序やジェンダー観をどう変えたのか、変えなかったのかを考察する。篠原琢「中央ヨーロッパが経験した二つの世界戦争」は、中央ヨーロッパにおいて二つの大戦が国民国家やネイションについてのどのような考え方と実践を生み出したのかを論じる。野村親義「インドにおける工業化の進展」は、植民地期インドにおいて近代的製造業が低成長を経験した原因を、植民地経済政策や経済制度企業組織の観点から分析することで、今日に至るまでのインド経済の特質を展望する。平井健介「日本植民地の経済――台湾と朝鮮」は、アジア植民地経済研究の学説史上の大きな論点である「植民地近代化」論と、それを批判・相対化する近年の議論に触れつつ、日本植民地時代の台湾と朝鮮の経済の全体像を示す。中村隆之「ネグリチュード運動の形成」は、フランス植民地とりわけカリブ海地域出身者の中から生まれた黒人意識を基盤とする文化運動を取り上げ、二〇世紀後半に進む脱植民地化との関係を含め、その世界史的意義を考察する。田中ひかる「アナーキストによる国境を越えた連帯」は、国家なき社会を追求するアナーキストたちが、その思想の根源的な性格ゆえに、国境をたやすく乗り越えて連帯し共感し得たこと、しかしまた困難も抱えたことを示す。

以上のように、本巻では、帝国主義・植民地主義の継続と相次ぐ世界戦争の中で生きた人々の労働や生活の実態、思想や運動と、そこから生まれた国家と社会の変革の模索、さらには国家を乗り越えようとする動きなどを取り上げている。本巻の諸論考を通じて、この時代が、私たちの生きる現在の起点と言っても差し支えないことが理解されよう。重点を変えつつ同じ対象を扱った第二〇巻と併せて読むことで、読者の二〇世紀前半の世界史像が豊かになるものと期待する。

（永原陽子・吉澤誠一郎）

世界犠牲システムの形成と肥大

藤原辰史

一、犠牲の現場

チリの硝石鉱山労働者の虐殺と農業の進歩

一九〇七年一二月一〇日、チリの北部サン・ロレンソ硝石鉱山のゼネストが近隣の硝石鉱山に飛び火した。植物の必須栄養素である窒素肥料および火薬の原料となる硝酸ナトリウムを含んだ鉱石がチリのイキケ港から欧米に運ばれるようになるのは一八三〇年。チリ硝石を求めて西欧の企業がひしめき合う中、硝石採掘をめぐるチリとボリビアならびにペルーとの紛争が、一八七九年から一八八四年の「太平洋戦争」あるいは「硝石戦争」と呼ばれる戦争に発展したこともある。硝石は、欧米の農業生産力を急激に高め、それまではなだらかにしか増えていなかった世界人口を急上昇させる引き金となった(1)。

チリだけではなく、ボリビアやペルーやアルゼンチンからも来ていた鉱山労働者たちは鉱山主の所有する労働者用住宅に住み、低賃金で過酷な労働をさせられた。また、会社の売店でしか通用しない金券で生活用品を購入させられていた。会社の雇った警察に労働者は監視されていた。同月二一日、労働者たちは、それぞれの祖国の旗を掲げながら、企業の本拠地があるイキケのサンタマリア小学校にピケを張ったが、内務大臣の命令でチリ軍が労働者に発砲、女性や子どもを含む二〇〇〇人以上が虐殺された。

チリの硝石は一九世紀後半から二〇世紀初頭までの窒素肥料と火薬の原料の主力を担った世界商品だったが、一九三〇年代にはチリ硝石生産は衰退する。その原因は、一九〇八年にドイツの化学者フリッツ・ハーバーが発明した空中窒素固定法によるアンモニア合成の基本特許を取得し、一九一三年、ドイツのBASF社のカール・ボッシュがこの工業化に成功したことである。いわゆるハーバー＝ボッシュ法である。日本では、のちに公害原因企業となる日本窒素肥料株式会社や昭和電工(の前身企業)などがアンモニア生産に乗り出すのは一九二〇年代初頭。この時代は各国のアンモニア合成工業が栄え、三〇年代には生産過剰になるほどだった。ニューディール期のアメリカは、テネシー渓谷開発公社(TVA)が水力発電所を設立し、硫酸アンモニウムなどの窒素肥料生産を担う。人口爆発の主要原因のひとつこそ、日本で「硫安」と呼ばれた窒素肥料にほかならない。

ところで、ちょうど世界史上初の自由選挙による社会主義政権がチリに誕生した一九七〇年、イキケ出身の哲学者であり作曲家のルイス・アドヴィスはこの虐殺を素材に「イキケのサンタマリア」というカンタータを制作した。「もう二度とあの金持ちが私を奴隷にすることはない」という印象的な歌詞を含むこの曲は、いまもチリで歌い継がれている。(2)

アフリカの人体実験と医療の進歩

一九〇六年五月三日、前年にノーベル医学賞を受賞したばかりのローベルト・コッホが、アフリカ大陸で流行する「眠り病」の調査のため、ドイツ領東アフリカのタンガニーカに到着した。現在のタンザニアである。眠り病、別名トリパノソーマ病は、ツェツェバエに寄生するトリパノソーマ原虫がもたらすもので、中枢神経系が侵され、嗜眠性の脳膜炎が起こり、早期に治療しなければ死にいたる感染症である。家畜の牛や野生動物にも感染する人畜共通感染症で、いまなお有効な治療法が確立されていない厄介な病気だ。

磯部裕幸の研究によると、西欧諸国の大規模な開発、とりわけ天然ゴム園の開発が進むことで人間と自然の接触が急速に増えていたアフリカ大陸は、一九世紀末から二〇世紀初頭にかけ、眠り病だけで八〇万人が命を失ったと言われている。ドイツ政府はこれを「人的資源」の無駄ととらえ、調査のための予算を計上したのである。

欧米諸国の医学と医薬の担い手にとっては、アフリカは実験場でもあった。化学大国ドイツのバイエル社もそのひとつである。一九〇六年八月コッホはヴィクトリア湖に浮かぶブカラ島に上陸、そこに実験のための施設を設置し、一〇〇〇人以上の現地の罹患者がここで副作用が明らかではない薬を投与された。ヒ素を含むアトキシルは副作用が多く、失明者も出たがあまり効果がない、とコッホは論文で報告した、ヨーロッパでは法的に制限されているアフリドルブラウも彼は試した。さらにコッホは、ツェツェバエ対策としてそれの生息地である茂みの伐採やツェツェバエが血を吸うワニの駆除も提唱したという。

また、同じくドイツ領だったトーゴやカメルーンでも、ドイツの医学者たちは強制収容所を設置して眠り病の患者たちを隔離しようとしたがうまくいかず、除草作業に現地住民を駆り立てた。医薬実験も続けられた。「重症患者を忌み嫌って村落共同体から放逐」するカメルーンは「人体実験を行なう医師にとっては好都合」だった(磯部 二〇一八:二一七頁)。医師は危険な薬品を収容所で投与しつづける。それゆえ死亡率も非常に高かった。他方で、医師たちは、ツェツェバエの好むバナナ農園を伐採するべきだと現地の住民たちに主張したが、猛反発をくらったという。

コッホは、結核菌やコレラ菌の発見をはじめ感染症の原因を特定し、地球全体の感染症死亡率を低下させ、世界人口の増加に貢献したことは疑いえない。他方で、彼やその後継者が実施した、東アフリカやトーゴやカメルーンでの人体実験はなかなか成果が出ない上に、多数の犠牲者を出した。おそらく、アフリカで人体実験をする心性はコッホに特異なものではなく、この時代を生きたほとんどの欧米医学者の心性と大差ないだろう。

この人体実験から一〇年もたたぬうちに、ドイツのアフリカ植民地はすべて第一次世界大戦に巻き込まれる。フランス軍がトーゴに攻めて海港アネホを奪取したのが一九一四年八月、大戦で初めて連合国の手に落ちたドイツ領である(小関・平野 二〇一四:四二ー四三頁)。なお、眠り病の治療薬「バイエル二〇五」がバイエル社によって開発されたのは、第一次世界大戦中であった(磯部 二〇一八:一〇頁)。そして、敗北後、ドイツはすべての植民地を失い、西南アフリカは南アフリカ、それ以外の旧アフリカ植民地は西欧諸国、太平洋の諸島のうち赤道以北は日本、赤道以南はオーストラリアとニュージーランドが統治するようになる(ナウルはイギリスとニュージーランドの共同統治)。

バナナの街の虐殺と大衆消費社会

一九二八年一二月六日、南米コロンビアの港湾都市シエナガにあるバナナ農園労働者の住む街で日曜日のミサが終わったあとだった。「一日八時間労働、週六日労働制、そして医療無料受診制」を雇用主のユナイテッド・フルーツ社に呑ませるためにストライキを打った労働者や支援者が、デモに参加するため広場に集まっていた。

ユナイテッド・フルーツ社は、赤や紫などさまざまな色のバナナ品種のうち輸送に耐えられるグロスミッチェルという黄色の品種のみを扱うことで販路を拡大し成長したアメリカを本拠地とする多国籍企業である。さらに同社はマーケティングとして「チキータ」という黄色いバナナをかたどったマスコットも利用する。一九〇五年にはバナナは「貧乏人の果物」と呼ばれるようになるほど価格が下落した(久野 二〇二一:六八頁)。こうして、黄色いバナナはアメリカの食卓を彩り、莫大な利益を会社にもたらす植民地商品となった。

シエナガのデモに対し、シエナガ近郊の州都サンタマルタにあるアメリカ領事館は、沿岸に自国の軍艦を待機させた。コロンビア軍の将校が警告を発してから五分後、広場の隅の低い建物から広場に向けて機関銃が乱射された。殺された人数は五〇〇人とも一〇〇〇人ともいわれるが正確な数字はわからない。コロンビアの人びとは、ユナイテッド・フルーツ社が死体を貨物で運んで森の奥に埋めたり、海に投棄したりしたのではないかと噂した(チャップマン二〇一八：一二〇頁)。

その数カ月前にサンタマルタのすぐ南にあるアラカタカで生まれたのがガブリエル・ガルシア・マルケスだった。国会議員だった祖父は、首都ボゴタで、ユナイテッド・フルーツ社とコロンビア政府が隠蔽しようとするこの虐殺を糾弾した人物である。祖母もまたユニークな人で、迷信や幽霊について孫に大真面目に語ったという。「バナナ共和国」と呼ばれたこの会社の勢力圏は、アメリカの「非公式帝国」である中米全域にわたった。バナナは多年草で株分けして増やす。よって遺伝的には多様性に欠けるゆえに病気にかかりやすい。病害が発生すると「バナナ共和国」は農園を焼き払い、労働者を解雇して、別の場所へと移動することを繰り返した。こうしたことが、ガルシア・マルケスが『百年の孤独』(一九六七年)で、バナナの生産地帯に隣接する架空の街「マコンド」で起こったストライキについて書いた、小さくない背景である。

船底の世界恐慌と一体化する世界

一九三〇年一二月八日、ロッテルダムと横浜を結ぶ欧州航路を運航する日本郵船の客船「香取丸」はシンガポールの港を出港した。これまで、ロンドン、マルセイユ、ナポリ、ポートサイド(エジプト北東部)、スエズ運河、アデン(アラビア半島南端)、コロンボ(スリランカ)と寄港してきた船である。その船員の広野八郎がコロンボで受け取った葉山嘉樹の手紙には、日本郵船が船員大整理をしているという情報が書かれてあった。他国と同様に日本では当時プロレタリア文化運動が活発化し、働く人間たちの政治と生活が描かれた作品が多くの読者の心をとらえた。一九一七年にロシア革命が起こり一九一九年にモスクワで成立したコミュニスト・インターナショナル(コミンテルン)の支部、日本共産党が一九二二年七月一五日に渋谷で誕生し、革命思想の伝播を恐れた政府は弾圧を始めていた。広野も葉山も、政府から弾圧を受けていたプロレタリア文化運動のうち、コミンテルン支持派の全日本無産者芸術連盟(ナップ)ではない、労農芸術家連盟の担い手のひとりであった。

一等客室では蓄音機から音楽が流れ、サロンでは仮装会が開かれている一方で、船尾のハッチには五、六〇人のインド人の乗客が、子どもと年寄りで身を寄せ合って、横殴りのスコールに耐えている。船員たちは、灼熱の機関部で石炭をくべ、灰を掻き出し、海に捨て、デッキを洗い、「チューブ突き」と呼ばれる煙突清掃を行なう。

プロレタリア文学運動に参加しながら、船員として働いていた広野八郎は、世界恐慌が自分の境遇にもたらす恐怖について、この日の日記にこう書いている。

会社の二十余万トンにおよぶ係船(航海させるとかえって損失になると予想される場合、会社が所有船をつなぎとめて、一時使用しないこと)、そこから必然におこる船員余剰、その大整理——。しかし会社は、一度に馘首を宣言するようなことはやめ、日に一〇人二〇人と徐々に切っているとのことである。/それは各船の各部から、四人五人と引きぬいて切っているということだ。そのヤリ玉にあげられるものは、だいたい三つに分かれているという。つまり、危険的思想をもっているもの、へいぜい病身なもの、老年者。

(広野 二〇〇九:二八二頁)

一二月一七日の上海入港時、船員たちは誰の首が切られるのかの話で持ちきりだった。煤《すす》おとしをしている船員のところに、解雇船員の選択に影響力を持つファースト(一等機関士)がやってきて「おい、覚悟はよいか。みんなアルコールをひたした脱脂綿で、よく首をふいとけ。神戸へ着いたら、さっそくパッサリやられるぞ」(同:二八五頁)と脅す。二四日、結局神戸ではなく横浜で馘首《かくしゅ》される二人の名前を火夫長が読み上げた。ファーストや火夫長のご機嫌取りや密告者は選ばれなかった。馘首された二人は「けっしてわるい人間ではなかった」のに、と広野は記している(同:二八九頁)。

リスクの世界内再配分の犠牲

アフリカの人びとを強制収容して人体実験をする。船員の馘首を、その能力ではなく思想信条や服従の度合いで決める。企業に労働時間の短縮を要求した労働者を機関銃で射殺する。どれも、奴隷制や農奴制など身体拘束を前提とした世界システムを名目上は更新したあとの時代の、前時代に勝るとも劣らない非人間性の事例である。だが、歴史学者はつい、医療の進歩、大衆消費社会の到来、一体化する世界、農業の進歩の注釈または補足としてこれらの事例を紹介するだけで満足しがちだ。だが、それでいいのだろうか。

これらの悲劇はウォーラーステインが提唱した「世界システム論」の「周縁」もしくは「半周縁」の「搾取」の事例だと言うこともできよう。西欧で登場した世界システムがあらゆるものを商品化していく過程を描くウォーラーステインの議論に、それが西欧中心的理解であるという批判も含めて、本稿も少なくない影響を受けている(3)。この利益吸引システムは一八七三年からの大不況の打撃を受け、一八九〇年から回復し、欧米諸国ではグローバルな安定的経済成長を遂げていく。ただ、国家や社会による貧困対策などの介入、科学技術の進歩、そして植民地へのリスクの押し付けによってでしかこの経済成長はありえなかった(小野塚 二〇一八:四〇九―四一〇頁)。第一次世界大戦によって、そのグローバル経済は破綻した。社会主義が世界の半分を覆うほど、世界システムの犠牲者たちの不満は高まる。世界システムは根源的な弱点をさらけ出した。先ほど引用した諸事例に共通するのは世界システムの強化というより、その変質、もっといえば野蛮化である。また、奴隷制の廃止、世界的不況、大衆消費社会の到来とそれを支える植民地世界の拡大は、世界資本主義のリスク再配分をもたらした(4)。つまり、「身体的・精神的な害が及んでもかまわず遺棄できる人」の再選択とその犠牲の肥大化に人びとの意識が向かった事例である。

アフリカでの投薬実験から七三一部隊の捕虜、アメリカの水爆実験で被曝したマーシャル諸島の住民にまで連なる人体実験の歴史は、科学の発展を名目に人間を実験動物として提供したという意味では、奴隷制の空間的ならびに生態学的な再編成の様相さえ呈している。いやそれどころか、人間と自然の犠牲がシステム化し、それが経済システムのスケールを超え、侵食し、人間の認識力さえも麻痺させていったように思える。

たしかに、当時の先進経済国は前世紀の延長にある未曽有の繁栄の時代を迎えていた。ナチス(国民社会主義者たち)から祖国ドイツを追われたシュテファン・ツヴァイクは亡命生活のなかで、第一次世界大戦前のヨーロッパは「安定の黄金時代」(ツヴァイク 一九九九：1巻一五頁)で、「これほど強力で、豊かで、美しかったことはなかった」と哀愁を込めて振り返っていた(同：二八七頁)。また、第一次世界大戦は国民に多大な犠牲を強いたにせよ、飢餓と労働力不足のなかで壮絶な総力戦を体験した国々や、それを学んだ国々は、世紀転換期の不況時にはすでに市場に介入して国民の貧困の削減を試み、第一次世界大戦後は戦争に対して犠牲を払った民衆を社会にふたたび包摂しようとした。

敗戦国のドイツ、オーストリア＝ハンガリー二重君主国、オスマン帝国では帝政が廃止され、民主化が始まる。交戦国のほとんどの国で食糧の配給制度や調整機構が戦時中に整備された結果、英独米日などの主要国では、それを基盤として戦間期に食糧や農業の安定を目指す省庁が建設されていく。ドイツではヴァイマル共和国が「社会的生存権」を憲法で定め福祉国家(ドイツでは「社会国家《ソチアールシュタート》」と呼ぶ)の方向へ舵を切った。ボリシェヴィキ革命に成功したロシアはもっとラディカルだった。私有財産を廃止し、農村から食糧を徴発し土地を取り上げ、農民の生命を犠牲にしてまでも、パンと土地の再配分を目指した。

それは、資本主義国家の場合、世界恐慌を経てさらに加速する。アメリカのニューディールは、雇用創出政策や農作物の買い上げなど大規模な財政出動を行ない、国民の不安を解消しようとした。第二次世界大戦は軍需産業を活性化させる。イタリア・ファシズム、ドイツ・ナチズム、日本の大政翼賛体制もまた、社会主義に共感する人間も取り込みながら、愛国主義を発揚させ、雇用創出計画を打ち出し、敵を作り排除して、国民の一体化を目指したのだった。

戦時中は中立を守り、戦後も続いたファシズム体制のポルトガルのサラザール体制(一九三二―六八年)とスペインのフランコ体制(一九三六―七五年)も、秘密警察による政敵の監視と弾圧を続けたが、前者は財政再建、後者は戦後の住宅建設などによって国民生活の安定を目指した。経済の犠牲者は放っておかれたわけではない。

だが、国民救出のためにこれらの諸国が払った犠牲は、一国の国民の健康だけを考えるならば人体実験に他民族を用いることも合理的だと信じてしまうほどの、あるいはそれを問題だと思わないほどの思考様式の粗暴化だったのである。

一九三六年から四五年まで陸軍軍医中将石井四郎率いる関東軍防疫給水部本部、通称七三一部隊が満洲のハルピン近郊の平房で人体実験を行なった。中国人捕虜を凍傷にさせたり、ペスト菌やコレラ菌を感染させたり、捕虜に銃を撃って銃弾を取り出したりした。ユーラシア大陸の西方に目を移すと、アウシュヴィッツ強制収容所では医者のヨーゼフ・メンゲレたちが、被収容者たちに有害物質や病原菌を注射したり死ぬまで凍らせたりした。これらの人体実験は、彼らにすれば国の医療を進歩させ、国民を長寿にするためのコストでしかない。コッホは眠り病からアフリカ人を救うには犠牲はやむをえないと安全性を確認できない医薬投与を正当化したというが(磯部 二〇一八:三六頁)、その行為に至る思考過程は本国よりも短絡的だった。コロンビアのバナナ農園労働者のデモを機関銃で鎮圧することは、世界中の労働者の食費を安くして賃金を抑える効用からすればノイズにすぎない。欧米の農業生産力を飛躍的に増大させて飢餓を救うためには、チリ硝石の労働者の賃金を極限まで切り詰めることも、不幸な例外にすぎなくなる。

つまり、世界資本主義が無理にでも成長をとげ、国民国家が無理にでもほころびを繕うには、人権に関わる法体系の例外、つまり植民地やそれに類する経済圏の相当な犠牲が必須だった。しかも、イギリスにとっての南アフリカ戦争、ドイツにとっての南西アフリカの反乱は、労働問題や貧困問題で分断しそうな自国を再統合するナショナリズムを煽ってくれさえした(カーショー 二〇一七:三〇頁)。世界恐慌期も、イギリスやフランスはアフリカから東南アジアに広がる植民地を犠牲にしながら、自国社会に入った深い亀裂を修復させるために失業者対策に努めていった。アメリカはカリブ海や中米の諸国やフィリピンといった「非公式帝国」のふるまいを「善隣外交」によって緩和させつつも秩序自体は固守し、人種やジェンダーをめぐる差別構造の編成替えをしつつ「大きな政府」を作り上げたため、資本主義そのもののリスクである不況はもちろん、不況脱出のリスクもまた、必然的に白人男性以外の場所へと向かった（中野 二〇一九）。

英仏ほどの植民地を持たないが世界屈指の経済力を誇るドイツやイタリアや日本は、権力を集中させ、警察と監視、場合によっては民衆暴力を煽った。共産主義者やアナーキストなどの政治的な敵や人種マイノリティに攻撃を加え、自国民の優秀さを神話や歴史を引っ張り出して礼賛し、積極的に軍事行動を起こして国境の外に市場をこじ開け、世界恐慌がもたらす分裂から国家の一体性を守ろうとした。その無理こそが第二次世界大戦と大量虐殺への突破口を開いた。世界恐慌の影響のなかったソ連も「富農層《クラーク》」という「階級の敵」を設定したうえで、革命直後と集団化の時期に穀物の徴発を全国で実施し、飢餓を引き起こした。要するに、包摂の範囲を広げたのではなく、包摂の線を引き直したのである。

犠牲者意識ナショナリズムを超えて

ただし、犠牲者の目線で歴史を書き直すという作業は危険もはらむ。ポーランド史研究者の林志弦《イムジヒョン》は、第二次世界大戦後、「だれがより大きな犠牲を払ったのかを決めようとするナショナリスティックな競争」、すなわち「犠牲者意識《ヴィクティムフッド》ナショナリズム」が戦後のグローバルな記憶空間を支配していると批判した（イム 二〇一八：二二二頁、林《イム》 二〇二二）。ヒトラーでさえ、一九四五年四月二九日、地下壕で自殺する前日に秘書に口述筆記させた「政治的遺書」で、この戦争は「国際ユダヤ人」が起こしたものでドイツは巻き込まれたのだ、と書いたのである（ボルマン 一九九九：一五〇─一五四頁）。ナチスの文脈では「国際」つまり「インターナショナル」とは「コミンテルン」と「ユダヤ資本」を同時に指す不思議な言葉だが、いずれにせよ、この時代の為政者で、自分も哀れな犠牲者だという考えから自由だった人間はほとんどいない。

犠牲者意識ナショナリズムから完全に逃れるのは困難である。だが本稿はあえてこの集団心性をできるかぎり排した犠牲の歴史の叙述を目指したい。つまり、民族総体としての犠牲の悲惨さを安易に比較せず、世界資本主義の犠牲、科学技術発展の犠牲、戦争行為一般の犠牲、男性優位社会の犠牲など、しばしば小さく見積もられがちな多様な犠牲のあり方をモンタージュする試みである(5)。モンタージュとはフランス語で機械の部品の組み立てという意味だが、一九二〇年代、とりわけセルゲイ・エイゼンシュテインなどソ連で映画製作者たちが活発に用い、理論化した技法だ(6)。個々の要素の自立性を信じつつ、それらに序列をつけないまま結合させ、受け手の慣れ親しんだ知覚を動揺させ、今とは異なるありうべき別の世界を受け手に想像させる。これは、歴史を国家の犠牲物語の情緒から切り離すのにも有効だ。「犠牲の記憶が出会う」(傍点筆者)空間を犠牲者ナショナリズムに対置させるという林の提案はまさにそういうことだろう(イム 二〇一八：二二〇頁)。それが歴史の悲劇の安易な相対化とは異なることも、言うまでもない。

二〇世紀前半に起こった出来事や科学技術の成果は、その成果に釣り合わないほどの甚大な犠牲の歴史の上に建てられた被造物である。フォードにとっての労働行為の人間性、レーニンにとっての農民の暮らし、ウィルソンやローズヴェルトにとっての中米諸国、ヒトラーにとってのユダヤ人、スターリンにとっての富農、チャーチルにとっての植民地、石井四郎にとっての中国人捕虜、オッペンハイマーにとっての原爆開発ならびに実験中に被曝した学生や兵士。この時代の主要人物にも、この時代の犠牲システムの精神は貫かれている。二〇世紀上半期の本質は、大衆文化の絢爛や科学技術の発展などの恩寵の方ではない。その恩寵のために犠牲を生み出しつづけられるシステムの肥大化と、浪費された大量の流血である。

二、長い「破滅の時代」

二つの世界大戦の前後

エリック・ホブズボームは一九一四年から一九四五年までを「破滅の時代」と呼び、イアン・カーショーは一九一四年から、冷戦構造が定着してどちらの陣営も経済成長の兆しが見えはじめた一九四九年までのヨーロッパを「地獄」と形容した。ただ犠牲の視角から現代史をとらえ返すと、この区分は短すぎるように感じられる。彼らの言葉は、時代の区画を一九〇〇年前後から一九五〇年代前半までに拡張しても問題ないと思うからだ。(7)

たとえば、一九〇四年から〇五年まで、ドイツ帝国(第二帝政)支配下の南西アフリカ(現在のナミビア)で起こった「ヘレロ・ナマの虐殺」。統治期間にドイツ人が進めてきた土地や家畜の略奪や一方的な居留地策定に不満を募らせたヘレロとナマが蜂起した。出動したドイツ軍が大砲と機関銃で攻撃したり、強制収容所に収容したり、強制労働をさせたりした結果、ヘレロの八割、ナマの五割が殺害されたという(永原 二〇〇九:二二八頁)。このとき、ドイツの軍人フォン・トロータは「女も子どもも容赦しない」と「ヘレロ絶滅命令」を出した。その後すぐに破棄されたが、ドイツ人はヘレロとナマを強制収容所で衣食が不十分なまま労働力として用い、感染症になったら隔離して、死に至らしめた(同:二二六―二二七頁)。どれもがドイツ本国では立派な違法行為である。「民族総体の絶滅」が目指されたのも、強制収容所で人権剝奪した労働力を酷使し、使いものにならなくなったら遺棄することも、ナチスが始まりではなかった。また、ドイツ領東アフリカで勃発した一九〇五年の「マジマジの反乱」では、西欧側一五名の被害者に対し、現地住民の死者は一〇万から二五万人にのぼった(木畑 二〇一四:三七頁)。一九世紀末から、アフリカの植民地では、二つの世界大戦に先んじて、いわば試験的に機関銃や強制収容所が現地住民たちの鎮圧に用いられていたのだった。

あるいは、第二次世界大戦終結直後に勃発する、蔣介石の国民党と毛沢東の共産党の壮絶な国共内戦[8]、一九五〇年から一九五三年まで同じ民族のあいだで戦われ五〇〇万人近い死者を出し、南北を分断させた朝鮮戦争、一九五四年三月一日に太平洋のビキニ環礁に落とされた広島の原爆の一〇〇〇倍の威力を持つ水爆と住民の強制移住や被曝、第五福竜丸の船員たちの被曝とガンの罹患、そして一九五〇年代から不知火海や阿賀野川と共に生きてきた人びとを苦しめた水俣病は、以下に述べるような二〇世紀前半に起きた犠牲と本質的に何が異なるだろうか。

第一次世界大戦中のフランスの激戦地帯であったヴェルダンやソンムで、二〇歳代の兵士たちは、数十メートルの距離を前進するためだけに命を投げうった。ベルギーのイープルでのドイツ軍を皮切りに、一九二三年にはモロッコでスペインが、一九三〇年には台湾で日本が、一九三五年にはエチオピアでイタリアが、一九三七年から四五年にかけては中国で日本が毒ガスを使用し、現地の人を殺したり後遺症を与えたりした(深澤 二〇一五、藤原 二〇一五)。第一次世界大戦時、六〇万人から八〇万人ともいわれるアルメニア人がオスマン帝国によって虐殺された(新井 二〇〇一)。さらにいえば、第二次大戦中のヨーロッパやアジアの戦場の日常的習慣となった「集団強姦」、ドイツと日本の医者たちによる「人体実験」、ベンガル、北部インドシナ、太平洋の戦場などで起った「大飢饉」、第二次大戦期の中東欧や南欧すなわち「流血地帯《ブラッドランズ》」での独ソ双方による壮絶な暴力や飢餓(スナイダー 二〇一五)。一九三七年から三八年にかけての日本軍による南京の虐殺と強姦、一九四五年の日本軍のマニラの虐殺、アメリカのアラモゴード、広島、長崎に投下された原爆。それに基づく後遺症や差別の継続などもこの時代の犠牲である。

ヘレロ・ナマの虐殺、二つの世界大戦と水俣病、そしてマーシャル諸島の水爆実験に大きな断絶はない。つらぬかれているのは、犠牲者の比較をほとんど無意味化するほどの犠牲の無益さと、その後の行為者の責任逃れによる、犠牲者の救われなさである。

持続する破滅

カーショーは、ヨーロッパに地域を限定した一九一四年から四九年の叙述のなかで、第二次世界大戦を「ヨーロッパの自傷行為」と呼び、戦後に「地獄から生還した」と述べている。だが、戦後のヨーロッパの惨状は凄まじかった。戦後に地獄から「生還」したと感じられた人はもちろん多数いただろうが、依然として欧米文明諸国の支配に苦しむ人びと、強制的に労働や性を供出させられてきた人びと、そして戦争で精神を破壊された人びとにとってみれば「地獄」は続いていたのではないか。

つまり、私たちは欧米諸国の人びとの身体的・精神的自由を「犠牲に供されたもの」の中心としてとらえる傾向にないだろうか。多くの経済的に恵まれていない庶民にとって毎日のくらしは、それ自体がすでに「破滅」や「地獄」というパワフルな言葉に依ってしまうと溶けてしまうような、小さくとも持続的な痛みをともなう犠牲の連続ではなかったか。「経済人の胸から母乳があふれ出ることはないし、ホルモンに振りまわされることもない。彼には体がないからだ」(マルサル 二〇二一：九二頁)という経済学への挑発を歴史学批判としても受け止めたならば、この時代の風景には貨幣や商品や情報だけでなく、あらゆる体液が地面に流れていなければならないはずである。

しかも、大人に対する子ども、男性に対する女性、宗主国に対する植民地、資本家に対する労働者、それぞれの対称的ではない権力関係のなかで、子ども、女性、植民地、労働者は単に「被害」を受けてきたのではない。何か有無をいわさぬ力を持つもののために血を流しつづけてきたのである。もちろん、犠牲者という言葉は被害者という言葉以上に慎重に用いねばならない。加害と被害は主客関係である一方で、犠牲には対義語がない。犠牲とは本来、神のような超越的なものと血を通じて交流して「聖化」されるために、人や動物や収穫物を捧げるものである。

フランスの人類学者は一九世紀末にこう述べていた。「聖化の対象となる犠牲獣を提供する信者は、〔中略〕それまで苦しめられていた不都合な特性を一掃してしまう。彼は恩寵に浴しているか、罪から赦されているのである」(モース、ユベール 一九八三：一三一一四頁)。この叙述からすれば、ここで論じる時代の人体実験の被験者は「被害者」よりも「犠牲者」と表現した方がはるかに実態に即している。なぜなら、被験者たちの命を奪った医学者たちもまた、医学の進歩とそれによる未来の人びとの生命の救済という大義名分のために、自分が殺人の罪から赦されると思うことができたからである。

人類の歴史は、有史以来現在にいたるまで供犠と恩寵のスパイラルから自由になったことがない。多くの奴隷たちが神のために殺され、場合によっては共同体の構成員によって食べられたり、人柱にされたりしてきたが、社会が世俗化したことでその構造が失われたわけではない。とりわけ二〇世紀の上半期は、世界全体を覆うように犠牲が、荘厳な儀礼と神への信仰から切り離され、システム化し肥大化していくという意味で特異である。この時代に形成された犠牲システムは冷戦期にも巧みに稼働し、どれほどメディアが発達して、世界中の情報に誰もがアクセスできるようになっても、億単位の飢餓人口の存在や冷戦の代理戦争の犠牲者に先進経済国の住人がほとんどやましさを抱くことなく日々の暮らしを送れるまでに、精巧かつ野蛮になっていく。

一九〇〇年には一六億五〇〇〇万人と推計される地球全体の人口を、一九五〇年には二五億人、二〇〇〇年には六〇億人を突破するほど急増させたのは、農学とともに医学の進歩であり、その薬品開発を支えた膨大な数の被験者たちであった。ほかにも、大都市の形成、高速交通・情報網の整備、大衆娯楽の充実をはじめとする「恩寵」は、人権意識の外に強制的に位置付けられる人びとが存在してはじめて生じるものだった。また、この時代の主要アクターである国民国家は少数者の排除を実践し、他地域を収奪した。その人間世界の例外が自然環境をも含むこと、つまり自然破壊が放置されてきたことに国際社会が気づくには、一九七〇年代を待たねばならないだろう。

人種差別と性差別と優生学によって正当化された低賃金労働や無償労働なくして、あれだけの経済成長と地域開発はありえなかっただろう。植民地からの人と資源の収奪なくして宗主国の繁栄はありえなかっただろう。なぜなら宗主国にはこれほど安価な労働力と豊富な資源が存在しなかったからである。そして、とりわけ二〇世紀前半に、全世界の労働者の少なからぬ人びとが、コロンビアのバナナ農園やチリの硝石鉱山の労働者のように大規模なストライキを起こさねばならぬほどの過酷な労働がなければ、企業はあれほどの商品と廃棄物を世界中の人びとにもたらすことはできなかっただろう。

そして、戦場であれほどの兵士が倒れ、無名兵士の墓が建てられ、住民が強制移住させられなければ、国民国家は経済の危機に及んでもあそこまでの一体性を保つことはできなかっただろう。また、若い兵士が限界まで戦い抜かなければ、戦勝国の兵器産業は巨額の富を得ることはできなかっただろうし、強制移住や大量虐殺がなければ、とりわけ第二次世界大戦後の少数者が排除された国民国家は生じなかっただろう。それにしても犠牲と恩寵はあまりにも不釣り合いなのだ。

初期微動をとらえた表現者たち

これほどまでにシステマティックに犠牲が振り分けられる巨大な装置が構築され、大量死にあふれる時代になるなど、世紀転換期を生きたほとんどの人間には想像できなかったにちがいない。一九世紀の日常感覚ではこの変化に追いつかなかっただろう。

ただ、興味深い例外は、知や美を仕事の対象とする人たちだった。世紀転換期から特にヨーロッパや日本の芸術は変動を迎えていた。「一九一〇年前後になると、カタストロフを予感させるような不安と混沌の表現が、頻繁に芸術のモチーフになり始める」(岡田 二〇一〇：四四頁)。調和や平安ではなく、不調和、不安定、ナンセンス、グロテスク、直線的、粗暴的、抽象的、そんな性質のなかに、挑発的に美を見出していった。優れた精神表現の担い手は、時代の申し子である以前に時代を先取りする人たちであった。

先に引用したように、フランスの人類学者マルセル・モースとアンリ・ユベールは、一八九九年に『供犠』を上梓した。供犠の構造を明らかにした本であって歴史書ではない。だが、二人の分析は彼らの時代も排除しない。彼らによると、古来人類は、犠牲を聖化するために焼き尽くしたり、それを食べたりしてきた。世の中に災いをもたらす悪霊に災いをもたらさせないようにするためだという。そして重要なことに、結論部分で、著者たちは彼ら自身の日常にも供犠の要素が多分に存在していると認めたのだった(モース、ユベール 一九八三)。

また、よく指摘されるとおり、ロシア生まれの作曲家ストラヴィンスキーは、バレエ音楽『火の鳥』の仕上げの最中に、「輪になって座った長老たちが死ぬまで踊る若い娘を見守る異教の儀式」の幻影を見た。それが、一九一三年に発表された、まるで地震の初期微動のようなバレエ音楽『春の祭典』のモチーフになったことも特筆すべきだろう。作曲中は、『大いなる犠牲』というタイトルで紹介されることもあった。ウクライナ出身の偉才ニジンスキーが振り付けたという生贄の踊りは、もう少しで機械に近づくような、こわばった身体の痙攣のような踊りだったという。まさに「円滑な時間の流れの破壊」というべき音楽であった(岡田 二〇一〇：五二頁)。

さらに、ユダヤ系チェコ人のフランツ・カフカの小説『流刑地にて』が、一九一四年にドイツ語で執筆された(発表されたのは一九一九年)。いまならシベリアのラーゲリやアフリカの植民地さえ思い起こさせる殺伐とした流刑地《シュトラーフコロニー》で、何時間もかけて執行する全自動処刑機械を製作した一人の将校の話である。彼のもとに、ある旅行家が学術調査に訪れた。将校はこの機械に深い愛着を持っているが、最近は予算不足でかなりガタがきている。旅行家はこの処刑の見物に来たのだ。処刑予定の囚人がベッドに横たわっている。囚人はなぜ処刑されるのかわかっていない。裁判官である将校も説明しない。処刑機械が死刑囚の皮膚にその罪を刻むことになっているから必要ないらしい。将校は旅行家に、新しい司令官のせいでこの機械の意義が人びとに理解されなくなっていると不満を叫ぶ。さらに、新司令官にこの機械の感想を求められるだろうから、曖昧に答えておいてくれ、そうすれば機械は維持されるから、と旅行家に依頼する。だが、旅行家は断る。将校は突然囚人を解放して、新司令官への「復讐」のため、みずから処刑機械に身を横たえるのだった。カフカの描いた世界は、本国から遠い植民地《コロニー》での判決なき処刑、生体実験、システムを人命より優先する破滅の時代の、やはり予兆のように響く。

カフカより二歳年上の魯迅の短編小説『狂人日記』が雑誌『新青年』に掲載されたのは、一九一八年五月である。一九一五年に陳独秀によって上海で創刊された雑誌『青年雑誌』が翌年『新青年』と名前を変えた。すでにその八年前の一九一一年に辛亥革命が勃発し、一九一二年に二七六年続いた清朝が倒れたが、欧米日の列強に抗するほど近代化は進んでいないと知識人たちはみていた。『新青年』は、第一次世界大戦後の世界的な「自決」の風潮のなかで、反儒教、反文語、反封建主義の目標のもとに結集した知識人たちが寄稿した雑誌である。一九一九年ごろからマルクス主義へと傾倒し、のちに中国共産党の初期機関誌となり、陳独秀は中国共産党の初期の指導者として名を馳せることになる。魯迅も党員ではなかったが共産党との関係は悪くなかった(石川 二〇二一：一二五頁)。『狂人日記』は、兄をはじめ周囲の人間が自分を食おうとしていると信じる「被害妄想狂」の日記を通して、親を飢えさせないために子は自分の肉を差し出すことを美徳と考えるような儒教的家族観の時代錯誤を語らせている、そんな反儒教の小説として読まれてきた。ただ、この後の二〇世紀にロシアの民衆も日本兵も飢餓ゆえに人を食べた歴史を知る現在の目線で改めて読むと、「いつか食べられるかもしれない」という「狂人」の妄想はむしろ二つの世界大戦を生きた人びとのリアルな声として響く。

二〇世紀文化の寵児であった映画もまた例外ではなかった。ドイツのロベルト・ヴィーネ監督の『カリガリ博士』は一九二〇年二月に公開された。すでに砲弾《シェル》ショックで精神を病んだ兵士が故郷に大量に復員し、終わらない戦争を生き始めた年である。夢遊病者チェーザレを使った連続殺人犯は、箱のなかに二三年眠っているというチェーザレの予知能力を芸として売り、その芸の世界を壊すような自分に都合の悪い人間をただそれだけの理由で殺す精神病院の院長カリガリであった。しかもその殺人事件は精神病者の妄想だったことが最後にわかる。カリガリ博士にナチスの予兆を感じるのは単純すぎるにしても(クラカウアー 一九七〇)、精神病者の夢が現実以上に現実的である構造は『狂人日記』と似ているし、以下のような、ベラルーシの作家スヴェトラーナ・アレクシエーヴィチが聞き取った、独ソ戦時代にパルチザンの看護師だった女性の証言にも通底する。看護師がある村を訪れたときだ。五人の子どもを殺され、顔も洗わず、髪をとかしていない女性が、「あたしの子供がどんなふうに殺されたか話してあげるよ、どっちの子供から始めようか? ワーセンカから? あの子は耳に撃ち込まれたのよ、トーリクはアタマなんだけどね、どっちからにする?」と言いながら街を彷徨っていたという話だ。看護師は聞き手にこう語る。「みんな、その女の人から逃げていました。その人は狂っていたのです。だから話すことができたんです……」(アレクシエーヴィチ 二〇一六:三一四―三一五頁)。

著者の意図にかかわらず作品が「何かに触れて」しまっているとき、ようやく作品は時代の束縛から自由になる。世界的犠牲システムの形成期を生きる鋭敏な感性の持ち主は、身の回りに犠牲が溢れ、自分が犠牲者になる機会の急増に感づいていただろう。そして理性の外にいなければ、本当に起こっていることをまともに語ることなどできないと気づくだろう。一九三七年のパブロ・ピカソの「ゲルニカ」がスペイン・バスク州の都市ゲルニカの空爆後に制作されたにもかかわらず、非人間と人間の種間横断的犠牲を描くことで、現在の生態系破壊の時代にまで確実に届いていることも、その証左だと言えよう。

「すべてを焼く」

現実に起こった犠牲は、前衛的作品がそれぞれの触覚で感じ取った「犠牲」をモンタージュしたような、途方もなく衝撃的なものであった。ヒトラー独裁時代の大量虐殺やスターリン独裁時代の大飢饉のように、数百万から数千万という数の人間が、人種主義の教義や社会主義の建設のための、もっといえばそれらの大義がもはや大義として成り立たなくなっても指導者たちが硬直した判断を下したことで犠牲になった。膨大な数の人間たちが、弔われることなく、空襲では生きたまま焼かれ、灰となった。

「すべてを焼く」を意味するギリシャ語の「ホロコースト」は、もともとは古代ユダヤ教の神聖な供犠の儀式(丸焼きにした犠牲獣を神に捧げる)という意味からきている。それが転じて、ユダヤ人やロマなどの被収容者を、一酸化炭素や青酸ガスで血中のヘモグロビンの酸素取り込み機能を阻害して殺したあとで、収容所の焼却炉で焼却して灰にしたナチスの行為を指すようになった。ここで私は「犠牲」という分析概念を用いて、ナチスの蛮行に宗教的意味を付与したいわけではない。モースらの言うように供犠は人類史にあまねく存在する行為であり、テクノロジーと国民国家の時代にはその時代の文脈に応じて発動しているからこの語を用いるにすぎない。経済的危機のなかで階級的に分断されようとしているドイツを再統合したり、戦争中に食糧を再配分するさいにドイツ人を優先したり、労働者不足のなかで極限まで搾取できる労働力として利用したり、医学者の知的好奇心を満たす実験動物にするための根拠として人種主義が利用されたという機能を重視したいのである。

しかも、この時代に「焼かれた」のはユダヤ人だけではない。一九三七年のゲルニカ、一九三八年から一九四三年までの重慶、一九四〇年のイギリスのコヴェントリー、一九四五年のドレスデンや東京などの「絨毯爆撃」で瓦礫となった都市はいうまでもないだろう。地形が変わるほど砲弾が投じられた戦場、原爆が落とされた実験場や都市では、爆風と熱風で人や建物が舞い上がったり、炭化したり、溶けたりした。

広島と長崎の被爆者は、戦争を早く終わらせ、本土決戦で死ぬかもしれない犠牲者を前もって減らすというアメリカの「大義」、社会主義国との覇権争いで有効な一手を打つという「打算」のために、事前に知らされることなく犠牲に供された。それだけではない。空襲をアメリカが避けていた広島と長崎に、それぞれウラン二三五爆弾（リトルボーイ）、プルトニウム二三九（ファットマン）という異なった原料の原子爆弾を投下し比較するという人体実験の犠牲になった。実際に、原爆の後、アメリカが組織した原爆傷害調査委員会（ＡＢＣＣ）が被爆者の詳細な調査を行なったが、治療行為を行なわなかったとして、その後継団体が二〇一七年に謝罪した。

科学的供犠方式

もちろん、二〇世紀以前に犠牲の構造が存在しなかったわけではない。人体実験も存在した。ただ、二〇世紀の「供犠」が一九世紀までのそれと異なるところは、第一に、すでに述べたように、それだけの人間が犠牲になるにはあまりにも不釣り合いな「恩寵」だということである。効かないかもしれない医薬品を投与する、戦線を数キロ押し返す、動物実験では得られないデータを得る、国の一体感を強化する、戦後の国際社会の地位を固める、戦争で行き場のない兵士の性欲を満たす。たったその程度のことのために、この時代の住人たちは平然と千人単位や十万単位の人間の生命と尊厳を要求したのである。

そして第二に、それがあまりにも高速に、巨大に、ひとの目から隠れたところで繰り返されることで、犠牲の大量化が可能になったことである。まるで、魔法使いの弟子が未熟な魔法で古箒に水汲みをさせているうちに制御の呪文を知らないことに気づいて洪水をもたらしたあの物語のように、科学技術の発展と官僚組織の肥大化で「供犠」は自動化し、自走化し、日常化した。機関銃、毒ガス、空襲、核兵器、巨大すぎる命令系統はどれも、殺す側が罪悪感を抱くコストを削減した。

その大きな震源地の一つは、アメリカの新興工業都市シカゴである。言い換えるならば、自動車、トラクター、オール電化キッチン、そしてコンベヤー・ベルトだ。

一八九三年、コロンブスのアメリカ大陸発見四〇〇周年を記念してシカゴのミシガン湖畔で開催された万博は、見物人の目を驚かせるようなもので溢れていた。一度に一四〇〇人を詰め込める巨大観覧車や、わざわざ博覧会のために建設された発電所、蓄音機や望遠鏡に加え、世界最大のコンベヤー・ベルトを用いた「動く歩道」も展示された。

コンベヤー・ベルトを用いたシカゴのライン生産方式は屠畜の自動化を基点とし、自動車生産にも及ぶ(ギーディオン 一九七七：一〇五―一一六頁)。一九一三年にヘンリー・フォードは、ミシガンのフォード・モーター・カンパニーにコンベヤー・ベルトを導入した。黒塗りの自家用車「T型フォード」や「フォードソン」という乗用型トラクターの量産によって、自動車の大衆化を果たし、農業機械化による生産力増大の発端を開いたのである(Williams 1978)。

そんなシカゴには世界最大の食肉企業ユニオン・ストック・ヤードがあった。アメリカの冷凍車の発明、シカゴをひとつのハブとする鉄道網の発達、豚を生きたまま吊り上げてラインに乗せる技術の登場でシカゴは食肉生産の中心となった。その過酷さを暴いたのが一九〇六年にアプトン・シンクレアによって書かれた小説『ジャングル』だ(シンクレア 二〇〇九)。リトアニア移民が主人公である。彼は、不動産屋にも食肉工場にも騙され、ラインで流れてくる家畜と格闘しては怪我をし、搾り取られるだけ搾り取られ、ストライキに参加しても会社はもっと賃金の安い黒人を雇うので、お払い箱にされてしまう。そうして仕事も家族もやる気も失っていく。シンクレアは、ネズミの死骸が肉に混ざっていたり、腐敗した肉に消毒液をかけて缶詰にしたり、あまりにも杜撰な食肉の管理も、現地調査を踏まえて詳細に描写した。その結果『ジャングル』は、なんと当時の大統領セオドア・ローズヴェルトを動かし、食品衛生に関わる制度を整えさせた。とはいえ、移民労働者や黒人労働者の労働条件を改善する方向へとは向かわなかった。

ライン生産方式の発展には、フレデリック・テイラーの発明した科学的労働管理法が欠かせなかった。テイラーは人間の労働をストップウォッチで計測し、無駄なおしゃべりや動きを廃し、人間を労働に集中させる管理法を考えた。ライン上では、家畜であれ自動車であれ、流れてくる物に人間が合わせて分断された作業を行なう。その効率化は工場の生産量を飛躍的に高めた。だが、チャーリー・チャップリンの『モダン・タイムス』(一九三六年)で皮肉られたように、その単調さは労働者にとって容易に耐えられるものではなかった。チャップリンはナットを締めるうちに持ち場を離れても体が勝手に動いてしまうほどの人間の身体の機械化を、全自動食事機械によって労働者の労働時間を短縮させようとする効率化を極限までユーモラスに描いた。また、チェコの作家カレル・チャペックが戯曲『RUR』(一九二〇年)で用いた「ロボット」という造語を思い起こしておきたい。チェコ語で「強制賦役」を意味するrobotaとスロヴァキア語で「労働者」を意味するrobotnikの合成語である。そのロボットが人間らしい能力を身につけ世界中に普及するにつれて、人間は身体性を失いロボットに似てくるという物語は、世界犠牲システムの形成が機械を巻き込んでなされていくことの予言でもあると言えよう。

レーニンもスターリンも毛沢東も、アメリカ発のトラクターという万能の農業機械に農業の合理化と農業集団化の可能性を嗅ぎ取ったように(藤原 二〇一七a)、機械による生産効率性が社会設計の根源となったという意味では、社会主義国も資本主義国も大差はなかった。犠牲が捧げられる超越的存在は、もはや「神」から「国家の大義」や「生産効率」へと変わりつつあったのである。

また、シカゴ万博の報告書でオール電化キッチンの存在を知り、私有キッチンの廃止と、共有キッチンの普及によって女性の解放を訴えたのはドイツ社会民主党のアウグスト・ベーベルであった。だがこの夢は個人消費欲求の高まりゆえに潰え、シカゴ万博の精神は、一九二〇年代に大量生産型キッチンの設計にテイラー主義が導入される、というかたちで家事の領域に浸透していく。ウィーン出身で、システム・キッチンの発明者である建築家マルガレーテ・シュッテ＝リホツキーは、ドイツではフランクフルトの集合住宅のキッチンを設計したあと、ソ連に招聘され、シベリアの工業都市の幼稚園などを設計したり、仲間の建築家であるブルーノ・タウトに招かれてイスタンブル芸術学校で教鞭をとったり、キッチンの革命は政治体制を易々と超えた。また、家政学は、ジェンダー秩序に変更を加えることなく、女性たちをキッチンのおしゃれな労働者として再定義し、さまざまな道具や食品を購入しながら合理的な料理を営む方法を提供するようになる。女性を「第二の性」として身分的に固定し、生殖と家事に専念させようとしたナチスが、テイラー主義的家政学とキッチンの近代化を利用したことは言うまでもないだろう(藤原 二〇一六)。

このように、犠牲の社会内再配分は一挙に進行するが、あまりにも日常化され、捉える感性が磨耗していく。少数の犠牲者はノイズにすぎない、という効率的な精神構造がこうして日常に定着していく。

身体を置き去りにする科学技術

つまり、科学技術の発展が世界的犠牲システムの再編成と肥大化を加速させた。この時代の科学技術の進歩たるや、眩暈が起こりそうなほどである。イタリアの未来派の詩人マリネッティが戦争と技術、速度と力を称え、道徳主義とフェミニズムを嫌悪する「未来派宣言」を一九〇九年二月二〇日に『フィガロ』紙で発表したとき、「機銃掃射をも圧倒するかのように咆哮する自動車は、「サモトラケのニケ」よりも美しい」という一文を載せた。もはや、人間の視覚が追いつかないほどの速度を彼は礼賛した。

ダイムラーの四輪ガソリン自動車の完成(一八八六年)、エジソンの活動写真の発明(一八九一年)、ジョン・フローリッチのエンジン・トラクターの発明(一八九二年)、北里柴三郎とイェルサンのペスト菌の発見(一八九四年)、レントゲンによるエックス線の発見(一八九五年)、メンデルの法則の再発見(一九〇〇年)、ライト兄弟による動力飛行機実験の成功(一九〇三年)、ハーバー＝ボッシュ法の完成(一九〇九年)、鈴木梅太郎のヴィタミンの発見(一九一〇年)、リンドバーグの単独無着陸大西洋横断飛行(一九二七年)、アインシュタインの一般相対性理論(一九一五―一六年)、ハイゼンベルクの量子力学の構築(一九二五年)、アーサー・G・タンズリーの「生態系」の提唱(一九三五年)、アラン・チューリングによるコンピューターの理論的原型の提案(一九三七年)、ワトソンとクリックの「DNAの二重螺旋構造」の発表(一九五三年)。これらの輝かしい人類文化史の達成は、同時代に進行した陰惨な行為を一瞬忘れさせてくれるかもしれない。

しかし、よく整理してみると、これらの科学の達成こそが経済先進国にかつてない繁栄をもたらす一方で、二〇世紀の供犠を下支えしたことがわかる。自動車は戦争のモータリゼーションを促し、トラクターは戦車に転用され、動力飛行機はとりわけ第二次世界大戦の都市破壊の武器になった。ハーバー＝ボッシュ法は農地の生産力を上昇させるとともに、第一次世界大戦以来、尽きることのない戦場への火薬の提供を可能にした(藤原 二〇一七b)。それは、アメリカ南北戦争、日露戦争、そしてアフリカの欧米植民地での反乱の弾圧で試された機関銃が第一次世界大戦でヨーロッパの兵士をなぎ倒すこと、そして射殺時の良心の呵責の軽減を可能にし、銃弾の嵐の恐怖が何百キロにも及ぶ塹壕を兵士に掘らせた(エリス 一九九三)。メンデルの法則の再発見は、有用な植物と動物の品種改良技術を高めたが、同時に人種主義の教義にも利用された。たとえば、ナチ期の食糧・農業大臣はハレ大学で家畜育種を学び、そこで人種学の教義と出会った(藤原 二〇〇五)。

この時代の欧米や日本の科学技術を進歩させたのは、優秀な研究者や国家の莫大な資金援助だけではない。欧米諸国の法の対象外である人権を剥奪された人体と、ほしいままに開発できる自然資源が存在する植民地が必要であった。そして今度は科学技術が、石油を燃料とする自動車や飛行機の開発を通じて、日常の身体感覚では追いつかないほどの速度と力を人類に与え、みずからの身体を介在させない大量の犠牲を可能にしていく。

三、供犠に供される人間

一八三三年八月二三日、イギリスで奴隷制度廃止法が制定され、イギリス帝国内の奴隷制が違法となった。一八四八年四月二七日、フランスの第二共和制は、ナポレオンが復活させた奴隷制を再度廃止した。そして一八六三年一月一日には、アメリカで奴隷解放宣言がリンカーンによって署名された。にもかかわらず、一九世紀後半から二〇世紀まで、欧米諸国も、明治維新で身分制度を廃止した日本も、植民地や非公式的な従属国で住民たちに奴隷と変わらぬような扱いをやめなかったし、この地に文明をもたらすことが住民の幸せだという傲慢さを捨てることは稀であった(9)。

また、奴隷解放令はもちろん人間総体の解放ではなかった。上官たちの見栄や名誉のために実行された無謀な作戦ゆえに若い命を捨てた兵士たち、強制収容所で人権を剝奪され、使い捨てにされた被収容者たち、アメリカで白人から集団リンチを受け、ビリー・ホリデーが歌うことになる「奇妙な果実」(一九三九年)として木に吊るされた黒人たち、非西洋世界のゴム農園やバナナ農園の労働者たち、そして男性兵士の欲望の吐口にされ、輪姦され、殺され、捨てられた女性たちもまた奴隷のように扱われてきた。

科学的供犠方式の条件には、これまで述べた生活意識を超えた科学技術の進歩に加え、奴隷の代わりに非人間的な扱いをすることができる「人間以下の人間」というカテゴリーの設定と、それが可能な「例外状態」、つまり戒厳令的もしくは非常事態的な時間の継続が必要である。このことに関して、もっともあからさまなのはナチスだった。一九三三年三月二三日の「全権委任法」による非常事態の恒常化と一九三五年九月一五日の「ニュルンベルク法」による「二級市民」の固定化がその事例である。しかしそれだけではない。以下に述べるように、隷属的な人間存在を認めて、自覚的にあるいは無自覚的にそこから利益を得ようとする人びとはこの時代、多くの国に登場する。

「下等人間」と「最暗黒」

ナチスは西欧の価値観の拒絶者ではなく、継承者だった。マーク・マゾワーは、アフリカ大陸を「暗黒の大陸」と名づけたヨーロッパ大陸こそ暗黒の大陸だと皮肉った。ナチズムは「ヨーロッパ史の主流にしっくりあてはまる」とし、「ナチズムが人種的ナショナリズムの福祉体制を作り上げたのは、ヨーロッパ思想上、より一般的に見られた傾向を極端まで推し進めたもの」(マゾワー 二〇一五：一五頁)だと論じた。(10)

そもそも強制収容所は一八九六年にスペインがキューバ革命の折に設置したものと一九〇一年にイギリスがブール人収容施設を作ったのが源流であるし、優生学も諸説あるがそのもっとも初期の段階で普及を担ったのはイギリスの統計学者・遺伝学者のフランシス・ゴルトン、一九世紀に人種主義を推進したのはフランス人のアルチュール・ド・ゴビノーとイギリス人のヒューストン・S・チェンバレンであり、これらすべてが西欧諸国の基本的な精神に組み込まれており、やがて世界中で受け入れられていくものだった。

だとするならば、「ウンターメンシュ」(Untermensch)、すなわち「下等人間」というナチ用語もこの文脈で考えなければならない。ナチスはアメリカ独立革命やフランス革命の果実を基本的には否定したが、どんなに貧しくてもドイツ人の尊厳を守ると約束した。他方で、教義によれば、スラブ人やユダヤ人やロマは「尊厳をもつ人間」に入らない。ゆえに、スラブ人やユダヤ人やロマが飢餓になってもしようがない存在だと切り捨てる側にとって、良心の呵責を弱めてくれるこの「ウンターメンシュ」の響きは格別であっただろう。実際、メンゲレは実験対象の被収容者を「モルモット」と呼び、ナチスの食糧政策の責任者ヘルベルト・バッケによって策定された「飢餓計画」(Hungerplan)は「飢えてもよい人種」の選定を平然とやってのけたが、これらの科学の暴走が、倫理的でありつづけることの負荷を軽減させ、いっそうナチスの虐殺を野蛮にしたのである。

この心性は、二〇世紀の前半の歴史を振り返るとき、ユダヤ人を寄生虫や害虫と呼んだナチスに限定するのは無理がある。中国人捕虜を「丸太」と呼んで、あるいは論文でわざわざ「猿」と呼び換えて、化学兵器の人体実験の材料とし、それを中国に飛行機等でばら撒いて住民を殺戮した日本の七三一部隊や(常石 一九九五：一一六－一一七頁)、スペイン領のモロッコでの「反乱」を鎮圧するために毒ガスを用いたスペイン、ムッソリーニの命でエチオピアで毒ガスやダムダム弾を用いたり(毒ガスはリビアでも用いられた)、捕虜の遺体を切断したりしたイタリア、そして、一九三〇年一〇月の台湾先住民が日本の圧政に耐えかねて起こした反乱(霧社事件)に毒ガスを使用した日本もまた、相手を「野蛮な連中」と決めつけて自分たちの残虐さを正当化しようとした国である(デル・ボカ 二〇〇〇)。一九二五年のジュネーヴ議定書では毒ガスは非人道的兵器として禁止され、そういう国際世論が形成されているなかでも、日本は議定書に加わらず、瀬戸内海の大久野島に毒ガス工場を作り、大久野島を地図から消し、そこの生産物を霧社事件や日中戦争で使用していく(中国新聞「毒ガスの島」取材班 一九九六)。「ウンターメンシュ」やそれに類するカテゴリーは、奴隷制度が名目上は廃止され、戦争の悲惨さが広く共有され、人権意識が芽生え、女性参政権が認められ始めたこの時代の輝かしい到達と矛盾しなかった。人権意識と厭戦の公的空間での広がりは、逆説的に、人権から漏れ出るカテゴリーを固定させることを防げなかったのである。

では、二〇世紀において、「人間以下の人間」という意識はどう形成されたのか。それは「最暗黒地帯」、つまり「光の当たらない場所」の囲い込みから始まる。「文明化をもたらす」という使命をベルギー国王レオポルド二世から与えられて一八七四年にコンゴの冒険を遂行し、国王にコンゴを進呈したイギリス人のヘンリー・M・スタンリーは、一八九〇年、『最暗黒のアフリカにて』を刊行した(Stanley 1890)。彼は欧米の光を暗黒大陸アフリカに当てるという気負いでこのタイトルを選んだが、マゾワーの言うとおり、暗黒は西欧の側にあったことを本人が体現している。スタンリーら西欧人の冒険や経済活動による生態攪乱は、眠り病のような感染病を広めた。また、西欧人がコンゴの天然ゴムの農園で繰り広げていたのは、イギリスの外交官ロジャー・ケイスメントやジャーナリストのE・D・モレルの報告とその報告にインスピレーションを受けて書かれたジョゼフ・コンラッドの小説『闇の奥』で明らかになったとおり(コンラッド 一九五八)、労働者に鞭を振るったり、殴打したり、強姦したり、首に鎖をつけたり、手足を切断したりする野蛮であった(井野瀬 二〇〇四:三六六—三六七、三八七—三八八頁)。[11] コンゴでの残虐行為が明らかになるなかで、一九〇八年にコンゴはベルギー領となる。

コンゴのような「最暗黒」がロンドンのイーストエンドにも存在するとして救世軍を組織し、貧困撲滅にあたったのがウィリアム・ブースだった。ブースは、やはり一八九〇年に『最暗黒の英国とその出路』を上梓した(ブース 一九八七)。ブースもまたスタンリーと同様にスラム街に光を当て、彼らを救出する気概をこの本で見せている。日本でもスタンリーの本に刺激され、東京四谷の鮫河橋の貧民窟を「探検」し、その残飯屋で働きながら貧民たちの声を拾い集めた小説家松原岩五郎が、一八九三年に『最暗黒之東京』を出版した(松原 二〇一五)。松原は、日清戦争時には戦場となった朝鮮半島へ従軍記者として参加し、すでに日本が圧力を強めつつあった朝鮮半島の貧しい人びとを活写したが、ここでもスタンリーの「暗黒」に言及した(松原 一八九六)。最暗黒は文明人の冒険心に火をつけたが、ロンドンの貧民街イーストエンドも四谷鮫河橋もアフリカのコンゴも、そこに住む人びとも、逆にいえば発見され踏査されるべき「客体」でしかなかった。この客体がしかし、安宿に泊まって糊口を凌ぐ底辺労働者として、とくに車夫やクズ拾いや清掃人や売春婦として近代資本主義を支えていることを述べたのは、松原岩五郎だけであり、その彼にとってさえも朝鮮人は貧しさゆえにただ憐れむだけの存在であった。

被収容者たち

では、このような構造の中で、二〇世紀前半に犠牲に供されていった人びとは、具体的にはどんな人たちであったか。

第一に、強制収容所の被収容者である。強制収容所とは人権を剝奪した人間をバラックに隔離監禁して生活させ、賃金のほとんど発生しない労働力として酷使する施設のことだ。その最初期の事例が、先述の一八九六年にスペインがキューバ革命時に設置した強制収容所と、一八九九年から一九〇二年まで南アフリカで繰り広げられた第二次ブール戦争(南アフリカ戦争とも呼ばれる)で設置された強制収容所であった。どちらにせよ、スターリンの収容所列島、ナチスの強制収容所につらなる巨大な犠牲のシステムはヨーロッパの支配地域で作られたのである。

第二次ブール戦争は、イギリス人とオランダ東インド会社の統治期にヨーロッパ各地からやってきた人びとの蔑称である「ブール人」(「アフリカーナー」とも呼ばれる)との戦いだった。オランダ人、ドイツ人、イタリア人、現地人などを含む国際戦争であり、戦闘員に限定される戦争ではなく、未成年の犠牲者が多かったという意味でも二つの世界大戦の前触れと呼ぶべき戦争であった。

イギリスの将軍ホレイショ・H・キッチナーはブール人の捕虜たちをセントヘレナ島やインドやセイロン島に設置した捕虜収容所に送り込むだけではなかった。南アフリカには黒人専用の捕虜収容所が設置され、そこはブール人のそれよりも過酷だった。また、線路や橋を爆破したり、イギリス軍の兵器を奪ったり、ブール人が展開するゲリラ戦に手こずったイギリス軍は報復としてブール人の農場を焼き払う挙に出た。そのため、報復の犠牲者となって家に住めなくなった女性や子どもたちをイギリス軍は強制収容所に隔離したのである(井野瀬 二〇〇四:二四五―三〇二頁)。

ゲリラ戦の多発や非戦闘員に対する容赦ない攻撃、非戦闘員、とくに子どもたちの大量死、そして強制収容所やゲットーの設置による隔離やそこへの移住と虐殺という二つの世界大戦の基本的枠組みはすでに南アフリカ戦争に内包されていたのである。その結末の代表的な事例が、ナチスやソ連の設営した収容所群であり、とくにナチスがポーランドの首都ワルシャワの中心に作ったゲットーによるユダヤ人の隔離と飢餓環境の創出であり、そこから九〇キロメートルほど北東に離れたトレブリンカ絶滅収容所である。一九四三年四月のワルシャワ・ゲットーの蜂起で逮捕されたユダヤ人たちも次々にそこに移送され、所持品を剥奪されたあと、ほとんどの人びとが排気ガスによって虐殺された(ヴィレンベルク 二〇一五)。

他方、野村真理によれば、ホロコーストを生き延びたユダヤ人は、ポーランドやルーマニアで迫害を受け(野村 二〇一二)、ドイツやオーストリアの英米の占領地域などで一旦再収容され、その多くが「約束の地」パレスチナに渡った。だが、周知のとおり、パレスチナの入植地は、そこに代々住んできたアラブ人の土地を暴力的に奪うやり方で築かれた。現在のガザ地区の封鎖と空爆にいたるまで犠牲システムのエスカレートは、建国後のイスラエルによってなされてきた。一九四八年の建国がもたらした殺戮とパレスチナ難民の発生は、一九四八年が「破滅の時代」の終わりではないことを示している(パペ 二〇一七)。

それにしても、人権を剝奪された人間が大量に隔離されたり、移動させられたり、殺されたり、死ぬがままにされたりするという現象が連鎖的に起こり、それが二〇世紀前半の特徴であるとはどんな意味を持つのか。これまで万巻の書がこの奇妙な強制収容現象の説明にページを割いてきたが、私はキューバ革命や南アフリカ戦争時の強制収容所と、コッホがヴィクトリア湖の孤島に設置した実験施設、あるいは七三一部隊が捕虜を監禁していた監禁室群を重く見たいと思う。なぜなら、「人種が異なるので生活圏を分ける」「脅威を与える可能性があるので集団として隔離する」「働けない人間は殺し、働けるものは死ぬまで働かせる」あるいは「食物が足りないので選んで殺す」という強制収容所の論理は、フォーディズムとテイラー主義の結晶であるシカゴのユニオン・ストック・ヤードのように、実験室的観点にのみに立てば「合理的」だからである。

つまり、二〇世紀に人びとの欲望の限界を超える規模で訪れた暮らしの恩寵は、二〇世紀に人びとの生活実感を置き去りにするほどの経済的合理性の暴走が支えていたのである。

被験者たち

第二に、コッホが投与した薬の被験者のような、人体実験の犠牲者たちである。ここにも「犠牲システム」の経済性が色濃くあらわれている。

一見すると、メンゲレが行なったことは我々の理解を超えるように思える。彼がとりわけ執着したのは双子の子どもたちであった。一卵性双生児は遺伝子がほぼ同じであるが、環境によってその性質が変化するという意味で医学的に興味深い対象であった。メンゲレは強制収容所で、思う存分に子どもたちを実験材料として用いた。収容所内の「幼稚園」と呼ばれた場所に子どもたちは集められていた。そこで、「おじさん」(Onkel)と慕われてきた彼は、仲間の医師たちとともに、子どもたちの身体を切断してつなぎ合わせたり、臓器を交換したり、この世のものとは思われない実験をしたのである。

また、石井四郎率いる七三一部隊の残虐も、あまりにも不可解で論理的に追うことが難しいように思える。たとえば、凍傷実験は別世界のような実験である。

マイナス数十度の屋外で、裸の腕をマイナス数度の溶液の中に肘まで漬けさせる。溶液が凍りつく前に引き上げて、そのまま外気にさらさせる。外気の気温が高ければ扇風機で風を送る。こうして腕を凍傷に、すなわち腕の組織を凍らせた。(常石 一九九五：一二四頁)

完全に凍ったかどうかは叩いて試したと実験に携わった軍人は言っている。そのあと、さまざまな温度につけて解凍を試みた。結論は「四十五度くらいまでは危険が少ないが、五十度以上の温水を使用してはならない」というものだった。ということはつまり、五〇度の温度ではおそらく組織が剥離してしまったのだろう、と常石敬一は推測している(同：一二六—一二七頁)。

七三一部隊は実験で得られたデータを元に数多くの生物兵器を作り、実戦にも投入した。そのなかには、炭疽菌やペスト菌を詰め込んだ爆弾があるが、これもあらかじめ人体実験がなされている。

十人の犠牲者は、半径十メートルの円形状に、約六メートル間隔で打たれた杭に縛りつけられた。その真ん中、あるいは数十メートル離れた所でペスト菌や炭疽菌の細菌爆弾を炸裂させ、それに感染するかどうかといった「実験」が行われた。〔中略〕／炭疽菌爆弾の場合には、犠牲者は榴散弾の弾子で負傷し、血だらけになる。犠牲者は怪我で死亡することのないよう、臀部以外の身体は布団でくるまれていた。（同：一五六頁）

だが、これらの想像を絶する残虐も、生産性を上げるためには人間性の収奪も厭わないというフォーディズムとテイラー主義の論理構造の応用問題である。メンゲレと石井四郎部隊には、コッホの実験と共通の合理性が存在する。動物実験よりも人体実験の方が正確なデータが取れる、という動かしがたい事実だ。これは原爆投下にも当てはまる。すでに述べたとおり、広島と長崎は別々の種類の爆弾を用いた人体実験の要素があり、そこにやってきたABCCの医師団も、目の前の負傷者を治療するのではなく、調査したに過ぎなかった。この核兵器の「性質」は、核実験の段階ですでに色濃くあらわれていた。

フォトジャーナリストの豊崎博光が著した『アトミック・エイジ』にある興味深い聞き取りに着目したい。三つの原爆を製造した「マンハッタン計画」には二〇億ドルの費用と、科学者、技術者、兵士などのべ五四万人が動員され、多くが被曝した。末端で働いていた学生のドロシィ・レガッタはこう証言したという。「一九四四年、カリフォルニア大学バークリー分校の学生だったとき、大学にあるクロッカー放射線研究所で、実験に使ったガラス器具を洗うアルバイトをしました。時給は五十セント。とくに汚れのひどい器具を粉々に砕いて、スチール製のドラム缶に詰める作業をすると十五セント多くもらえました」。これはマンハッタン計画の一部であり、器具はプルトニウムに汚染されていることをレガッタは知らされていなかったという。彼女が結婚して最初に生まれた男の子は四歳のとき白血病で亡くなり、本人も甲状腺がんで手術をした（豊崎 一九九五：一五五頁）。

一九五一年一一月一日、ネバダ実験場では、八八三人の兵士を水爆の爆心地から一一キロ離れたところに配置し、投下後に一五組に編成して、一列縦隊で爆心地に向かう人体実験がなされた。アメリカ軍は一一キロでは現実味がないとしてつぎの五月一日の実験では、兵士の配置位置を六・四キロに変更したという。このときの元兵士ラリー・プレイによれば、「ものすごい爆風とともにすな埃が襲ってきた。埃は甘い、ねばついた臭いがした。一時間後、グランド・ゼロにむかって行進した。ひどい埃で何も見えなかった」。また、核実験は人種主義的で、実験に供された兵士の八割が黒人兵で、黒人兵の方が白人兵よりも爆心地に近く設定されたという証言も記録されている(同:二二四―二二五頁)。なお、プレイは一九七五年に骨髄腫となって車椅子生活になった。彼のような実験兵士はその後調査の対象にされる。まさに「兵士のモルモット化」であった。

一九五四年三月一日のマーシャル諸島ビキニ環礁での水爆実験も、住民を用いた人体実験的性格があったことはすでに繰り返し指摘されている。アメリカ原子力委員会は、「ベータ線障害を起こし得る最適の条件が存在し」「人間の放射線障害に関する科学的観察を大量に集める」機会としてこの水爆実験をみなしていた(グローバルヒバクシャ研究会二〇〇五:四八―四九頁)。そのなかでもビキニ環礁から東に一五〇キロ離れたロンゲラップ環礁は、水爆投下時、「危険区域」の外とされ、放射性降下物にさらされていることを知りながら五一時間放置された。その後、住民たちは生活環境が異なる島に強制移住させられ、食生活も激変させられたうえに、三年後にまた戻された(同:四九頁)。爆心地周辺の住民たちはガン、先天性の障害、異常出産などに苦しみ、食生活が激変したために生活習慣病も襲いかかった。

ヴィクトリア湖に浮かぶブカラ島から太平洋のマーシャル諸島に至る二〇世紀前半の被験者の歴史は、人体実験がこの時代の例外状態を示しているのではないことを伝えている。

労働者たち

第三に、底辺で世界経済を支える労働者である。世界恐慌のさい、資本主義諸国では大企業は中小企業を吸収し、より大きな企業体に変化した。大手銀行も小さな銀行を吸収した。小規模農業経営もまた、大規模な農業経営に吸収された。大きな機械を導入し、規模の経済を実現して、合理的かつ恒常的に利益を生み出すシステムを維持するためには、恐慌はむしろ好都合だった。ただ、犠牲にされた労働者は、雇用者との契約関係で成り立っている近代的「プロレタリアート」とは限らなかった。チリ硝石鉱山やコロンビアのバナナ農園の事例がそうであるように、明らかに、暴力によって不公平な関係に歪められており、恒常的な利益が雇用主に上がるようにされている地域も多かった。

ここでは、冒頭の日本郵船の事例をもう少し見てみよう。広野八郎の『外国航路石炭夫日記』は、一九二八年一一月から一九三一年四月まで、四年にわたってインドならびに欧州航路の石炭夫として生きた労働者の記録である。広野は一九〇七年現長崎県大村市に生まれ、一五歳から炭を運ぶ馬方や電車の車掌など職を転々としたあと、外国航路の石炭夫、土木・建設作業員、炭坑夫などの労働を四六年間続けた。その間に、プロレタリア文学運動に参加し、小説や詩などを発表した。類まれな世界恐慌の現場の目撃者である。

船の石炭夫は過酷な労働である。一九三〇年七月一日の日記を見てみよう。欧州航路を行き来していた香取丸が紅海に差し掛かっていたときのものである。

> 缶前《かままえ》の熱さときたら、またとくべつである。もう缶前におりただけで、汗が流れて作業着はしぼるほどだ。息ぐるしくって、じっとしていてさえぶっ倒れそうである。それに、まだどろどろ燃えているアス（石炭の燃えがら）をかきだして缶替《かまが》えをやったり、アス巻き（火炉から出た灰を缶でできた桶に入れ、灰上げ機で甲板上まで巻き上げ、海中投機する作業）をしたり、三番のホールド（船艙）から押す石炭も、車をつづけて五台も押すと呼吸がつまる。（中略）／熱いはずだ。缶前の温度一三五度を下らない。
> （広野 二〇〇九：二二三頁）

船員の男たちは、この過酷な労働と極度の疲労と怪我に悩まされつつ、すぐに部下を殴る粗暴な火夫長に法外な利子で借金をするよう強制された。食事も貧しい。一九三〇年九月一七日、ペナンからコロンボに向かう赤道直下の海でこう愚痴をこぼす。明るく豪華でファンがくるくる回る大部屋に「ボーイが高価な料理の数かずをはこんでいる。幾多の高価な料理が、あの人たちの口には三度三度はいるのだ。どんな「えらい」お客が乗っているのか、私たちには知る由もない。／私たちは外米のボロボロの飯と、塩っぽい味噌汁と菜っ葉と、すじばかりの肉のごった煮ばかりで食事をすまし、毎日真黒になって追い使われているのだ」(同：二五〇頁)。

重要なのは、底辺労働者の彼がプロレタリア文学の担い手でもあったことだ。彼は、過酷な労働が世界中に存在することを、津々浦々の港町を歩き理解していく。一九三一年三月一六日、イギリス北東部の港町ミドルスブラ停泊中の日記にはこう書かれている。「この街には、不具者を多くみうける。松葉杖をついているもの、片腕のないものをきょうは六～七人もみた。工場街と不具者、資本と機械、その関連を考えないわけにはいかない。／貧民街らしい通りにくると、髪の毛が伸び、ボロ服を着た子どもがついてきて「ペニーをくれ」とねだる。その子どもたちを注意してみていると、それはこの子どもたちばかりの意志でないことがわかった。軒の口までその母親らしい女がでてきて、その子どもになにかいってけしかけているのであった」(同：二三九頁)。

広野は、この半世紀の世界史の仕組みを汗臭い船底から客観的に素描した。その客観性は自分にも向けられる。世界恐慌の犠牲になっているプロレタリアートもまた誰かを犠牲にしていることを。

女たち

それは女たちである。広野八郎たち船員は、世界の港の女たちにとってみれば「搾取者」であった。そのことを広野も理解しようとしていた。一九二八年一二月二二日の日記で、彼はインドのカルカッタの洋館の出来事を書いている。なお、その頃のインドは、ネルーとガーンディーの国民会議派の独立運動が盛んになり、ガーンディーの非暴力運動「塩の行進」が始まるのがこれから二年後の一九三〇年であった。「コンクリートの階段をのぼると、ひとつの部屋にわかい質素ななりをした「日本の女」が、椅子に腰かけていた。〔中略〕／あいそうよく迎えて、シナタバコの紙巻きを一本ずつわたしてくれた。しばらくして、四〇にちかい年ごろの女が二人はいってきた。二人とも話すことばは長崎弁である。こんなところで故郷のことばをきこうとは、思いもよらないことだった。しばらくしてそこをでた。／彼女たちはあれでも遊女なのか。異国の地で春を売る女よ！　彼女らは、遠い船路につかれた同国のマドロス〔船員〕たちに、どれほどなぐさめと生きるよろこびとをあたえてくれることだろう」（広野 二〇〇九：三〇頁）。

さらに一九二九年四月二八日の日記では上海の港で洗濯をする女性が船室まで乗り込んできた、と書いている。彼女たちは船員の求めに応じることもある。それを広野は「わずか米一升分の金で、じぶんの肉を提供する女。こうしたことによって欲望をみたそうとするマドロス。それもこれも、ともに社会の底辺の、なおその下層にくるしむものたちの、共食いである」と嘆いた（同：七一頁）。

他方、日本の九州、とくに天草の女性たちは明治維新以降、日本からインドにかけての港で性労働やそれに類する仕事に従事していた。長崎出身の広野がインドの港で同郷人と出会う場面は、性産業が世界システムを形成していなければありえない。この「からゆきさん」と呼ばれた女性たちを、森崎和江は、一方で貧しい農村の犠牲者として、他方でしかし、誇り高き世界史の主人公として描いている。

ヨシは、一八八六年に長崎県天草で生まれた。一八八二年生まれのフランクリン・ローズヴェルトや一八八三年生まれのムッソリーニと、一八八九年生まれのヒトラーのあいだの年で、みな同世代である。家族はみな炭鉱で働いていたが、チリ硝石鉱山と同様に鉱山が経営する売店でしか通用しない金券を与えられて、貧しい暮らしを送っていた。日露戦争のあと、ヨシは一九歳でからゆきになった。上海やシンガポールの娼楼で働いたあと、シンガポールで公娼制廃止の機運が高まり、爪みがきとマッサージの店を始める。そこで日本人女性二人を雇った。世界で天然ゴムの需要が高まると、貯めた金でゴム園を購入しマレー人を働かせた。一度帰国後、インドに向かった。ボンベイの目抜き通りで、天草出身者を含む日本人女性を三人雇い「ジャパニーズ・マッサージ」を始める。彼女はこの仕事を「日の丸ぱ胸におさめた民間外交」だと誇った。インド独立藩王国の王にも呼ばれた。「塩の行進」を指揮していたガーンディーの施術もしたという。ヨシはインド人の中でガーンディーをもっとも尊敬していた。「インドは自分のくにをうしのうたけど、きっとまたとりもどすばい。みとってみろな。ガンジーのようなえらか人が、自分のことはなりふりかまわずに、いっしょうけんめい説教して歩きよらしとるけん」(森崎 一九八〇：一七一頁)。

四五歳でイギリス系の船会社の事務長の秀則と結婚、甥の子を天草からインドに呼んで養子にした。一九三五年にケニア(当時イギリス直轄の植民地)の港湾都市モンバサへの転勤を命じられ、事実上の辞職勧告と解した彼は二人で日本に帰った。その後夫は病死、子どもの洋子は熊本の遊び人と駆け落ちして母のもとから消えたが、後年関係を修復した。老後は、すべて身辺整理を終えたあと自宅で静かに息を引き取った。

天草の「からゆきさん」は日本近代化の犠牲者かもしれないが、ヨシの人生はそれ以上の意味があったことを教えてくれる。広野の会った長崎出身の娼妓もまた、ヨシほどの波瀾万丈ではなくとも、東南アジアやインドなど流れ着いた街で生きていたのである。

とはいえ、世界犠牲システムの形成の時代が、とりわけそのシステムの頂点である第二次世界大戦が、ヨシのような女性の持っていた人生の誇りまでも押し潰すことで成り立っていたことは何度強調してもしすぎることはないだろう。

たとえば、一九四一年、ソ連領内に進軍中のドイツ軍によって「ウクライナ人、白ロシア人、ロシア人の若い女性がかり集められ」、彼女たちは「軍の慰安所に強制的に入れられた」。「こうした奴隷制度のもと、彼女たちは非番の兵士から連続的レイプの対象とされた。抵抗すれば、野蛮な処罰と、時には射殺までが待っていた」(ビーヴァー 二〇一五：上巻四一九頁)。ナチスは「ウンターメンシュ」と交わることを禁止していたが、軍はその女性のレイプを制度化していたのである。

また、一九四五年四月のソ連軍が攻めてきたベルリンで、九万五〇〇〇人ないし一三万人と推計される女性および少女がソ連兵にレイプされた。「大半の女性は繰り返し被害に遭っていた。うち一万人が輪姦の結果、もしくはその後の自殺により、命を落としたと推計する医師もいる」。「一家の面汚し」として父親に自殺を強要された娘もいた(同：下巻四三四頁)。連合国だろうが同盟国だろうが、兵士は荒れ狂ったように女性を陵辱した。スターリンも、ユーゴスラヴィアでの赤軍の女性への強姦や殺人が一〇〇件以上起こったことが話題になった昼食会で、「(親しい仲間の死を目撃しつつ戦っていた男が)女性に少しばかり不作法に振る舞ったとしても、何がそんなに問題なのか？」と赤軍兵の行為に理解を示した(フレヴニューク 二〇二一：三七三頁)。

戦争の中で女性の尊厳が蹂躙されたのは日本帝国でも変わらなかった。一九一五年に日本の植民地だった朝鮮の釜山で生まれた朴徐雲は、一九歳で結婚後、夫の母の拘束に耐えかねて実家に戻った。二一歳か二二歳のとき、満洲で金が稼げるという「人買いの口車に乗せられ」、工場だと思いついて行ったら満洲国とソ連の国境にある琿春県西土門子村にある慰安所に連れてこられた。日本軍の兵営二つがここに駐屯していたが、朴は病気のため毎日一人から三人の相手しかできず、慰安所の主人から虐待され、追い出されたという。その後、独りで乞食をしながら生きた。日本植民地支配から逃れるように満洲にわたったり、朝鮮総督府の命令で集団移民させられたりした朝鮮人たちの聞き取りをした李光平は、二〇〇七年の六月から七月にかけて四回彼女のもとを訪れ、彼女の警戒を解きながら話を聞いたのだった(李 二〇一九：一三一頁)。彼自身が朝鮮人移民の末裔であった。

犠牲の歴史は、単純な二項対立では描けない。複雑な犠牲の連鎖にあって、それでも力ある場所と力なき場所があればかならず過剰な犠牲と過剰な恩寵が生まれる。その犠牲の世界内配分をかつてないほど大量にかつ粗暴に行なったのがこの半世紀だった。

四、戦争に供せられた日常

「人間は戦争のスケールを超えている」

第二次世界大戦期に東部戦線で戦った女性兵士から戦闘や食事や恋愛の模様を聞き取ったアレクシエーヴィチは、印象深いことに「人間は戦争のスケールを超えている」と言い切った（アレクシエーヴィチ 二〇一六：九頁）。たしかに人間の生のヴァラエティとグラデーションは戦争のそれらをはるかに超えている。だが歴史の語り手は、つい戦争をこの世紀の悪神のような超越的存在に仕立てたがる。

どんなに大きな戦争であっても、寒さ、暑さ、ホームシック、心の病、リンチ、吐き気、震え、虫歯の痛み、虫刺されや水虫の痒み、愛するひとへの想い、散髪、戦友との食事、猥談や恋話という日常の積み重ねでしかない（吉田 二〇一七、ビーヴァー 二〇一五）。

二〇世紀の上半期、非戦闘員や戦闘能力を失った兵士の死者は戦闘員の死者を上回るほどだった。これは、二つの世界大戦の特徴である。女性の凌辱や拷問や人体実験や絨毯爆撃だけではない。第一次世界大戦中のドイツ（七六万人、以下括弧内は非戦闘員の死者数）、革命直後のロシア（五〇〇万人）やスターリン政権下のロシア（五〇〇－七〇〇万人）[12]、ナチス・ドイツ占領下のレニングラード（八〇万人）[13]やインドのベンガル（三〇〇万人）[14]、一九四四年から四五年の日本占領下のインドシナ北部（二〇〇万人）[15]など、戦闘行為をしていない人びとが飢餓の犠牲になった。また、日本帝国陸軍の補給の切れた太平洋の各島でも、多くの兵士がただ食べるものがないという理由で死んでいった。どちらも、糧食をはじめ食べものの生産と流通が勝敗を分けた食糧戦争《フード・ウォー》でもあったことはやはり強調すべきだろう。

もちろん、日常を強調することで、二つの世界大戦の戦闘行為の稀有な残虐性を否定したいのではない。むしろその逆である。二つの世界大戦でさえ、日々のくらしの積み重ねでしかなかったからこそ、その残虐がエスカレートした意味はより重いのである。

骨の粉砕機——第一次世界大戦

一九一四年から一九一八年までヨーロッパとその植民地であるアフリカを主戦場に繰り広げられた第一次世界大戦は、「骨の粉砕機」(Knochenmühle)とドイツで表現されるほどのすさまじい死に方を兵士に強要した。犠牲の全自動化をよくあらわす表現である。砲弾は大地ごと兵士たちを吹き飛ばし、スピードと量を増した機関銃の銃弾は放った敵兵の狙いと関係なく、一九世紀までの戦争よりも不特定で抽象的な存在として、兵士たちの体を貫いた。また、銃弾や破片が飛んでくるスピードゆえに、目、顎、鼻、耳、指、足、腕、手といった体のパーツだけがふきとばされた兵士たちは、復員後に義眼や義鼻や義肢で生きることを余儀なくされた。どこからともなく漂ってくる無色の毒ガスは、空中窒素固定法を編み出したあのフリッツ・ハーバー率いる化学者チームが発明した。窒息剤である塩素ガスの場合は鼻や口から入って肺に水を溜めたし、糜爛性のマスタードガス(イペリットとも呼ばれた)は、窒息剤を防ぐためにガスマスクで防備された口や鼻ではなく、衣服の網目の隙間から浸入して、皮膚をただれさせ、目を失明させた。とくに睾丸は甚大な被害を受けた。そして、血液剤である青酸ガスは、血液中のヘモグロビンが酸素をキャッチする機能を破壊し、兵士を酸欠にした。青酸ガスについては、戦後に膨大な在庫が余ったため、アメリカでは農薬に転用され、ドイツでは公共交通機関や公共施設の殺虫剤に転用された。後者のヒット商品であるツィクロンBが、ナチスの強制収容所の殺戮に用いられたことはよく知られていよう(Russel 2001)。

毒ガスが人間にも動物にも使用されたという事例は、この時代の戦闘行為のリスク再配分の線引きが事後的に変更され、たとえヨーロッパの住人であったとしても、動物と人間を「殺虫」としてひとくくりにして殺したドイツや、動物実験でやるべきことを人体でやりはじめる日本やドイツのふるまいへとつらなっている。

また、これらの兵士の死は、存分に美化された上で戦後のナショナリズムに利用された。凄惨を極めたオスマン帝国の「ガリポリの戦い」はその一つの事例である。一九一五年二月一九日に英仏の海軍によるダーダネルス海峡の侵攻は機雷による沈没などで失敗に終わった。そこで、連合国は、四月以降、ガリポリ上陸作戦を二度にわたって行なった。だが、杜撰な計画と弾薬不足ゆえに戦線は膠着し、塹壕戦となった。連合国では戦闘で四万人強、赤痢や腸チフスなどの病気で一三万人が死んだと言われている。オスマン帝国では八万六〇〇〇人の兵士が死んだが、要塞を固め連合国を撃退したこの戦いは、国内のナショナリズムを高揚させた。このとき司令官としてオーストラリア・ニュージーランド軍（ANZAC軍）を撃退したムスタファ・ケマル中佐は、新聞などで英雄として紹介され、のちに「父なるトルコ《アタテュルク》」として解体後のアナトリアを再統合する素地となった（鈴木 二〇一四：二五二頁）。ガリポリで戦死したニュージーランド兵士二七〇一名とオーストラリア兵士八七〇九名の兵士たちは、それぞれの国家の「建国神話」に捧げられることになる。

植民地の犠牲——第一次世界大戦

また、植民地も戦争の犠牲に供された。インドからは非戦闘員も含めて一三〇万人近くが動員された（小関・平野 二〇一四：四三頁）。イギリスは、植民地統治の過程で名づけられ、実体化させられてきた、比較的貧しい地域である東北地方は「戦闘に適した人種《マーシャル・レイス》」が多いという言説を利用したり、誇張したりして、そこから重点的に兵士を徴用し、彼らもそれを誇りとして戦地に赴いた。だが、「帝国の兵士」と「共同体の一員」という二重のアイデンティティに苦しんでいたという研究もある（石井 二〇一四）。ガリポリの戦いがそうであったように、犠牲に供せられるということは、称揚されること、自分で誇りに思うことと矛盾しない。

第一次世界大戦期、主要交戦国は、それらの植民地である東南アジアからも労働者と兵士を動員した。たとえば、仏領インドシナからは労働者と兵士それぞれ五万人がヨーロッパに送られ、イギリス領ビルマでも四六五〇人の義勇兵がヨーロッパ戦線へ、労働者を含む八〇〇〇人がイラクに送られた。フィリピンではちょうどドイツが休戦協定を結んだ一九一八年一一月一一日に、将校五七六人と兵士一万四二三五人が四カ月に及ぶ訓練の末アメリカ軍に編入され、死者一八四人を出し、そのうち一七六人がインフルエンザや肺炎だったという(早瀬 二〇一二：六六―九三頁)。おそらくスパニッシュ・インフルエンザ(日本ではスペイン風邪と呼ばれた)の犠牲者だろう。

アフリカからも大量の兵士が動員された。たとえば、セネガル兵たちの死は非常に多い。小川了の研究によると、西アフリカで「奴隷貿易が続いた四世紀間のどの四年余の期間に囚われた人の数より第一次大戦時の四年余の間に徴兵された人の数のほうが多」かったという(小川 二〇一五：vi頁)。セネガルは、戦前にフランスの調査によって「兵を提供する貯水池」とみなされており、実際にはアルジェリア、モロッコ、フランス本国に送られた。フランスの兵士の募集に対し、初めは「自発的」と見られる参加もあったが、徴兵制が導入され、見たこともない近代的兵器の戦場へと徴兵された結果、暴動が起こり、フランスは軍隊を用いて鎮圧した(同：七五―八八頁)。

一九一八年の夏、アメリカを震源に世界中に広まったスパニッシュ・インフルエンザは連合国も同盟国もかかわりなく兵士に攻撃を仕掛けた。アメリカの兵士は本国の兵舎で、あるいは大西洋を移動中の軍艦で集団感染の餌食になった。しかも、軍事行動が優先されたため、感染対策は疎かになった。戦争中のため感染の情報は機密扱いされ、各国の協力は望むべくもなかった(クロスビー 二〇〇四)。また、総計で一〇〇万人を超すドイツ兵が一九一八年五月から七月にかけて罹患したが、他方でイギリスは六月から七月まで五万件に過ぎなかった(ゲルヴァルト 二〇二〇：八八頁)。もちろん、ウイルスはアフリカ戦線でも容赦がなかった。たとえば、英領北ローデシアのアバコーンで降伏したドイツ軍の中で、一一六二人のアスカリ(植民地軍に雇われた現地の兵士)のうち一六二名、一五五名のドイツ人兵のうち一一名がスパニッシュ・インフルエンザで死亡した(同:二〇六頁)。

東部戦線の女性兵士――第二次世界大戦

第二次世界大戦はたくさんの女性が戦場で戦い、死んでいった珍しい戦争でもあった。アレクシエーヴィチが聞き取った女性たちの語りには、男性兵士の回想よりも具体的な日常が色濃くあらわれている。それどころか、ある二等兵だった女性が「女でなかったら戦争を生き抜けない」(アレクシエーヴィチ 二〇一六:四六五頁。以下、本書の引用はページ数のみ)と断言するように、男性兵士では直視できないようなことも描いている。

第一に、衣服。男のように上半身裸になってセーターの「網目の一つ一つ」についているシラミを焚き火で焼けない。そこでセーターを捨てて、ワンピース一枚でいた(二八八頁)というある電信係の証言や、「戦争で一番恐ろしかったのは、男物のパンツをはいていることだよ。これはいやだった。〔中略〕。祖国のために死んでもいい覚悟で戦地にいて、はいているのは男物のパンツなんだよ」(一二四頁)という射撃手の二等兵の証言は、彼女たちが男性兵士にはあたりまえの日常にどれだけ違和感を抱いていたか、その皮膚感覚が描かれている。また、ある洗濯係はシラミだらけの洗濯物から戦闘の激しさを読み取る。「雪上カムフラージュ用の白い服は裏まで血に染まって、白でなく赤かった。水で洗っても落ちないの。黒ずむほど血に染まっていて。詰め襟の軍服も袖のとれたのや、胸が穴だらけのや片足だけになったズボン」(二五三頁)。

第二に、人を殺す感覚。上級軍曹の狙撃兵はこう想起している。

「初めての時は怖かった……とっても……/私たちは腹這いになって見張る。ほらドイツの奴が塹壕から身を乗り出した。私は引き金を引き、そいつは倒れた。私は全身が震えて自分の骨がガタガタ鳴るのが聞こえる。泣き出してしまった。標的で訓練していた時には何でもなかったのに人を撃ち殺しちゃった! 私が! 私と関係のない人を殺したんだ！〔中略〕／しばらくしてそういう気持ちはなくなった。ソ連軍のほうが攻勢に転じてからだった。ウクライナだったと思う」。ソ連軍の負傷した捕虜の兵士がドイツ軍に黒焦げにされた惨状を見た。「それからはいくら殺しても哀れみの気持ちはおきなかった。この黒こげの骨を見てからは……」（五二―五三頁）。ドイツ軍への憎しみの増大が良心の呵責を消していく。

第三に、「女らしさ」。アレクシエーヴィチは戦争中の恋愛や片想いの事例をかなり挙げているが、男の軍人にも女性の気持ちを理解する人がいたという電信係の証言がある。ある連隊長は、モスクワ近くまで退却したとき「美容師を連れてくるから眉を描いたり、マスカラをつけたり、髪を巻いたりしなさい。そういうことはいけないんだが、みんなにきれいにしていてほしいから。戦争はそうすぐには終わらないからな」（二九三頁）と言って、女性兵士たちの心をつかんだ。また、武装調達の軍曹は、従軍して半年経って過労で生理が止まり、「もう永遠に女にならないんだ」と感じたという（三〇二頁）。

第四に、医療行為。医者や看護師として戦争に参加した女性も多かった。歩兵中隊の衛生指導員は、こんな凄惨な現場に立たされた。ある負傷兵が手を撃ち抜かれて、血管でぶらぶらつながっているだけの状態になっている。「全身血まみれ。すぐにも手を切断して、包帯をまいておかなければならない。それ以外にどうしようもない。でも、ナイフも鋏も持っていなかった」。そこで彼女は決断する。「私は自分の歯でその人の肉をかみ切りました」（二一八頁）。

これらの事例から、女性だからこそ、戦争で犠牲になるものの重さが男性と比べて一層際立っていることに気づくだろう。人を殺す感覚を失う、生理が止まる、女性らしさを捨てる。これらに類する心身への衝撃は本来女性だけのものではないはずだ。

二〇世紀前半の悲劇は、日常が戦争化し、戦争がゲリラ戦化したことで深刻化した。兵士でない者が兵士を殺し、兵士が兵士でない者を殺した。たとえば、日中戦争では中国共産党は正面から敵と戦うのを避け「背後に回って補給線を襲撃したり、農村地帯に根拠地を築いて敵を脅かしたり」したが、この奇襲に衝撃を受けた日本軍は毒ガス兵器使用を含むいわゆる「三光作戦」(殺し尽くす、焼き尽くす、奪い尽くす)と呼ばれる報復を始め、八路軍(中国共産党軍)は壊滅的な被害を受けた(石川 二〇一二:一三四—一三五頁)。

独ソ戦では、地下にもぐったり、森に隠れたりしてドイツ軍と戦うパルチザンの戦果は大きかった。その反面、ドイツ軍のパルチザン狩りは過酷を極めた。アレクシエーヴィチはドイツ軍に宿営地が知られ、四方の包囲から生還したパルチザンの女性の記憶を聞き取っている。この場所は底なし沼の地帯で、戦車も兵士も飲み込むので、ドイツ軍は入ることができなかった。彼女たちは「喉元まで水につかって」隠れていた。彼女の仲間の無線通信兵は、最近赤ちゃんを産んだ。赤ちゃんは空腹でおっぱいを欲しがる。

でも母親も腹を空かせているし、乳がでない、赤ちゃんは泣いていた。敵はすぐそばにいる。何匹も犬をつれている。／赤ちゃんの声が聞こえれば全員が死ぬことになる。三十人全員が。おわかりでしょう?／決断が下された。／指揮官の命令を誰も伝えることができない、しかし、母親は自分で思い当たった。布きれに包んだ赤ちゃんを水の中に沈めて、長いこと押さえていた。赤ちゃんはもう泣かない。静まりかえっている。(二六頁)

二年間パルチザンとして戦っていたフョークラ・フョードロヴナ・ストルイは、フルシチョフのスターリン批判後に寝込んでしまうほど根っからのスターリニストである。彼女は凍傷で両足を失う。「普通のノコギリで足を切るんです。両足を……手術台に載せて、しかもヨードは無し……ヨードをもらいに六キロ先の他の部隊に使いが出されました。麻酔もありません。麻酔の代わりに密造酒が一本」(四〇〇頁)。地下に潜って戦うことは、単に危険な戦闘行為に晒されるわけではないことを、これら二つの証言は伝えている。

他方で、ユーラシア大陸の東の果てでも日本の占領に対して、「共匪」や「土匪」と蔑称で呼ばれた反日パルチザンが活発化していた。満洲国では、建国以前から住んでいた中国人や朝鮮人のパルチザンが日本の開拓民たちを襲った。一九三二年からの武装移民では、日本人開拓民は、武器を持ちながら農地を耕した。

しかしそれは朝鮮人による日本人への抵抗という簡単な図式にはおさまらない。日本側に強制的に移民させられた朝鮮人は日本帝国の手先としてパルチザンの攻撃対象になった。先にも引用した李光平は、朝鮮人のパルチザンである抗日聯軍に襲撃されたり、食料を求められたりした朝鮮人農村の記録も残している。一九三三年生まれの男性に対する李の聞き取りによると、朝鮮人の集団部落を襲撃した抗日聯軍が警察分駐所に来て、武器や弾薬を奪って火をかけ、商店に入って、食品、塩、日用品、薬などを奪って行ったが、貧しい朝鮮人農民の家は襲わなかったという(李二〇一九:九四頁)。他にも、満洲の住民から買い上げた土地を日本人移民に斡旋していた満洲拓殖公社が集団部落に与えた役牛を、抗日聯軍が殺して、部落の朝鮮人みんなに牛肉を分けたという複数の証言も掲載されている(同:九七−九八頁)。

ちなみに、ユーゴスラヴィアのチトーも第二次世界大戦期の対ナチス、そしてナチスの傀儡国家でセルビア人やユダヤ人の虐殺を繰り広げた「クロアチア独立国」に対するパルチザン戦で活躍し、実質他国の力を借りることなく自力で祖国を解放した。ただ、それはセルビア人とクロアチア人の「兄弟殺し」でもあり、戦後チトーがユーゴスラヴィアのカリスマ的指導者になったあとこの傷跡はいったん後景に退くにせよ、冷戦後にふたたびユーゴ内戦として表出することになる(柴 一九九六:七五−一〇一頁)。

ベトナム戦争やアフガニスタン侵攻へのゲリラ戦のように、民間人の戦いが大きな地位を占める二〇世紀後半。その地ならしは第二次世界大戦期になされたとも言える。

心の犠牲

二つの世界大戦は、兵士の身体だけではなく心も崩壊させた。心の傷は見えず、臆病だとなじられることもあるだけに深刻だった。第一次世界大戦では「砲弾《シェル》ショック」という言葉が初めて使用されるほど、息の詰まりそうな砲弾の嵐に、許容以上の恐怖を感じた兵士は次々に精神を病んだ。イギリスだけでも六万五〇〇〇人が砲弾ショックによる精神の崩壊から回復できなかった(デイヴィス 二〇一五:上巻一二六頁)。

この点参考になるのは、イギリスの威信をかけてチベットからの北壁ルートでエヴェレストの登頂を目指し、遭難したジョージ・マロリーと、仲間の登山家たちの大戦経験である。実は、一九二一年、二二年、二四年の三回にかけて登山に関わった隊員二六名のうち二〇名は、大戦時の兵士または軍医だった。マロリーは、ずっと一緒に行動していた一九歳と二二歳の兵士をすぐ隣で失った。砲弾が飛んできて頭が体からちぎれかけていたのに、マロリーは二人を救援所に運ぶといって聞かなかったという(同:上巻二四四―二四五頁)。ソンムの激戦中、一九一六年八月一五日に塹壕から妻にあててこう書いていた。「死んでまもない死体はいいんだ。彼らとは次のように論ずることができるから。つまり、君と僕の間には、生と死という決定的な違いがある」。「しかし負傷者となると話が違う。目にするたびに苦痛を感じる」(同:上巻二四五頁)。

アジア・太平洋戦争でもそうだった。吉田裕は、ニューギニアの防衛戦を戦った軍医柳沢玄一郎の『軍医戦記――生と死のニューギニア戦』から戦争中の精神疾患についての描写を引用している。そこでは、兵士が陥る精神の異常として「被害強迫妄想、幻視幻聴、錯視錯聴、注意の鈍麻、散乱、支離滅裂、尖鋭な恐怖、極度の不安、空想、憂愁、多弁、多食、拒食、自傷、大声で歌い回るもの、踊り回るもの、なにもかにも拒絶するもの」(吉田 二〇一七:一一一頁)。また、精神的に疲弊する兵士のあいだで覚醒剤のヒロポンが流行っていたことも吉田は取り上げている(同:一一七頁)。

なお、沖縄本島南部の糸数アブチラガマに行けば、いまも沖縄戦で発症した「脳症患者」に食事を与えずに最期を迎えさせるための三〇畳ほどの隔離区域の手前に行くことができる。ここではガイドが懐中電灯を消すようにいう。そこに立った人間の目には、真っ暗な中、さまざまな光景が浮かんでは消えるだろう。なお、その区域はあまりにも凄惨で、沖縄県立第一高等女学校と沖縄師範学校女子部の生徒で組織された看護隊のひめゆり学徒隊は入ることが許されていなかった。

五、「ゆたかな時代」に供せられた時代

「黄金の時代」の地ならし

一九四五年一〇月二四日に発効した国際連合憲章の前文に、その設立目的の一番目として、「われらの一生のうち二度まで言語に絶する悲哀を人類に与えた戦争の惨害から将来の世代を救」うことが記された。さらに一年後、一九四六年一一月三日に公布された日本国憲法の前文は「われらは平和を維持し、専制と隷従、圧迫と偏狭を地上から永遠に除去しようと努めている国際社会において、名誉ある地位を占めたい」と宣言をした。六週間の内戦の末、一九四八年一一月七日に承認されたコスタリカの憲法の第一二条では「恒常的制度としての軍隊を禁止する」とうたわれた。

このような人類史では類まれな熱量を有する理想は、冷戦の始まり、世界の分断、朝鮮半島やインドシナ半島やアフリカ大陸での「熱戦」化、アフガニスタンの戦争、イスラエルのパレスチナ占領とアラブとの戦争などによってまたたく間に冷え込んでしまったとはいえ、二〇世紀上半期の再起不能と思えるほどの荒廃状況と、それを乗り越えんとする人間精神のしぶとさを示す歴史的文書であることに疑問の余地はないだろう。「惨害」「悲哀」「専制」「隷従」

といった言葉は、一九五〇年代からのケインズ主義的な需給調整に基づく世界的経済成長および消費主義の到来と、はっきりとしたコントラストを描いている。

二つの世界大戦であれだけの犠牲を払って、やっとこの宣言にたどり着いたと考えるか、たったこれだけの言葉しか人類は生み出せなかったと考えるか、人によって意見は分かれるだろう。ただひとつだけ確かなのは、おびただしい犠牲者のおかげでようやく到達したと思われた「ゆたかな時代」は、その始まりからすでに不穏な空気に包まれていたことだ。ほかならぬアメリカがそうであった。

カナダで生まれ、戦時中にアメリカの機関で活躍した経済学者のガルブレイスは、一九五八年に『ゆたかな社会』を出版した。第二次世界大戦中、ハワイを除き、本土が戦場にならなかったこともあり、戦争特需で年間一〇%の経済成長を成し遂げた（ホブズボーム 二〇一八：上巻一一八頁）。それが二〇世紀のアメリカの経済力の基盤となった。ガルブレイスの理想とする社会とは、いわば「犠牲のない社会」であった。ある集団の犠牲によってしか成り立たない「ゆたかさ」の虚構を鋭く突いた。とともに、ゆたかさの真っ只中で生きているはずのアメリカ人が、結局、広告によって欲望を開発されているという消費者のフォーディズム化に強い違和感を表明した。

「本土」に供された沖縄

第一次世界大戦の毒ガスマスクと月面着陸した宇宙飛行士の白い宇宙服。レーニンの演説とケネディの演説。ベルリンオリンピックと東京オリンピック。真珠湾攻撃とオバマの広島訪問。ポーランドのアウシュヴィッツの門と、ドイツ統一時のブランデンブルク門。歴史教科書を飾るモノクロとカラーの写真。そうやって私たちは時代に色を塗り、時代の雰囲気をつかもうとしてきた。実は、カラー印刷の広告やポスターが列強国の街角で見られるようになるのは一九二〇年代のことである。そもそもコッホや石井四郎が手を染めていた人体実験の現場の空の色もモノクロではなかった。

だが、一度塗った色は簡単には変えられない。一九四五年は、本当に時代の画期なのだろうか。国連憲章の「基本的人権と人間の尊厳及び価値と男女及び大小各国の同権」という文言はたしかにさまざまな条約を通じて確認されつつあるが、実現されたと断言できる人は少なくとも日本列島にはいないだろう。

なぜなら、日本もまた犠牲システム維持の優等生だったからである。それはとくに沖縄に凝縮されている。明治政府の軍事力によって征服された琉球は、沖縄県となってから、方言の矯正を強要され、経済不況と旱魃で毒のあるソテツを食べねばならないほどの飢餓、いわゆる「ソテツ地獄」を経験した(16)。そして、沖縄は、第二次世界大戦の終盤、アメリカ軍と、牛島満率いる第三二軍、そして生活者たちとの戦場となった。「鉄の暴風」と言われた艦砲射撃の嵐や火炎放射器によって傷を負い、死に至るだけではなかった。沖縄各地にある自然洞窟であるガマとそこに滴る水が民間人の命を守り、予想を上回る苦戦を米軍に強いた。ガマに潜む人びとを燻り出すために、米軍は投降を呼びかけ、手榴弾を投げ、ついには火炎放射器で焼き尽くした。「生きて虜囚の辱めを受けず」という東条英機内閣が一九四一年一月八日に発布した「戦陣訓」にしたがって手榴弾のピンを抜いたり、大人が子どもを絞殺したり、想像を絶する精神状況のなかで自殺したりした。にもかかわらず、終戦後現在に至るまで、日本の本土は先んじて驚異の経済成長を達成した反面、「盾」となった沖縄につぐなうことができていない。

本土よりも一足早く戦後が訪れた沖縄は、アメリカの国際戦略の重要な拠点として米軍に直接統治され、それが憲法九条ゆえに持てない軍事力を日本がアメリカに託し沖縄に集中させる地ならしとなった。復帰後も米軍基地が集中する中で、女性たちが米軍兵士によって陵辱されたり、戦闘機やヘリコプターが墜落したり、騒音で授業が中断したり、およそ本土と同様の生活は現在に至るまでなされていない。

時代に供された時代

そして、戦後の経済の繁栄のために、破滅の時代は利用されていった。一九五〇年代から一九七五年ごろまで、つまり戦後復興からオイルショックまで、敗戦国も含め先進国の経済は急成長を遂げた。高低差を利用した水力、石炭や石油を燃焼させる火力、原子核の分裂が放つ巨大な力を利用して電気が生産され、送電システムを通じて世界中に電気コンセントが設置されるようになり、それと接続すれば、電気機械が動き出す世界が到来した。石油タンクとゴムタイヤがついた鉄の箱に一人もしくは複数で乗って移動したり、土壌を耕したり、山を掘り崩したりすることが日常の風景となり、居間に設置された四角い箱に世界中の情報が途切れることなく映し出され、自動で高速回転する電気モーターが洗濯から掃除まで暮らしの隅々まで人間の筋肉運動の代替となった。それらを支える科学技術は、ほぼすべて二〇世紀前半に生まれた。一九世紀末から二〇世紀初頭にアメリカの代表的な思潮となる革新主義が、ある種の社会的再分配的に加え、科学技術を、労働問題や貧困問題などの社会問題の解決者に格上げした。フォードも、ベルも、エジソンも、革新主義の申し子である。放射線も、電気モーターも、洗濯機も、掃除機も、ゴム製品も、テレビも、自動車も、アスファルトも、すべてこの時代に産声を上げるか、軌道に乗ったばかりの科学技術である。

他方、工場から排出される煙や煤や有毒物質は、日常的に人びととその胎児の骨と肺と肉を蝕ばんだ。消費生活を謳歌する欧米の周縁では、暮らしが戦場の時代が始まった。これほど人びとの暮らしに根源的な変化がもたらされたことはなかった。「石器時代に農業の発明とともに幕を開けた人類の七、八千年の歴史が」、このわずか数十年で「幕を閉じた」と言ったのはホブズボームである(ホブズボーム 二〇一八：上巻四八頁)。それは他方で、「テレビ漬けの消費者」(マゾワー 二〇一五：三八四頁)が公共から撤退し、自分の消費世界の中に引きこもる時代の始まりとなった。「ゆたかな社会」は、資本主義が福祉を飲み込み、互いに助け合ってくらしているという感覚を弱めた。個人主義的消費に没入することで、公共のために節約していた私たちの欲望を、一挙に解放させた。

以上のように「くらし」から考えると、二つの世界大戦の時代は、人類史の悲惨の極みというよりは、有史以来の大変革の準備期間のように思える。なぜなら、世紀転換期から先進諸国の工場と台所と学校に浸透するテイラー主義、同じ頃から世界を席巻するフォーディズム、一九二〇年代に培われたヨーロッパの消費主義やテクノロジー礼賛が、「ゆたかな社会」の進展の中で、欲望の解放と政治の撤退に結びついたからだ。

そして、忘れてはならないのは、結局のところ、この「黄金時代」もまた、これまでの時代と同様に「人間以下の人間」という領域を人権団体の目の届かないところに確保しておかなければならなかった。ウランやプルトニウムを採掘したカナダやオーストラリアやロシアや南アフリカなどでは、放射性物質の被曝が身体と自然を蝕んだ(ブラウン二〇一六)。大気汚染、水質汚染、貧困、汚染されたスラム、廃棄物の蓄積、労働者、望まざるセックスの強制、女性や児童の身体と精神の荒廃がなければ、「農業革命以来の大変革」は起きなかっただろう。無理は確実に弱いところに響いてくる。

他方で、二〇世紀前半は犠牲に供せられただけではなく、未来に犠牲を求めた時代でもあった。たとえば、一九三〇年代にアメリカで起こったダスト・ボウルは、未来を生きる人間の必須栄養素を蓄える土壌を、未来を生きる人間から奪った。舞い上がった砂塵は、大都市の昼を真っ暗にした。トラクターの土壌圧縮と化学肥料の多投で土壌が粘り気を失った結果であった(Worster 1979)。このような環境カタストロフィーの目録には、二〇世紀後半になると、水銀、カドミウム、ヒ素、ダイオキシン、放射性物質などによる汚染が加わるようになり、人びとの生命基盤をさらに根源的に脅かすことになる。

次世代に供された実験データ

二〇世紀前半を一九四五年で区切った場合、その「地獄」や「破滅」の中に原爆は入っても、一九四九年八月二九日、一九五三年八月一二日、一九五五年の一一月二二日のカザフ共和国(現在のカザフスタン)のセミパラチンスクにおけるソ連の核実験や、一九五四年のアメリカによるビキニ環礁の水爆実験と現地の人びとの死や汚染は入る余地がない。セミパラチンスクの一九五三年の水爆装置実験では、住民を汚染地域に移住させており、人体実験ではないかと言われている(NHK(広島・モスクワ)取材班 一九九四)。敗戦間際に原爆を二発も落とされた日本では「ビキニ」という言葉は、第五福竜丸などの漁船の乗組員の被曝とともに原水爆禁止運動のトリガーになったが、驚くべきことにこの国のアパレル市場では、性的インパクトを与えるデザインの女性用水着の総称として用いられたことが象徴的である。現在、あの水着の名前から、太平洋の小さな島々に住む人々の生活と尊厳を奪い去った核実験を思い浮かべる人はますます少なくなっている。ましてや、この地域が、帝政ドイツから引き継ぎ日本の占領下にあった歴史など大衆消費社会はすっかり忘却した。「ビキニ」の水着名称化は、市場価値の追求のために歴史が犠牲にされていくメルクマールとしてもっと重視されるべき現象だろう。

一九四五年でひと区切りをつけてしまうと消えていく犠牲の歴史はそれだけではない。七三一部隊のデータがアメリカにわたることを条件に、つまり、アメリカの医薬品産業を活性化するために、石井四郎たちは尋問は受けても、裁判にかけられることを免れた。あるいは、日本の東アジアや東南アジアでの残虐に対するつぐないを、戦後の政府の技術援助(ODA)によって帳消しにしたことも(Mizuno, Moore, De Moia 2017)、または、ロンドンを苦しめたナチスのロケット技術がアメリカに利用されて、NASA(アメリカ航空宇宙局)の宇宙開発技術に利用されたことも、七三一部隊関係者の免罪とも、また基本的には「ビキニ」の辿った道と同じである。「地獄」が「消えた」のではなく、単に「経済の繁栄」の前に「ないことにされた」にすぎない(17)。

以上のことからすれば、人類が経験したことのない繁栄をもたらした戦後の世界システムは、二〇世紀上半期に形成された世界犠牲システムを終わらせることはできていない。世界犠牲システムは、世界システムの中心の脱政治化によって、犠牲システムの歴史そのものを犠牲にし、ますますその姿を巧妙に隠し、さらなる構造化や持続化に成功して、「中心」に住む人間が望むと望まざると、多くの犠牲者を要求しつづけたのである。

六、生きていたことの痕跡

フリーダ・カーロの靴

繰り返すが、この時代に起こったことの深刻さは安易に言葉にはできない。破滅、地獄、暗黒、そしてこれまで用いてきた犠牲や供犠といった言葉も、当時を生きた人びと、戦場で精神を病んだ人びと、ストライキに出かけて機関銃で殺された人びと、人体実験の手術台の上で医者や看護師に囲まれながらで死んでいった人びとが感じてきた心模様にはとうていおよばない。私たちはその痕跡を知るしかできない。

ただし、痕跡は単にその時代の犠牲システムの有様を伝えるのではない。写真家の石内都は、二〇世紀の痕跡を、歴史を理解する史料とは異なる視点から撮っている。

第一に、インディオ文化擁護を掲げるインディヘニスモを代表するメキシコの画家フリーダ・カーロの遺品である。一九〇七年生まれの彼女が幼いころ、メキシコは長い革命の季節を迎えていた。一九一〇年には外国資本と地主階級の代弁者であるディアスの独裁政権にマデロが武装闘争を仕掛けた。ディアス独裁の崩壊、マデロの失脚などを経て、一九一七年二月には土地、水、地下資源などを国民に所属させ、農地改革を促し、外国資本の石油や鉱山の国有化に道を開く新憲法が成立、ボリシェヴィキ革命に先んじてラディカルな革命が起こった(その後、反動化する)。

メキシコ革命の起こった一九一〇年前後に急性灰白髄炎(ポリオ)にかかり、一九二五年の交通事故以降、背中と右足の後遺症に悩まされてきた彼女は、一九二九年に、壁画運動に携わりインディオをモチーフに絵を描いてきたディエゴ・リベラと結婚後、身体の障害ゆえに三回の流産を経験している。一九三六年のスペイン内戦時には共和国側支援の委員会を設立し、一九三七年にスターリンの圧力でノルウェーから亡命してきた赤軍の創始者レフ・トロツキーを自宅の「青い家」に受け入れるなど、それ自体が「世界的犠牲システムの形成の時代」の象徴のような生涯の中で多くの絵画作品を残してきた。石内が撮影したのは、カーロの左右高さの異なる靴、腰を縛るコルセット、萎えて小さくなった足を隠すための丈の長いスカートなど、この時代全体の痛みが直接聞こえてくるような遺品である。

その痛々しさはカーロの作品「ヘンリー・フォード病院」(一九三二年)にとりわけあらわれている。フォード社に壁画制作を依頼されたリベラにともないデトロイトに来ていた彼女がフォード社の病院で流産した経験が主題となっている。フォード社の拠点デトロイトの工場地帯が後景に見える野外。そこに置かれた病院のベッドに全裸で横たわる女性が、左目から涙を流している。流産後に血まみれになった腹部から飛び出ている六本の無機質な血管が、胎児、壊れた人体標本、機械の一部、骨盤、カタツムリ、花弁に結びついている。いうまでもなくモデルはカーロ自身だ。だが、彼女の作品と石内の撮った遺品から感じられるのは、最終的には三〇回を超えるという手術を経験しながらも、痛んだ自己を見つめつづけようとする自分への愛と、華やかにユーモラスにくらそうとする日常である。自分を自分の犠牲にしないというあり方は、この時代のあらがいの一種でもあっただろう。

原爆投下の日のおしゃれ

第二に、石内都は、広島に落とされた原爆の犠牲者の遺品の服も撮っている。モンペや学生服だけではなく、小さな花と小さな葉っぱに彩られたワンピースや、黒地のワンピース、白地に濃紺のドットの入ったブラウス、テーラーメイドのスーツもそこにはあった。フリルがついていたり、透ける素材が使われていたりもするこれらの服は、極東の島国にも西洋の衣服文化が取り入れられていた痕跡であるだけではなく、戦時下の軍都でおしゃれを楽しむ普通の人びとの痕跡であった。

アウシュヴィッツ強制収容所を訪れたときにも同じ感慨をえた。そこの案内者である中谷剛に、殺される前のユダヤ人の服やカバンなどが保管されていた通称「カナダ」を紹介してもらったとき、おそらく少なからぬ遺品が、連れてこられた人びとにとって最も質の良いものだったのではないか、という話を聞いた。たしかに、残されている写真の人びとの衣服はまるでこれから街に出かけていくようなものが多い。これらの遺品も、直前まで運命を理解していなかった人びとが突然犠牲に供されたという機械的な生命奪取の残酷さを示している。とともに、戦争や迫害の状況に自分が自分らしくある自由までも捧げるつもりはない、という生活者のささやかなあらがいをこれらから感じることができる。

「しょうがない、粥をやれよ」

石内都の光に溢れた鮮やかな写真のように、アレクシエーヴィチもどんなに痛々しい時代であっても人びとがくらしをやめず、どれほど自己保存が優先されるべき状況でも利他行為をやめなかったという痕跡を女性の軍医から聞き取っている。

しばらくして、別のドイツ人捕虜がこんどは粥を炊いている兵士たちのところに近寄ったのです。すると先ほど私たちを〔医者たちが敵にあんなにパンをやってるぜ！と〕非難していた兵士たちがドイツの捕虜に言っているんです。／「どうした、腹がへってるのか？」／ドイツ人は突っ立って、待っています。わが軍の兵士は仲間にパンを渡して、「切ってやれよ」と。／パンが切り分けられました。ドイツ人たちはパンを受け取って、まだ待っています。お粥が煮えるのを見ているのです。／「しょうがない、粥をやれよ」（アレクシエーヴィチ 二〇一六：三三六頁）

これを人間性の物語として矮小化してはならないだろう。ついさっきまで、こんな奴らに情けはかけなるなと、戦争を知らない（と彼が勝手に思っている）女性の医者を詰《なじ》っていた男性の兵士が、もの欲しそうなドイツ人を見て、いとも簡単に前言を撤回してパンと粥を与えるユーモアの話である。さらにいえば、これまで語ってきたシステム化された犠牲とは別の犠牲の話である。

供物とは、人間であれ、動物であれ、植物であれ、食べものである。もしも、敵と命懸けの戦いをするために食べていたのではなく、仲間と食べるために死の瀬戸際で銃を握っていたのであれば、たとえば「激動の二〇世紀」などという大仰な言葉は少し居心地が悪くならないだろうか。もしも、働くために食べていたのではなく、船底の労働者が、食べる時間が待ち遠しくて、死に物狂いになって働く時間を耐えていたのであれば、これが意味するのは、「破滅の時代」のもう一つの「供物」の様式の存在である。食べる行為が、ほぼ確定していると思われていた死の直前に、生きるために捧げられていたのである。もちろん、そんな幸せな供犠の機会など、この時代では例外に過ぎないのだけれども。

完全雇用が目指された「黄金の時代」は、国内では福祉の充実、国外では核兵器による世界の滅亡という最悪の事態を防ぐことが国際政治の究極の目標となるだろう。二〇世紀前半のナミビア、ヴェルダン、モロッコ、南京、重慶、アウシュヴィッツ、平房、ドレスデン、アラモゴード、広島、長崎、中国内戦、台湾の国民党の虐殺、シベリア、朝鮮戦争、ビキニの死者たちやその痕跡を抱えて生きる人びとの身体と精神は、単にそれらの時代に権力を担った人びとのために犠牲にされたのではない。冷戦期の政治システムの犠牲にも供されたのである。「黄金の時代」、欧米諸国や日本の手から離れた旧植民地は、東西対立の代理戦争の戦場となり、新しいかたちの犠牲システムが作動し始める。つまり、広島と長崎の原爆に由来する核戦争のヴィジョンに怯える先進国が、「自国民を簡単に死なせないこと」と「戦争に巻き込まれないこと」という目標をいっそう強く政策課題として意識する。だが、そのような目標が立てられるのも、前時代に生まれた世界犠牲システムが引き続き私たちの時代を生き延び、感知されにくいように姿を変え、洗練させていったからである。

モンタージュのあとで

これまで、世紀転換期から一九五〇年代前半までの長い「破滅の時代」、世界規模で展開した世界犠牲システムの展開とそれがもたらした「繁栄」を描いてきた。地域も年代も異なることを承知しつつ、テーマに沿って事象を並べた。犠牲者意識ナショナリズムを避けるためにモンタージュ技法を選んだ成否は読者に委ねるしかないが、いくつかの別々のトピック同士で偶発的に共通点が見つかったので、それについて触れて本稿を閉じたい。

第一に、ゴムやバナナなど、熱帯雨林を切り開いて造成されたプランテーションである。ドイツ領東アフリカでツェツェバエを人間の生活空間に近づけたのも、お金ができたからゆきのヨシが東南アジアで購入したのも、ロジャー・ケイスメントがコンゴで告発した非人間的労働がなされていた場所も、すべてゴム農園であった。この時代、ゴムは、モータリゼーションに欠かせないものだった。自動車やトラクターや戦車などの乗り物が、設置面をスムーズに進むためにゴムタイヤはこの時代、急速に進歩を遂げた。もちろん、人びとの足を工業化を支えた硬質な地面から守ったのも靴底のゴムだ。ここでは触れなかったが、ナチス・ドイツが天然ゴムの不足を補うためタンポポから人工ゴムを作る技術に関心を示したことも、この系譜に連なるだろう。また、バナナの大規模単作経営もまた、ゴム農園と同様に、人間と自然の膨大な浪費によって成り立っていた。

第二に、肥料である。一九世紀半ばから二〇世紀初頭まではグアノとチリ硝石が欧米の土壌を肥やしていたのだが、二〇世紀初頭に開発されたハーバーの空中窒素固定法は、無限の空気を素材とするものだった。他方で、化学肥料の多投は地球の終末のようなダスト・ボウルを生み出す。そして、アメリカのニューディールは、テネシー川流域の開発プロジェクトの中で合成窒素肥料の生産を進めた。日本の公害の原因企業が、石油産業へと変化を遂げようとしていた肥料企業であったことも付け加えておきたい。

第三に、身体である。男性用の下着を身につけて戦うことが「戦争でもっとも恐ろしかった」「みっともなかった」という独ソ戦の女性兵士の言葉は、男性にはすぐにはピンとこないだろうが、男性が女性下着を身につけて数年過ごすとどう思うか、と視点を転換してようやく理解への長い道のりが始まる。身体感覚の伴わない犠牲の叙述も内面の叙述も無益である。実験施設で西洋人に効果の不明な注射を打たれる前の内面、大人も子どももみんなでいっせいに手榴弾のピンを抜くときの内面、自分の赤ん坊を沼に沈めているあいだの内面、さっきまで目の前で話していた戦友が砲弾で首と胴体がちぎれたときの内面。それらもまた、犠牲者が置かれた身体的環境をしらみつぶしに知っていくことでしか、理解を始めることはできない。この時代ほど膨大な死者が出た時代はないが、この時代ほど量的に死者を計量することが虚しい時代もない。

最後に、奴隷である。一八九九年にモースとユベールが論じた供犠の事例の最初は少女の「奴隷」であった。一九〇七年のチリの硝石鉱山のストライキと軍による攻撃を描いた一九七〇年のカンタータには「もう二度とあの金持ちが私を奴隷にすることはない」という歌詞が刻まれた。西アフリカのセネガル兵にとっての第一次世界大戦を描いた小川了は、動員されたセネガル兵士と奴隷として使われたセネガル人を比較し、大戦期の動員力が勝ることを指摘した。ナチス・ドイツの親衛隊が管理し、被収容者を労働力として用いようとした収容所(の集合体)を、軍需大臣で建築家だったアルベルト・シュペーアは戦後に「奴隷国家」と呼んだ(Speer 1981)。そして、中国にわたった朝鮮民族の聞き取りを行なった李光平は、日本の兵士のために設置された慰安所に連れて行かれた女性たちを「性奴隷」と書いている。

これらの事例は、逆にいえば、「奴隷」が、ゴムやバナナや化学肥料や内燃機関によって発展した二〇世紀の世界システムにおいてもなお消えていなかったこと、それを求める願望が、公然と示されるにせよ、隠されるにせよ、消えなかったことを示している。それが意味するのは、「人間以下の人間」への隠然たる、あるいは公然たる欲望が、人間の秘められた活力と自然の秘められた活力を同時に奪取しようとしていたことである。人間破壊と自然破壊は、世界犠牲システムの二つの顔にほかならない。

それゆえ、身体という内なる自然から発せられる声なき声に耳を澄ますことは、少なくともこの時代の歴史研究には欠かせないはずである。

二〇二二年に発表された国際労働機関、国際人権団体ウォーク・フリー、国際移住機関の統計によれば、現在も身体を不当に拘束されている「現代奴隷」が世界に五〇〇〇万人も存在すると言われている。そのなかには臓器売買のためにブローカーに売られた大人や子どもも含まれている。世界保健機関の統計によると世界の交通事故の死者数は年間一三五万人である。国連食糧農業機関の統計では世界の飢餓人口は九億人。だとすれば、わたしたちはいまもなお、二〇世紀前半に勝るとも劣らぬ人身御供の時代を生きていると言える。しかも、その全自動化はさらに洗練され、現代奴隷や交通事故や飢餓人口や臓器売買という言葉をいくらニュースで目にしても、世界システムが絶え間なく与えてくれる娯楽に興じてすぐに忘却し、自分の生活と仕事に集中できる能力も高めている。もしもこのような現状認識が正しければ、世界システムのヘゲモニーに大きな揺らぎが生じている現在においてもなお、二〇世紀の世界犠牲システムは幕を閉じていない。それどころか、ますます自然環境と人びとの内面の細部にまで根をはる強靭かつ巨大なシステムになりつつあると言っても過言ではないだろう。

注

（1）以下、硝石やイキケの虐殺については、Toso (2021) ならびに Melillo (2012) を参照した。

(2) なお、このカンタータの歌詞については、下記のサイトを京都大学の国費研究生ミゲル・アンゲル・ペラージョ氏に訳していただいた。http://www.archivochile.com/Historia_de_Chile/sta-ma2/5/stamamusic00002.pdf（最終閲覧＝二〇二一年八月一五日）

(3) ウォーラーステインの理論については、ウォーラーステイン（一九八一）や川北稔（二〇〇一）を通じて学んだが、私はこの議論に、ポラニー（二〇〇九）を参考にしつつ、人間と自然を含む生命現象と文化運動をどう組み込むか試行錯誤してきた。本稿はそのささやかな報告でもある。

(4) フランスの哲学者グレゴワール・シャマユーは「生体実験のリスクはどのように社会内配分されているか」を『人体実験の哲学』の最初の問いにしている（シャマユー 二〇一八：一三頁）。

(5) 本稿は、話者の記憶の曖昧さや創作性、聞き手の構成や演出の力を踏まえたうえで、聞き書きの作品も参考にした。犠牲の声の描写は公文書には少なく、聞き書きの作品にはそれが拾われているからである。ここで取り上げた聞き書きの聞き手は、国家の都合にあわせて歴史を歪めることを何より恥じていることは、作品を読めばすぐにわかるだろう。

(6) 一九二〇年代の世界の前衛芸術運動をモンタージュの技法によって描いた池田浩士『闇の文化史――モンタージュ 一九二〇年代』の試みを参考にした（池田 二〇〇四）。

(7) 一八七〇年代から一九九〇年の「長い二〇世紀」を主張する木畑洋一も、二つの大戦や冷戦よりも、むしろ持続的な暴力であった西欧の植民地主義を二〇世紀の時代区分の最重要ポイントとして論じている（木畑 二〇一四）。

(8) 第二次国共内戦では、東北人民解放軍が、五〇万人がたてこもる長春を包囲し、「五万とも一〇万とも言われる餓死者を出した」。この兵糧攻めを用いて共産党は国民党を苦しめていった（石川 二〇二一：一五六頁）。

(9) もちろん例外もある。たとえば、コンゴで住民たちの文化に敬意を持ったレディ・トラベラーのメアリ・キングスリや彼女に影響を受けてセントヘレナのブール人の捕虜収容所の調査をしたアリス・グリーンなどがいる（井野瀬 二〇〇四）。

(10) 「彼ら（ヒトラーやムッソリーニ）の宣伝思想の多くは、フランス人の努力をモデルとしていた。フランスは子だくさんの母親に「フランス家族」メダル――五人の子もちには銅メダル、十人の場合は金メダル――を授与していた」（マゾワー 二〇一五：一一六頁）。

(11) ケイスメントのコンゴとアマゾンのゴム農園における調査やその後のアイルランド革命への関わりについては、膨大な資料をもとに書かれた小説（バルガス＝リョサ 二〇二一）や、小関（二〇一八）が詳しい。

(12) これらの数値は、フレヴニュークの『スターリン』から引用した(フレヴニューク 二〇二一：九八、一九六頁)。
(13) 訳者あとがきの推計から引用した(ジョーンズ 二〇一三：四一四頁)。
(14) ベンガル大飢饉はインド総督府の怠慢によるものであった(コリンガム 二〇一二：一四三頁)。
(15) 日本側はトンキン地方の窮状に対し、救済する意志がなかった(ビーヴァー 二〇一五：下巻一九〇頁)。
(16) 木畑洋一は、的確にも、二〇世紀の「帝国世界の重層性」を示した定点観測地点として、アイルランドと南アフリカと並んで、沖縄を選んでいる(木畑 二〇一四：一〇頁)。
(17) これらとはやや異なる文脈だが、満洲国で試された特急アジア号も、地域開発も戦後の新幹線と開発に生かされた。当時世界の最先端を走っていた日本の帝国規模の品種改良技術の一部も、一九六〇年代の「緑の革命」に利用される(藤原 二〇一二)。

参考文献

新井政美(二〇〇一)『トルコ近現代史――イスラム国家から国民国家へ』みすず書房。

アレクシエーヴィチ、スヴェトラーナ(二〇一六)『戦争は女の顔をしていない』三浦みどり訳、岩波現代文庫。

池田浩士(二〇〇四)『闇の文化史――モンタージュ 一九二〇年代』インパクト出版会。

石井美保(二〇一四)「イギリス帝国とインド人兵士――「マーシャル・レイス」にとっての第一次世界大戦」山室信一・岡田暁生・小関隆・藤原辰史編『現代の起点 第一次世界大戦1 世界戦争』岩波書店。

石川禎浩(二〇二一)『中国共産党、その百年』筑摩書房。

磯部裕幸(二〇一八)『アフリカ眠り病とドイツ植民地主義――熱帯医学による感染症制圧の夢と現実』みすず書房。

井野瀬久美惠(二〇〇四)『植民地経験のゆくえ――アリス・グリーンのサロンと世紀転換期の大英帝国』人文書院。

イム・ジヒョン(二〇一八)「グローバルな記憶空間と犠牲者意識《ヴィクティムフッド》――ホロコースト、植民地主義ジェノサイド、スターリニズム・テロの記憶はどのように出会うのか」橋本伸也編『紛争化させられる過去――アジアとヨーロッパにおける歴史の政治化』岩波書店。

林志弦《イムジヒョン》(二〇二二)『犠牲者意識ナショナリズム――国境を超える「記憶」の戦争』澤田克己訳、東洋経済新報社。

ヴィレンベルク、サムエル(二〇一五)『トレブリンカ叛乱――死の収容所で起こったこと 一九四二―四三』近藤康子訳、みすず書房。

ウォーラーステイン、イマニュエル(一九八一)『近代世界システム――農業資本主義と「ヨーロッパ世界経済」の成立』I・II、川北稔訳、岩波書店。

NHK(広島・モスクワ)取材班(一九九四)『旧ソ連戦慄の核実験』日本放送出版協会。

エリス、ジョン(一九九三)『機関銃の社会史』越智道雄訳、平凡社。

岡田暁生(二〇一〇)『「クラシック音楽」はいつ終わったのか?――音楽史における第一次世界大戦の前後』人文書院。

小川了(二〇一五)『第一次大戦と西アフリカ――フランスに命を捧げた黒人部隊「セネガル歩兵」』刀水書房。

小野塚知二(二〇一八)『経済史――いまを知り、未来を生きるために』有斐閣。

カーショー、イアン(二〇一七)『地獄の淵から――ヨーロッパ史一九一四―一九四九』三浦元博・竹田保孝訳、白水社。

ガルシア・マルケス、ガブリエル(一九九九)『百年の孤独』鼓直訳、新潮社。

ガルブレイス、ジョン・ケネス(二〇〇六)『ゆたかな社会』鈴木哲太郎訳、岩波現代文庫。

川北稔編(二〇〇二)『知の教科書 ウォーラーステイン』講談社選書メチエ。

ギーディオン、S(一九七七)『機械化の文化史――ものいわぬものの歴史』GK研究所・榮久庵祥二訳、鹿島出版会。

木畑洋一(二〇一四)『二〇世紀の歴史』岩波新書。

クラカウアー、ジークフリート(一九七〇)『カリガリからヒトラーへ――ドイツ映画一九一八―一九三三における集団心理の構造分析』みすず書房。

クロスビー、アルフレッド・W(二〇〇四)『史上最悪のインフルエンザ――忘れられたパンデミック』みすず書房。

グローバルヒバクシャ研究会(高橋博子・竹峰誠一郎・中原聖乃)編著/前田哲男監修(二〇〇五)『隠されたヒバクシャ――検証=裁きなきビキニ水爆被災』凱風社。

ゲルヴァルト、ローベルト(二〇二〇)『史上最大の革命――一九一八年一一月、ヴァイマル民主政の幕開け』大久保里香・小原淳・紀愛子・前川陽祐訳、みすず書房。

小関隆・平野千果子(二〇一四)「ヨーロッパ戦線と世界への波及」山室信一・岡田暁生・小関隆・藤原辰史編『現代の起点 第一次世界大戦1 世界戦争』岩波書店。

小関隆(二〇一八)『アイルランド革命 一九一三―二三――第一次世界大戦と二つの国家の誕生』岩波書店。

コリンガム、リジー(二〇一二)『戦争と飢餓』宇丹貴代実・黒輪篤嗣訳、河出書房新社。

コンラッド、ジョゼフ(一九五八)『闇の奥』中野好夫訳、岩波文庫。

柴宜弘(一九九六)『ユーゴスラヴィア現代史』岩波新書。

シャマユー、グレゴワール(二〇一八)『人体実験の哲学――「卑しい体」がつくる医学、技術、権力の歴史』加納由起子訳、明石書店。

ジョーンズ、マイケル(二〇一三)『レニングラード封鎖――飢餓と非情の都市一九四一―四四』松本幸重訳、白水社。

シンクレア、アプトン(二〇〇九)『ジャングル』大井浩二訳、松柏社。

鈴木董(二〇一四)「オスマン帝国と第一次世界大戦」山室信一・岡田暁生・小関隆・藤原辰史編『現代の起点 第一次世界大戦1 世界戦争』岩波書店。

鈴木英明(二〇二〇)『解放しない人びと、解放されない人びと――奴隷廃止の世界史』東京大学出版会。

スナイダー、ティモシー(二〇一五)『ブラッドランド――ヒトラーとスターリン 大虐殺の真実』上・下、布施由紀子訳、筑摩書房。

チャップマン、ピーター(二〇一八)『バナナのグローバル・ヒストリー――いかにしてユナイテッド・フルーツは世界を席巻したか』小澤卓也・立川ジェームズ訳、ミネルヴァ書房。

チャペック、カレル(二〇二〇)『ロボット』阿部賢一訳、中公文庫。

中国新聞「毒ガスの島」取材班(一九九六)『毒ガスの島――大久野島 悪夢の傷跡』中国新聞社。

ツヴァイク、シュテファン(一九九九)『昨日の世界』1・2、みすず書房。

常石敬一(一九九五)『七三一部隊――生物兵器犯罪の真実』講談社現代新書。

デイヴィス、ウェイド(二〇一五)『沈黙の山嶺――第一次世界大戦とマロリーのエヴェレスト』上・下、秋元由紀訳、白水社。

デル・ボカ、アンジェロ編著(二〇〇〇)『ムッソリーニの毒ガス――植民地戦争におけるイタリアの化学戦』高橋武智日本語版監修、関口英子ほか訳、大月書店。

豊崎博光写真・文(一九九五)『アトミック・エイジ――地球被曝はじまりの半世紀』築地書館。

中野耕太郎(二〇一九)『二〇世紀アメリカの夢――世紀転換期から一九七〇年代』岩波新書。

永原陽子(二〇〇九)「ナミビアの植民地戦争と「植民地責任」」永原陽子編『「植民地責任」論——脱植民地化の比較史』青木書店。

野村真理(二〇一二)『ホロコースト後のユダヤ人——約束の土地は何処か』世界思想社。

パペ、イラン(二〇一七)『パレスチナの民族浄化——イスラエル建国の暴力』田浪亜央江・早尾貴紀訳、法政大学出版局。

早瀬晋三(二〇一二)『マンダラ国家から国民国家へ——東南アジア史のなかの第一次世界大戦』人文書院。

バルガス=リョサ、マリオ(二〇二一)『ケルト人の夢』野谷文昭訳、岩波書店。

ビーヴァー、アントニー(二〇一五)『第二次世界大戦 一九三九—四五』上・中・下、平賀秀明訳、白水社。

久野愛(二〇二一)『視覚化する味覚——食を彩る資本主義』岩波新書。

広野八郎(二〇〇九)『外国航路石炭夫日記——世界恐慌下を最底辺で生きる』石風社。

深澤安博(二〇一五)『アブドゥルカリームの恐怖——リーフ戦争とスペイン政治・社会の動揺』論創社。

藤原辰史(二〇〇五)『ナチス・ドイツの有機農業——「自然との共生」が生んだ「民族の絶滅」』柏書房。

藤原辰史(二〇一二)『稲の大東亜共栄圏——帝国日本の〈緑の革命〉』吉川弘文館。

藤原辰史(二〇一五)「第一次世界大戦の環境史」公益財団法人史学会編『災害・環境から戦争を読む』山川出版社。

藤原辰史(二〇一六)『決定版 ナチスのキッチン——「食べること」の環境史』共和国。

藤原辰史(二〇一七a)『トラクターの世界史——人類の歴史を変えた「鉄の馬」たち』中公新書。

藤原辰史(二〇一七b)『戦争と農業』集英社インターナショナル新書。

ブース、ウィリアム(一九八七)『最暗黒の英国とその出路』山室武甫訳、相川書房。

ブラウン、ケイト(二〇一六)『プルートピア——原子力村が生みだす悲劇の連鎖』髙山祥子訳、講談社。

フレヴニューク、オレーク・V(二〇二一)『スターリン——独裁者の新たなる伝記』石井規衛訳、白水社。

ホブズボーム、エリック(二〇一八)『二〇世紀の歴史——両極端の時代』上・下、大井由紀訳、ちくま学芸文庫。

ポラニー、カール(二〇〇九)『[新訳]大転換——市場社会の形成と崩壊』野口建彦・栖原学訳、東洋経済新報社。

ボルマン、マルティン記録(一九九一/二〇一一)『ヒトラーの遺言——一九四五年二月四日—四月二日』篠原正瑛訳・解説、原書房。

マゾワー、マーク(二〇一五)『暗黒の大陸——ヨーロッパの二〇世紀』中田瑞穂・網谷龍介訳、未来社。

松原岩五郎(一八九六)『征塵餘録 全』民友社。

松原岩五郎(二〇一五)『最暗黒の東京』講談社学術文庫。
マルサル、カトリーン(二〇二一)『アダム・スミスの夕食を作ったのは誰か？——これからの経済と女性の話』高橋璃子訳、河出書房新社。
モース、マルセル、アンリ・ユベール(一九八三)『供犠』小関藤一郎訳、法政大学出版局。
森崎和江(一九八〇)『からゆきさん』朝日文庫。
吉田裕(二〇一七)『日本軍兵士——アジア・太平洋戦争の現実』中公新書。
李光平(二〇一九)『「満洲」に渡った朝鮮人たち——写真でたどる記憶と痕跡』金富子・中野敏男・橋本雄一・飯倉江里衣責任編集、世織書房。
Melillo, E. D. (2012), "The First Green Revolution: Debt Peonage and the Making of the Nitrogen Fertilizer Trade, 1840-1930", *The American Historical Review*, 117(4), 1028-1060.
Mizuno, Hiromi, Aaron S. Moore, John DiMoia (2018), *Engineering Asia: Technology, Colonial Development and the Cold War Order*, London, Bloomsbury.
Russel, Edmund (2001), *War and Nature: Fighting Humans and Insects with Chemicals from World War I to Silent Spring*, Cambridge, Cambridge University Press.
Speer, Albert (1981), *Der Sklavenstaat: meine Auseinandersetzungen mit der SS*, Stuttgart, Deutsche Verlags-Anstalt.
Stanley, Henry M. (1890), *In darkest Africa, or, the quest, rescue, and retreat of Emin governor of Equatoria*, London, Marston, Sampson Low.
Toso, Sergio Grez (2021), "Die Schule von Iquique", *Le Monde diplomatique*, 14. 12. 2007. (https://monde-diplomatique.de/artikel/!205484) 最終閲覧＝二〇二二年八月一七日
Williams, Robert C. (1987), *Fordson, Farmall and Poppin' Johnny : A History of the Farm Tractor and Its Impact on America*, Urbana, University of Illinois Press.
Worster, Donald (1979), *Dust Bowl: The Southern Plains in the 1930s*, Oxford, Oxford University Press.

コラム｜*Column*

幻の満洲国国歌
――スポーツと政治

高嶋　航

満洲国の国歌には三つのバージョンがあったことが知られている。

最初の国歌は一九三二年七月に開催されるロサンゼルスオリンピックへの参加を申請した満洲国体育協会が、国歌を提出するよう組織委員会から要請を受けて作成したものである。作詞は鄭孝胥(満洲国国務総理)、作曲は山田耕筰。一九三二年六月には完成していたが、満洲国内で公表されることもなく、またロサンゼルスオリンピックへの参加も取りやめとなったために、「幻の国歌」となってしまった。

第二の国歌は、一九三三年二月に作成され、正式の国歌となった。作詞は鄭孝胥、作曲は大連音楽界で活躍していた園山民平、村山楽童らであった。

第三の国歌は、満洲国が建国十周年を迎えた一九四二年に作成された。儒教的世界観に彩られた前の国歌とは違い、新しい国歌は神道的世界観をうたっていた。天照大神を祀った建国神廟が立てられるなど、日本へのさらなる従属が国歌に現れたとみてよい。

じつは満洲国ではもうひとつ別の国歌がつくられていた。しかもそれは最初に挙げた国歌の前につくられたものである。「燦爛たる太陽の光、あまねく世界を照らす」という歌詞で始まる新興の意気にあふれたその国歌(作詞者、作曲者とも不明)は、現在国際オリンピック委員会(IOC)のアーカイヴに収められている。オリンピックの参加申込み締め切りに間に合わせるため、急ごしらえでつくった国歌であろう。

国家が形のない存在である以上、それは国旗や国歌のようなシンボルを通じてしか表象されえない。それゆえ、オリンピックのような国際競技会が、国家の表象の舞台として機能することになる。とくに満洲国のような新興の、そして正統性に問題がある国家にとって、スポーツと政治は別だという国際スポーツ界の規範ゆえに、国際競技会への参加は(国際連盟加盟などと比べて)現実性が高いと感じられたであろう。おりしも、満洲国はリットン調査団を受け入れている最中であり、オリンピック参加が認められることの意義はきわめて大きかったのである。

しかし、IOCは、スポーツと政治は別だという建て前とはうらはらに、満洲国の参加が国際紛争を惹起しかねないという、まさに政治的な理由により、満洲国が独立国家として参加することを認めなかった。結局、満洲国は、独立国家として参加できないという政治的な理由により、オリンピックへの参加を断念したのである。

「参加することに意義がある」というのはオリンピックの

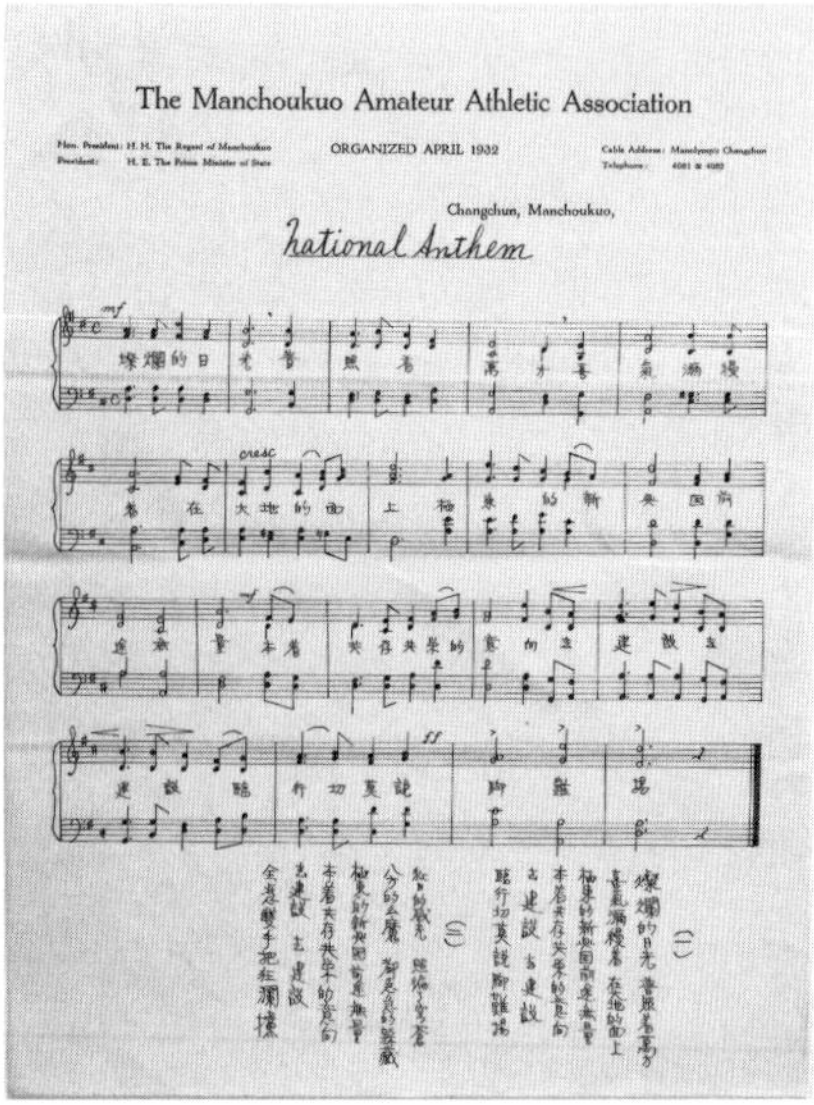

満洲国国歌の楽譜(IOC Historical Archives)

創設者クーベルタンの格言で、勝敗にとらわれずベストを尽くす意味で用いられる。しかし、オリンピックの参加単位が個人ではなく国家(と地域)であることを考えれば、違った意味が浮かび上がってくる。オリンピックの歴史を眺めてみれば、とりわけ国際承認を十分に得られていない国家にとって、自らが主張する正式な名称、国旗、国歌のもとでオリンピックに参加することに大きな意義を認めていたことがわかる。第二次世界大戦後の中国と台湾、東ドイツと西ドイツ、韓国と北朝鮮のあいだで繰り広げられた闘争は、まさしく国家の面子をかけた真剣勝負であった。

オリンピックが政治に翻弄されることに対して、IOCは国旗や国歌の使用を禁止する提案をしたことが何度かあった。だがそのたびに、共産圏の国々を中心に反対の声があがり、否決された。スポーツを政治の道具と考える国々には、国家のシンボルが使用できないオリンピックに参加することに、意義が見いだせなかったのである。

オリンピックでは実現しなかったが、国旗と国歌を使わない国際競技会は何度か開かれている。一九六三年に軽井沢で開かれたスピードスケートの世界選手権がその一例である。一九六七年一月に東京で開かれたバレーボール世界選手権は北朝鮮の国名問題(正式名称である「朝鮮民主主義人民共和国」での参加を求めていた)でもめ、共産圏諸国のボイコットに見舞われた。これを受けて、同年八月の東京ユニバーシアード大会は国名の使用すら回避した。大規模なボイコットが生じた一九八〇年のモスクワオリンピックでヨーロッパ諸国は、「国旗、国歌を使用せず、政治色とナショナリズムを排除して参加」した。

このように、オリンピックの歴史に見いだせるのは、スポーツと政治の密接な結びつきである。IOCのアーカイヴに、知られざる満洲国国歌が残されているのは、けっして偶然ではない。それは、オリンピックがナショナルシンボルをめぐる闘争であることの証なのである。

問題群 | *Inquiry*

問題群｜*Inquiry*

ソヴィエト社会主義の成立とその国際的文脈

池田嘉郎

はじめに

二〇世紀初頭のロシアの社会主義者は、西ヨーロッパと比較しての自国の後進性を強く意識していた。農業国で「ブルジョア」民主主義も達成されていないロシアではなく、強大なプロレタリアートを擁し、ブルジョア革命の課題がすでに果たされている西ヨーロッパでこそ、社会主義革命は起こるであろう。こうした観点をどの国のマルクス主義者も共有していた。だが、自国の後進性に対する自覚は、ロシアの一部の社会主義者に、独特な世界革命の展望を打ち出すための動機をも与えた。そうした展望には、レフ・トロツキーの永続革命論だけではなく、ウラジーミル・レーニンの帝国主義論も含まれた。第一次世界大戦を触媒としてレーニンは、資本主義全体の破滅が迫っているとの認識を得るとともに、ヨーロッパばかりかロシア、さらには被抑圧地域までもが社会主義へと向かう革命に突入するという、壮大な世界史像を打ち出した。本稿は、ロシアの社会主義者が自国に新しい社会体制を打ち立てる過程を、ヨーロッパ、とくにドイツの社会主義運動の動向を参照しながら検討する。また、ロシアの社会主義者がコミンテルンを通じて打ち出した世界(史)認識についても考察する。後進的とされる諸地域が歴史の主体となる世界史像を打ち出したことは、ソヴィエト社会主義に独特の輝きを付与したのである。

一、帝国主義と第一次世界大戦

ヨーロッパ社会主義者の混迷

一八七三年、ウィーンで起こった恐慌を起点にして、ヨーロッパと北アメリカは長い不況に入った。社会主義者はこの「大不況」を、資本主義の最後が間近であるあかしと受け取った(McDonough 1995: 341)。無調整な資本主義のもとでは生産過剰による恐慌が避けられず、資本家は新しい市場の開発と従来の市場のさらなる開発によって危機を乗り切ろうとするが、かえって恐慌予防の手段を減らし、いっそう全面的な恐慌を準備することになる。これがカール・マルクスの見通しであった(マルクス、エンゲルス 一九六〇:四八一頁)。

だが、一八九六年に「大不況」は終わり、好景気が訪れた。資本主義が予期せぬ回復力を発揮したことは社会主義者を混乱させた。ドイツ社会民主党右派のエドゥアルト・ベルンシュタインは、社会主義革命の追求ではなく、体制内での運動を主眼とせよと主張した。党活動の実態はすでにそうなっていたのだが、党主流派は社会主義革命の目標を棚上げする気にはなれなかった。カール・カウツキーはベルンシュタインの「修正主義」を党内で公式に否定することに成功したが、社会主義革命の好機はいずれ到来すると論じる以上のことはできなかった(McDonough 1995: 341-346; スティーンソン 一九九〇:一六九―一九三頁)。

ヨーロッパ社会主義者の動向には、一九〇五年の第一次ロシア革命が影響を与えた。ペテルブルグでは労働者評議会(ソヴィエト)が組織され、一二月にはモスクワで労働者の武装蜂起が起こった。これに触発されて各国社会主義運動の左派は、街頭での大衆運動を重視するようになったが、カウツキーたち主流派は労働者の勢力が十分でない時点で政府との対決姿勢を強めることに慎重であった。こうしてヨーロッパの社会主義運動は右派、左派、それにイデオロギー上は社会主義革命を掲げつつも、実践では改良主義の立場をとる中間派に分極化した(スティーンソン 一九九〇：一九四－二二八頁)。

理論面であらたな局面を切り開いたのは、オーストリアのルドルフ・ヒルファディングである。彼は『金融資本論』(一九一〇年)で資本主義の回復に説明を与えた。マルクスの時代と異なり現代資本主義では、産業資本ではなく銀行資本の役割が増えた。銀行資本は産業資本と融合して金融資本となる。競争を特徴とする産業資本が国家介入を嫌うのに対して、金融資本は安定を好むために国家の介入・保護を求め、政治権力との関係も緊密化する。資本の集中と経営の大規模化が進み、トラスト化が進行する。無政府状態的な競争にかえて、トラストによる経済の調整が進み、恐慌の可能性は減る。こうして金融資本のもとで現代資本主義は、より組織された性格を帯びる(「組織資本主義」)。金融資本はまた、投資先を求めて政府の植民地拡大を後押しするため、帝国主義が本格化する。こうしたヒルファディングの理論は、同時代の社会主義者に広く受け入れられた(McDonough 1995: 348-350)。

問題は、ヒルファディングの認識を大枠で共有した上で、どのような目標を立て、その実現のために何をなすべきかということであった。第一次世界大戦が始まると、何をなすべきかという問いはいっそう鋭さを増した。

戦時統制経済

社会主義者は労働者階級の国際連帯を旗印とし、一八八九年にはヨーロッパの社会主義政党を中心にして社会主義インターナショナル(第二インター)を結成していた。そのシュトゥットガルト大会(一九〇七年)は、戦争阻止のために努力し、開戦後はその即時中止を目指して介入すること、さらには資本家の支配の没落を促進するために戦争によって生じた危機を利用しなければならないと決議した。だが実際に、一九一四年夏に各国政府が参戦すると、諸社会主義政党も戦時予算を受け入れ、第二インターは崩壊した。反戦を維持したローザ・ルクセンブルクのような左派は少数であった（西川 一九八九：二一一―三〇、一八七―二〇三頁）。

戦争の長期化にともない、各国では戦時経済体制が構築された。とくにドイツでは諸企業の国有化、原料・燃料の配分、価格規制、食糧配給などで国家による経済生活の計画的な管理が実現した。「組織資本主義」の延長線上に出現したこの体制は、社会主義者の関心をひいた。ドイツ社会民主党内で支配勢力となった右派のうちには、戦時統制経済を「国家社会主義」とみなし、社会主義への接近として評価するものが現れた（Хмельницкая 1927: 143, 150）。右派に近い『社会主義月刊』誌の「国家社会主義」欄（この欄自体は一九一〇年開始のようである）は、開戦後最初の回（一九一四年一二月九日）で、「戦争は経済的・社会的生活を維持し規制するための、巨大な一連の国家的措置をおのずから必要とした」と記し、クレジット取引を維持するための貸付金庫開設法の議決などを報じた（Sozialistische Monatshefte 1910 3: 197; 1914 20: 1263）。

国家社会主義の支持者のうちハインリヒ・クーノは、ドイツ政府による帝国主義（植民地支配）の追求をとくに積極的に肯定した。帝国主義が社会主義に先行する「段階」である以上、ドイツがその段階を進むのを支援すべきであると彼は論じた。冊子『党の崩壊？』（一九一五年）で彼は記した。「新しい帝国主義的な発展段階は、より早期の発展段階、たとえば機械制大工業の形成がそうであったように、資本主義の新しい、内的な、金融面での生活条件の中から成長して出てきた発展時期であり、そのようなものとして不可避の、社会主義への通過段階なのである」（Cunow 1915: 14）。クーノの主張は植民地支配の正当化であったが、発展段階論に立ち、社会主義への接近を志向する点で、マルクス主義者による戦争への積極的な対応の一つの姿であった。

社会主義者がみな帝国主義を段階と考えたわけではない。右派の露骨な戦争支持に批判的なカウツキーは、一九一五年四月にクーノに反論した。ヒルファディングは「帝国主義という語をある特殊な種類の政策の意味で用いたのであり、「経済段階」としてではなかった」とカウツキーはいう。不可避的な段階ではなく政策である以上、帝国主義を推進しても社会主義にたどりつけるとは限らず、帝国主義政策にかえて各国金融資本の国際連合による世界の搾取という、「超帝国主義」政策が現れる可能性がある、と彼は論じた(Kautsky 1915: 111, 144)。

レーニンの帝国主義論

スイスに亡命中のレーニンは、ドイツでの議論を丹念に追っていた。彼はクーノを帝国主義的として非難したが、帝国主義を政策ではなく段階とする点ではカウツキーよりもクーノと重なる点があった。レーニンにとってカウツキーの「超帝国主義」論は、資本主義の廃絶という課題を回避するものであった(レーニン全集二二巻・一九五七:三一二―三一三頁)。

レーニンは、帝国主義を段階とした上で、その先に進もうとした。彼によれば「帝国主義とは、二〇世紀にはじめて到達した資本主義の最高の発展段階である」。金融資本の支配が植民地支配と世界分割を推進し、世界戦争を引き起こすにいたった。「いまや人類は、社会主義にうつるか、それとも植民地や独占や特権やありとあらゆる民族抑圧によって資本主義を人為的に存続させるための「大」国間の武力闘争を、数年間も、さらには数十年にわたってさえたえしのぶか、そのいずれかをえらぶようせまられている」。それゆえ、「現代の帝国主義戦争の内乱(内戦)への転化」が必要なのであった(レーニン全集二一巻・一九五七:二〇(訳は変更)、二二五、三〇七―三〇八頁)。

注目すべきは、戦争の進展につれ、レーニンによるロシア革命の位置づけが変化したことである。彼は他の社会主義者と同様、後進国ロシアの当面の課題は共和政樹立などの民主主義革命であると考え、ロシアの革命とヨーロッパ社会主義革命とを単に並置していた。一九一五年七月の時点でも「ロシアは、もっともおくれた国であって、そこでは社会主義革命は直接には不可能」と記していた。だが、九月後半の論説「ロシアの敗北と革命的危機」では、レーニンの認識には変化が見られた。同論説はロシアで自由主義政党のカデット（立憲民主党）などが政府批判を強めたため、皇帝ニコライ二世が九月半ばに下院を休会させたことを受けていた。レーニンはこの情勢を「ロシアにおける革命的危機のもっともきわだった現れの一つ」と評価した上で、こう記した。一九〇五年革命と異なり「ロシアにおけるブルジョア民主主義革命は、いまではもう、西欧の社会主義革命の序曲であるだけではなく、切りはなすことのできない構成部分なのである」。「戦争が全ヨーロッパを」とらえたことが、レーニンがロシアとヨーロッパの革命を直接に結合させるための背景をなしていた（レーニン全集二一巻・一九五七：七、一五七、二八〇、三九二―三九三頁）。

これによりレーニンの展望はトロツキーに接近した。一九〇五年革命の経験に基づきトロツキーは、ロシアではプロレタリアートがブルジョア革命を主導し、さらに連続的に社会主義革命に進んでいくという「永続革命論」を唱えていた（トロツキー 一九六七）。これに対してレーニンにおいては、帝国主義と世界戦争がヨーロッパ、さらに世界を一体化させたことによって、ロシア革命の連続的発展の展望が開けたのである。

だが、遅れたロシアはどのようにしてヨーロッパ社会主義革命と歩調を合わせることができるのか。第一の答えは先進ヨーロッパの支援であるが、それが直ちに得られる保証はなかった。第二の答えは革命戦争である。一九一五年八月の「ヨーロッパ合衆国のスローガンについて」でレーニンは、西ヨーロッパ諸国を念頭において、当初は一国でも、革命戦争により社会主義を維持することが可能との認識を打ち出した。「若干のテーゼ」（一〇月一三日発表）ではこの認識がロシアを念頭において具体化された。革命によって自分たちボリシェヴィキが権力についた場合には何をするのかという踏み込んだ問いを立て、レーニンは記した。全交戦国に「植民地と、すべての従属的な、抑圧されている、完全な権利をもたない諸民族との解放を条件として」講和を提議する。現在の政府のもとでは各国ともこの条件を受け入れることができない。「そうなれば、われわれは革命戦争を準備し、遂行しなければならないであろう」。ここで「革命戦争」の主体は、ヨーロッパ諸国民だけに限定されなかった。「いま大ロシア人に抑圧されているすべての民族、アジアのすべての植民地・従属国(インド、中国、ペルシア、その他)を反乱に立ちあがらせる」ことを彼は考えていた(レーニン全集二一巻・一九五七:四一七―四一九頁、和田 一九七七:二〇頁、van Ree 2010: 160-164)。帝国主義と世界戦争が、世界革命の展望を開いたのである。

第三の答えは戦時統制経済にあった。一九一六年末にレーニンは、若い同志ニコライ・ブハーリンの戦時統制経済論のコンセプト「国家資本主義」を受け入れ、経済生活全般が国家によって管理され、計画原理が導入されるまでになったことに注意を向けた。レーニンは「国家資本主義」から社会主義までの距離は限りなく小さいと見た。彼は戦時統制経済がある程度まで確立されていたロシアでも、革命後に社会主義に移行することは可能であるとの認識をかためたと考えることができる(和田 一九八二:二七二―二七六頁)。

こうしてレーニンは徐々に、ヨーロッパで社会主義革命が起こるまでの短期間という条件付きではあるが、ロシア一国でも社会主義建設を進めることができると示唆するようになった。一国社会主義論の萌芽がここにあった(van Ree 2010: 165-169)。

一九一七年春、二月革命の報を受けたレーニンは、封印列車でドイツを経て帰国した。社会主義者のエスエル(社会主義者=革命家党)とメンシェヴィキは、各都市で労働者・兵士代表ソヴィエトを組織して、民主的な講和を実現するようにカデット主導の臨時政府に圧力をかけたが、戦線維持には理解を示した。連立政府となった五月以降、国政の主導権は社会主義者に移ったが、彼らもまた、数カ月以内に普通選挙の実施が見込まれていた憲法制定会議が開催されるまで、急進的な改革に踏み切ろうとはしなかった(ブルダコーフ 二〇一七)。民衆の間では、戦争の即時停止、臨時政府の打倒を掲げるレーニンへの支持が高まっていった。

六月二一日[1]には「経済会議」が設置された。「国民経済の一般組織計画の策定」などを課題とし、商工省の活動計画などを検討した。だが、社会主義者と自由主義者の意見調整は難航した。メンシェヴィキの労働大臣とカデットの商工省次官がそれぞれ作成した経済政策宣言案は、いずれも採択されなかった。財務省には二月革命後の直接税と間接税の税収の割合についての資料がなく、一九一七年度の予算も同省幹部によれば、誰も承認するものがいないので存在しないということであった。一〇月前半に経済会議は活動をやめた(Кузнецова 2011: 7-10, 15, 18)。

二、ロシア内戦と社会主義

ソヴィエト政権の成立

一九一七年一〇月二五日、十月革命によってボリシェヴィキが政権についた。新政府人民委員会議の首班にはレーニンがついた。彼の主導で第二回全ロシア・ソヴィエト大会は「平和に関する布告」「土地に関する布告」を採択した。政権は理念上は集団経営を支持していたが、「土地に関する布告」では農民による地主所有地の奪取と細分化を是認した(ДСВ 1957: 17-20, 408)。国内の後進地域である農村との提携路線には、被抑圧民族との提携という「若干のテーゼ」との類似性を見出せる。

「平和に関する布告」は「若干のテーゼ」の直接の延長線上にあり、無併合・無償金に基づく民主的講和のための交渉に即時入るよう、各国の国民と政府に呼びかけた。「無併合」は植民地支配の全面的な否認であり、大国による小民族の強制的な編入は、その時期や、当該民族の発展の程度にかかわらず否定された(*Ibid.*: 12-16)。

各国政府が無反応であることまではレーニンは予期していたが、イギリス・フランス・ドイツ労働者の応答がなかったことは彼の期待を裏切った。一一月二〇日には民族人民委員ヨシフ・スターリンとレーニンの署名で「ロシアと東方の全勤労ムスリムへの呼びかけ」を出し(*Ibid.*: 113-115)、旧ロシア帝国の諸地域や中東・インドのムスリムとの連携を図ったが、呼びかけにとどまった。非ロシア人地域はどこでも、十月革命により混乱する大ロシアから離れつつあった。

結局ドイツ側中央同盟国だけが、講和交渉に応じた。ブハーリンたちは革命戦争を主張したが、レーニンは政権の存続を最優先とし、一九一八年三月三日にブレスト・リトフスク講和条約を締結した。ソヴィエト・ロシアは沿バルト全域およびベラルーシの一部の領有権を手放し、フィンランドとウクライナから撤退し、ザカフカースの一部をオスマン帝国に移譲した。これに先立って中央同盟国は、一月二七日にウクライナ人民共和国ともブレスト・リトフスクで講和条約を結んでいた。これは第一次世界大戦で最初の講和条約である。「民族自決」が適用された点で、二つのブレスト講和には新しい潮流に応えた側面があった。パリ講和会議での中東欧の新興国の成立をも先取りしていた(Chernev 2017)。

この間人民委員会議は、企業経営に対する労働者統制(じきに形骸化した)、銀行の国有化など、経済管理に関わる諸措置を採用した。一九一七年一二月一日には経済生活の国家管理のために最高国民経済会議を設置した。帝政期につくられた戦時統制機構もここに吸収された。翌年春までに試行錯誤的に諸企業の国有化がなされた。これら一連の措置は社会主義そのものとは考えられなかった。一九一八年二月二一日発表の一文でレーニンは、現在のロシアには「みごとな技術装備をもつ、ドイツの組織された国家資本主義以上に高度な、新しい経済制度は、まだない」と記した(庄野 一九六八:七五九—七六九頁、ДСВ 1957: 230; レーニン全集二七巻・一九五八:六頁)。

レーニンの認識では、ロシアは資本主義から社会主義への移行期にあった。一九一八年一月六日に憲法制定会議(農民の支持を受けたエスエルが第一党となった。エスエルは人民委員会議を認めておらず、レーニンは憲法制定会議を解散すると決めた。会議は一月五日に一日だけ開かれた)が閉鎖された後、第三回全ロシア・ソヴィエト大会で「ロシア社会主義ソヴィエト共和国」という国名が打ち出された(七月に憲法が制定され、ロシア社会主義連邦ソヴィエト共和国(RSFSR)の名称が確定する。その後、「社会主義」と「ソヴィエト」の語順は入れ替わる)。「社会主義への移行を実現しようという」

「決意」が、国名の意味するものであった。レーニンはこうした移行期にある国家を「プロレタリアート独裁」と呼んだ。カウツキーは「プロレタリアート独裁とは〔中略〕自然な発展段階を飛び越える、あるいは法令によって取り去るための壮大な試みである」と述べたが、正鵠を射ていた(池田 二〇一七：一八六頁、レーニン全集二六巻・一九五八：四一一頁、同二七巻・一九五八：三三八頁、Kautsky 1918: 43)。

一九一八年三月にはブレスト講和の締結と軌を一にして、より安全な内陸部のモスクワに首都を移した。党名も第七回党大会(三月六—八日)でロシア社会民主労働党(ボリシェヴィキ)からロシア共産党(ボリシェヴィキ)に改称した。「社会民主(主義)」の語が放棄されたのは、第二インターの社会民主政党の失墜のためであるが、十月革命によって「民主主義」の観念自体が見直しを迫られたためでもあった。モスクワ市プレスニャ地区党委員会は党名改称を支持して、「労働運動の平和的発展の時期には、社会主義諸政党の必要かつ進歩的な要素であった民主主義の諸要求」の綱領は、「現在かつての意義を喪失している」と述べた(Социал-Демократ. 8 марта 1918: 3)。レーニンも「労働者が自分自身の国家をつくりだしたとき、わが国の革命の発展過程のなかで民主主義——ブルジョア民主主義——の古い概念が乗りこえられたところに、労働者は到達した」と述べた(レーニン全集二七巻・一九五八：一二五頁)。パリ・コミューン型の新しい国家であるソヴィエト共和国では、社会民主主義を含む旧来の民主主義全般が古くなったのである。

そのことは「ブルジョア的な」市民的自由の観念が否定されるということでもあった。前年一一月二八日(憲法制定会議の当初の開会予定日)、政権はカデットを「人民の敵の党」と呼び、その幹部の逮捕に踏み切った。逮捕から逃れて潜伏したフョードル・ロディチェフは、一九一八年一月一日、同志のソフィア・パーニナ(逮捕され、裁判の後に釈放)宛ての手紙に「新年おめでとう。古い年、それにロシアのレトロ革命(レトロ＝ヴォリューション)は呪われんことを」と記した。市民的自由の確立を目指してきたカデットにとっては、ロシア革命は歴史の逆行に帰結したのだった(Rodichev 1983: xxxiii; Lindenmeyr 2001; Columbia)。

内戦と国家建設

一九一八年五月半ば、四万人弱のチェコスロヴァキア軍団がウラル地方のチェリャビンスクで反乱を起こした。同軍団は第一次世界大戦中にロシア軍に投降したハプスブルク帝国軍の兵士から編成され、西部戦線に参加するためにソヴィエト政権の許可を得てウラジオストックに向かっていた。だが、チェリャビンスクでソヴィエト政権と諍いになり、反乱を起こしたのである。多様な反ボリシェヴィキ勢力が呼応して、沿ヴォルガ・ウラル・シベリアにいたる地域がソヴィエト・ロシアから切り離された。軍団の救出を名目として、連合国も八月以降、ロシアに軍事干渉を開始した(林 二〇二一：一〇九、一三六―一七一、一七六―一九〇頁)。これによりロシア内戦は第一次世界大戦と直結した。ただし、一一月に大戦が終わると、東部戦線の再構築という連合国のロシア介入の一番の目的は消滅し、反ボリシェヴィキ諸勢力に対する連合国の支援も中途半端なものとなった。(2)

ソヴィエト総会では一九一八年六月以降、エスエル・メンシェヴィキが放逐され、七月の左派エスエル反乱後は同党も分裂し、代議員はほぼ共産党および無党派だけとなった(池田 二〇一七：一八七―一八八頁)。この現状をカウツキーは、プロレタリアート独裁ではなく「プロレタリアート内部での一党の独裁」と批判した。そもそも独裁が臨時措置ではなく恒常化していることが問題であった。「われらがボリシェヴィキの同志たちは全てを全ヨーロッパ革命という札に賭けた。この札が通らなかったとき、彼らは解決不能な諸課題を突きつけるような道に追いやられた」。それゆえ彼らは独裁の恒常化に依拠しているとカウツキーは論じた(Kautsky 1918: 29, 38, 60)

内戦の展開と並行して、ソヴィエト・ロシアでは赤軍の建設、経済・行政機構の確立、農村における徴兵・穀物徴発体制の整備、共産党組織の集権化が一体的に進んだ。軸となったのは共産党組織である。都市部の食糧不足が深刻になり、労働者の間に不穏な情勢が強まった一九一八年五月を境にして、中央委員会から県・市の党委員会へと連なる指揮系統に服することが、党員集団に対して明確に求められるようになった。これ以降、穀物徴発のための農村への人員派遣、内戦の前線への派遣などを通して、軍事的な規律をもった党組織の集権的編成が進んだ(石井 一九八一、石井 一九八四、池田 二〇〇七：八一―八四頁)。

経済面では企業の国有化が包括的な性格を帯びた。一九一八年六月二八日に重要工場企業の全面的国有化がなされたのである。国有化企業数はそれまでの四八七から八月末までに三一三四に跳ね上がった。これらの企業の管理にあたった最高国民経済会議には、産業部門ごとに総管理局(グラフキ)がおかれた(庄野 一九六八：七六二―七八五頁)。この企業管理体制においては、中央機構と地方機構、また部門間で、物資の確保をめぐる権限争いや汚職が絶えなかった。その皺寄せとして、「ブルジョア的」な出自をもつ革命前からの職員(民間からの転入者も含む)が攻撃され、冤罪事件も発生した(Свидзинская 2011)。職員攻撃の背景には、政権が彼ら旧職員に依拠せざるをえないことがあった。最高国民経済会議の中央機構では旧職員の比率は四八・三パーセントに上った(Ирошников 1973: 53)。

対農民政策では、都市の食糧危機が強まった一九一八年五月以降は、都市政権にとっての他者としての農村という把握が前景化した。穀物の確保が対農村政策における最重要課題であった。一九一九年一月には、穀物徴発量を事前に確定して県ごとに割り当てる割当徴発制度(帝政末期に先例をもつ)が全国的に導入された(梶川 一九九八：二九―三四頁)。

軍事面では旧軍将校の利用というトロツキー路線が功を奏し、一九一八年夏までに最高指揮機構が確立された。総じてソヴィエト政権は旧軍の事務機構を活用することができた。八月以降、赤軍は沿ヴォルガ・ウラル地方の奪還に成功した(Smele 2015: 81-88)。一一月にはドイツ革命が起こり、世界革命の展望が開けたかのように見えた。

とはいえソヴィエト・ロシアの孤立が急に緩和されるわけではなく、経済構造がすぐに変革される見通しもなかった。一九一九年春の第八回党大会(三月一八―二三日)で新しい党綱領案を議論した際、ブハーリンは目下の事象である帝国主義を中心にして導入部を書くよう主張した(Восьмой 1959: 45)。レーニンは資本主義の発展について旧綱領から長く引用すべきと考え、ブハーリン案を退けた。レーニンによれば帝国主義は「資本主義のうえに立つ上部構造」に過ぎず、それを破壊しても資本主義全体を清算できるわけではなかった。帝国主義が破壊された結果、かつぎ屋(闇商業従事者)のような「商品生産のもっとも原始的な形態への復帰」が起こっている。移行期には「われわれはこのモザイク的な現実から急に逃れることはできない」「過去がわれわれをつかまえている」。この発言は、ヨーロッパの現状を「資本主義の最高の段階」(『帝国主義論』の表題)として把握して十月革命を敢行したレーニンが、ロシアの現実に直面した結果、より複合的な現状認識を強調するにいたったという点で注目に値する。とくに「ほとんど中世的な現象」である「中農」(経営規模ではむしろ近代ヨーロッパの貧農に近い)にどのように向き合うのかが、ロシアの運命に大きな意味をもつこととなった(レーニン全集二九巻・一九五八:一五三—一五七頁(訳は変更))。

コミンテルンと「世界史」

それでもドイツ革命に勢いを得たレーニンは、新しいインターナショナルの準備を本格化させ、各国社会主義運動の左派に参加を呼びかけた。一九一九年三月二—六日、モスクワで第三インターナショナル(共産主義インターナショナル、コミンテルン)の創立大会が開かれた。スイスでレーニンの第二インター批判を補佐してきたグリゴーリー・ジノヴィエフが議長となった。この大会ではレーニンは、ヨーロッパ情勢に関心を集中させ、アジア・植民地については全く言及しなかった(レーニン全集二八巻・一九五八:四八七—五一一頁)。

ドイツ革命は社会民主党右派が主導権をとり、左派のスパルタクス団の反乱は鎮圧され、ルクセンブルクは虐殺された。一九一九年三月に誕生したハンガリーのソヴィエト体制も半年もたなかった。西方で革命の展望が開けぬ一方、東方で変化が生じていた。赤軍とその提携勢力が支配圏を広げるロシア内陸部で、「自治ソヴィエト共和国」の形成が緒についたのである。その最初のものとして三月、現地ムスリム勢力とモスクワとの協議の結果、バシキリア自治ソヴィエト社会主義共和国が成立した(Schafer 2001)。共産党支配が前提ではあるが、現地住民の政治参加を実現し、その文化育成に努める自治共和国体制は、同時代の列強の植民地支配と比べて先進的であった。

一九一九年六月には、アレクサンドル・コルチャークのオムスク政権の部隊を赤軍が押し戻し、シベリア・極東のソヴィエト化の展望が開けた。極東の中国人・朝鮮人の革命運動も活発化した。反日本帝国の目標を掲げる彼らは、ロシア共産党の重要な提携者であった。コミンテルン執行委員会ビューローは一二月に「東方問題について」を議題とし、中国・日本・朝鮮・インド・トルコ・ペルシア諸民族への個別のアピールの準備を始めた(山内 二〇〇七：一三五—一三六頁)。「東方」がコミンテルンの視野に本格的に入り始めたのである。

一九二〇年二月、ソヴィエト・ロシアは内戦開始以来初の講和となるタルトゥ条約をエストニアと締結した。四月までに日本を除く連合国の部隊も撤兵した。四月には赤軍がアゼルバイジャンを征圧するなど、旧帝国版図の多くもモスクワの支配に服しつつあった。

第二回コミンテルン大会(一九二〇年七月一九日—八月七日)は、赤軍のポーランド進軍と重なり、代議員はヨーロッパのソヴィエト化の展望に沸いた。だが本大会のより重要な点は、東方諸地域および植民地が存在感を高めたことである。第一回大会に代表がいた中国、朝鮮(この二地域は在露活動家が代表)(石川 二〇〇七、水野 二〇〇七)、トルコ、ペルシアにくわえ、インド、メキシコ、オランダ領インドネシア(オランダ人マーリン)の代表も参加した。その結果、第二回大会の議論には顕著な特徴が生じた。それは、先進諸国およびロシアだけではなく、被抑圧地域も視野に入れた「世界史」像が、出席者の間で共有されていたことである。「帝国主義戦争は従属地域の諸民族を世界史に引き入れた」とレーニンは大会で述べた(Второй 1934: 619-625; レーニン全集三一巻・一九五九：二二五頁)。

大会では後進諸民族の世界史上の位置が激しく議論された。レーニンの報告によれば、民族・植民地問題小委員会では、「国民経済発展の資本主義的段階」は「後進の諸民族にとって不可避である」と考えることは正しくないとの結論にいたった。「先進国のプロレタリアートの援助をえて、後進国はソヴィエト体制に移行し、資本主義的発展段階を飛びこえて、一定の発展段階を経て共産主義へ移行」できるのである(レーニン全集三一巻・一九五九：二三七頁(訳は変更))。ドイツ社会民主党左派出身のカール・ラデックもこう述べた。「同志レーニンは、全ての諸国民が資本主義の段階を経過すると考えるためのいかなる理論的根拠もないと指摘した。今日の資本主義諸国の全てが、工場制手工業の時期を通過して資本主義にたどりついたのではない。日本は封建主義から直接に帝国主義的文化に移行したのだ」(Второй 1934: 115)。こうしてマルクス主義の特徴の一つである段階論的な世界史認識が、国際共産主義運動の座標に据えられた。

一九二〇年の時点では、反帝国主義運動の高揚を背景として、前進運動の速度、段階の跳躍や短縮——ソヴィエト・ロシア自身が試みていた——への楽観論が目立った。インドの共産主義者マナベンドラ・ローイは、インド資本主義の成長の速度をレーニンよりも高く見積もり、民族ブルジョア一般とではなく、革命的な性格をもった部分だけと提携すべきとの見解をレーニンに受け入れさせた(ヘイスコックス 一九八六：九一—一六頁)。オランダ領インドネシアのマーリンは、「植民地のためにいわゆるクーノ的マルクス主義を採用すべきではない」と述べ、ある段階(この文脈では資本主義)を必ず通過すると考えるべきではないと論じた(Второй 1934: 138)。

実は、先進地域の成果から学ぶことで、後進地域は諸段階を跳び越えることができるという認識は、一九〇七年にカウツキーも示していたが、それはあくまで理論上の平面においてであった(Lih 2019: 56)。これに対して、いまや跳躍の可能性は実践上の平面に移された。それはまた、被抑圧・後進地域の民族も、世界史の主体とみなされたということでもあった。この点は、ヨーロッパ中心の第二インターにはないコミンテルンの特徴であった。

かくしてソヴィエト社会主義が、被抑圧地域を重要な主体とする「世界史」像を具現化したという意味で、コミンテルン第二回大会は決定的な意義をもったのである。

三、ソヴィエト社会主義とアウタルキー

世界資本主義の安定

内戦が収束に向かう一九一九年末、ソヴィエト政権はトロツキーの主導で労働の軍事化に着手した。これは一種のアウタルキー(自給自足)政策であった。外国からの工業製品や資本の獲得が不可能な状況にあって、軍隊を労働軍に改組し、全般的労働義務制と組み合わせることで、労働強化による工業の再建を図ったのである。トロツキーは最高国民経済会議の地方分権化などの機構改革も求めた。守勢に立たされた最高国民経済会議議長アレクセイ・ルイコフは、第九回党大会(一九二〇年三月二九日―四月五日)で、資本主義諸国とのつながりを排除した構想では経済復興は困難であると指摘した(Day 2004: 21-34)。

現物経済化が進む一九二〇年のロシアは、社会主義に急速に向かっているように見えた(ただし闇市場は残った)。エフゲーニー・プレオブラジェンスキーは際限なき紙幣発行を、対価なしで流通界から価値物を汲み出す特殊な税金のようなものと評価した(上垣 一九七八:四六頁)。だが八月、ワルシャワ近郊に迫った赤軍がポーランド軍に押し戻され、ヨーロッパ革命の希望が遠のくとともに、ルイコフが提起した選択肢が現実味を帯び始めた。この年一月に連合国はロシアの封鎖解除を決定していた。一一月二三日、人民委員会議は資本主義諸国への利権供与を認める法令を採択した。年末までにレーニンは、労働組合の国家との一体化を主張するトロツキーを抑え、労働組合の一定の自立性を擁護することで、労働の軍事化路線の終わりが近いことを示した(Штейн 1949: 394-397; Day 2004: 39-41, 52)。

一九二〇年夏から農村では過酷な穀物徴発に対する蜂起があいついだ。一九二一年春には食糧不足や労働動員体制

に対する労働者の抗議行動が、ペトログラードやモスクワをはじめとする都市部に起こった。農村の窮状に同情的なクロンシタット要塞の水兵も反乱を起こした。食糧供給を改善して都市労働者の抗議を静めるため、第一〇回党大会(一九二一年三月八―一六日)は穀物割当徴発から食糧税(現物税)への転換を決め、納税後に農民の手元に残った穀物は局地市場で取引できるようにした(石井 一九七七：一二―一四頁)。この転換を説明するにあたってレーニンは、穀物割当徴発を念頭において、これまでは荒廃と戦争によって「戦時共産主義」を余儀なくされていたと語った。一九一八年春にわれわれは、国家資本主義は一歩前進であると考えていたが、現在ふたたびプロレタリアート独裁を国家資本主義と組み合わせようとしているのだとも述べた(レーニン全集三二巻・一九五九：三六九、三七二頁)。レーニンは社会主義への前進運動における転進を、「強いられた戦時共産主義」から「一九一八年春の元来の路線への回帰」として説明したのである。しかし、割当徴発や全般的労働義務制のような、「戦時共産主義」として考えられた諸施策は、内戦がおおむね収束した後の一九二〇年にも、社会主義への有効な方策として精力的に追求されてきたので、「強いられた」という説明には無理があった。また、一九一八年春には、政権と市場や商業の関係については論じられていなかったので、一九二一年春の転換と一九一八年春との間に直接的な関係を想定することもできない(門脇 一九七二)。

第一〇回党大会は市場経済の全面導入に踏み切ったわけではなく、協同組合を介した工業製品(たとえば繊維品)と農産物の地域的な商品交換を想定していた。だが、市場経済は政権の想定を超えてなし崩し的に拡大し、農業にくわえ、小売業・中小企業・消費財産業も私的原理に委ねられることになった。鉱山、金属・機械・石油化学といった資本財産業・重工業の大半は「官制高地」として国有化を維持し、最高国民経済会議が管理を続けた。「官制高地」という軍事用語が示す通り、共産党の認識では私的経済という敵が彼らを包囲していた。企業経営には独立採算制が導入され、失業も発生した。この現状が一九二一年末までに「新経済政策」、また略称「ネップ」と呼ばれるようになった(石井 一九七七：三、二五―三二頁、Shearer 1996: 27-28)。

共産党は重工業主体の工業化を目標としたが、農民の消費意欲を喚起して、穀物を市場で現金化させるためには、消費財生産を強化する必要があった。だが、工業化の原資を得るためには、農民に有利な市場価格で穀物を確保するのは望ましくはなかった。結局、農業国ロシアをいかに工業化するかという、帝政期以来の問題が共産党の前に立ちはだかっていた。財務人民委員グリゴーリー・ソコーリニコフは国際経済との接続路線を追求し、外国からの消費財の輸入、借款の実現を目指した。通貨安定と予算の均衡も実現させた。だが、一九二二年五月、ソヴィエト・ロシアも参加したジェノヴァ会議が成果なく終わり、この方面での楽観ができないことが分かった(Day 2004: 60-65; ノーヴ 一九八二：一〇二―一〇四頁)。

それでもジェノヴァ会議の最中に、ソヴィエト政権はドイツと外交関係を樹立した(ラパロ条約)。国際社会への復帰の開始は、ソヴィエト化された旧ロシア帝国諸地域間の国家的一体性を強化するよう促した(高橋 一九九〇：五三頁)。一九二二年一二月、RSFSRとウクライナ、ベラルーシ、ザカフカース連邦共和国(ジョージア、アルメニア、アゼルバイジャン)が同盟条約を締結し、ソヴィエト社会主義共和国連邦(ソ連)を結成した。(3)

ヨーロッパは直ちに大戦の混乱から立ち直ったわけではなかった。一九二二年一〇月には元イタリア社会党幹部で、ファシズム運動を率いるベニート・ムッソリーニがイタリア首相となった。コミンテルンでは経済学者ヴァルガ・イェネー(ハンガリー・ソヴィエト共和国で財務人民委員、ついで最高国民経済会議議長)がファシズム分析にあたった。だが、ファシズムは「ブルジョアジーの突撃部隊」であるので、ブルジョアジーとの連立の模索によってはそれとは戦えないとする彼の見解は、ファシズムの政治運動としての新規性を十分にとらえたものとはいえなかった(Черкасов 2004: 24; Коминтерн 1999: 99)。

一九二三年一月にはルール占領をきっかけにドイツで社会対立が高まった。コミンテルン指導部はドイツ共産党の武装蜂起路線を全面的に支援し、一一月九日(帝政崩壊の日)を決行日と定めた。しかし、ドイツ共産党は情勢を過大評価しており、蜂起計画は頓挫した(Коминтерн 1998: 22-25, 428-437)。一九二四年の第五回コミンテルン大会(六月一七日—七月八日)では、資本主義が安定しつつあるとの意見が聞かれるようになった。ジノヴィエフはこの見方を否定し、ブルジョアジーは単独では支配できず社会民主主義者との連立に頼っている、「ファシストはブルジョアジーの右手、社会民主主義者は左手である」と述べた(Коминтерн 1999: 134)。これは社会民主主義者をファシズムと同一視する「社会ファシズム」論の起点となった。この後、一九二五年三月のコミンテルン執行委員会総会は「資本主義の部分的安定化」を認めた(Коминтерн 1998: 575)。

一九二二年末以降レーニンは脳溢血により政治活動から遠ざかり、一九二四年一月に死去した。ソ連政府紙『イズヴェスチア』の求めに応じてカウツキーは追悼文を寄せた。ビスマルクもレーニンに比肩する意志の持ち主であったが、ビスマルクは外交で、レーニンは内政で権力を固めた。フランス革命以来、政治に覚醒して自立的に思考していたドイツの大衆と違って、ロシアの大衆はレーニンの強力な個性に容易に従ったのである、と彼はいう。しかし、ロシアの労働者大衆もいずれは自立性を勝ち得るであろうし、そのときには世界中の勤労諸国民が偉大な闘士たちを思い出そう。「現在共産党の敵である人々の間でも、レーニンの名前がそのパンテオンから欠けるということはないであろう」(Политики 1924: 6, 16-18)。大戦前における国際社会主義運動の連帯感の名残が、ここにはなお漂っていた。

一国社会主義

レーニンの後継者争いは、遠ざかる世界革命の展望にどう向きあうかという問題と一体であった。トロツキーの永続革命論の評価が一つの焦点となった。永続革命論はロシアにおける反革命に対抗するために、ヨーロッパ労働者の支援が必要であると論じていたが、ロシア一国での社会主義経済の建設が可能かどうかという問題には関係していなかった。だがスターリンは、ヨーロッパ革命の勝利なしにはロシアでの社会主義建設は挫折するという議論であると永続革命論を解釈し、これに対置して自身の一国社会主義論を打ち出した。トロツキーを抑え込みたいジノヴィエフとレフ・カーメネフがスターリンを支援した。実際にはスターリンが提起した一国社会主義論は、アウタルキーのもとで社会主義建設を追求した一九二〇年のトロツキーの構想とあまり異ならなかった(Day 2004: 6-10, 99-101)。

一国社会主義論に独自の内容を与えたのはブハーリンである。スターリンは重工業中心に社会主義建設を考えていたが、ブハーリンは軽工業・農業を重視した。彼は現代資本主義が安定したとの前提に立ち、敵対的な資本主義世界への依存を強めることはそれだけロシア経済の脆弱化につながると考えた。アウタルキーのもとでの選択肢としてトロツキー派のプレオブラジェンスキーは、工業製品の価格を高く設定することで農村から「搾取」し、工業化の原資を得ることを主張した。これに対してブハーリンは内戦期のような農村との対立関係に戻ることを忌避し、工業部門での利潤は低く抑え、農業の成長を優先することを唱えた(Day 2004: 102, 119; コーエン 一九七九：二〇八―二一〇頁)。

ブハーリンは現代資本主義が「組織資本主義」となりつつあるという、ヒルファディングと同様の現状認識に立っていた。ただしヒルファディングは、「組織資本主義」のもとでは一国内ばかりか国家間にも競争はなくなるという超帝国主義的見通しに立っていた。これに対してブハーリンは、「組織資本主義」の国内矛盾は国際的な経済競争に転化されると考えた。それゆえソ連経済の国際市場への接続はいっそう好ましくなかった(コーエン 一九七九：三一四―三一七頁、ゴットシャルヒ 一九七三：一八五―二一九頁)。

一九二五年にブハーリンがスターリンとともに党内の主導権を獲得すると、工業化こそが社会主義建設の基礎であると考えるトロツキーの危機感が深まった。彼はアウタルキー路線から離れ、国際経済との結合を主張した。国際分業に参加して農産品を輸出し、工業機械を輸入すべきである。世界経済に依存する以上、それだけ早く工業化を進め、発展のテンポを上げねばならない。農民の生産意欲を刺激するために、農民が購入を希望する消費物資も輸入すべきであると彼は論じた(Day 2004: 126, 136-138, 150-151, 169)。同年秋にはジノヴィエフとカーメネフも対農民融和の行き過ぎと、スターリンの権力増大に危機感を抱いてトロツキーと提携した。だが、党機構を掌握していた書記長スターリンが優勢であった。一九二六年から二七年にかけてトロツキー・ジノヴィエフ・カーメネフは要職を追われた。

ソ連は一九二四年にイギリスとフランス、二五年に日本と国交を結んだが、資本主義世界との関係には不透明な要素があった。一九二七年、在英ソ連通商機関アルコスのスパイ活動疑惑によってイギリスとソ連は断交した(二九年に国交回復)。共産党指導部は住民の結束を高めるために新聞紙上で戦争の脅威を強調した。だが、このプロパガンダは裏目に出て、街頭では戦争による政権の崩壊を期待する声が聞かれた。穀物価格の上昇を見込んで農民は穀物を売り惜しんだ(Velikanova 2013: 53-60, 82-106)。

この「穀物調達危機」をきっかけに、スターリンは一九二八年一月に「非常措置」を発動し、強制的に農民に穀物を供出させた。ネップ擁護の立場に立つブハーリン、ルイコフ、ミハイル・トムスキー(労組指導者)は、右派偏向とされた。ブハーリンと結びついた「組織資本主義」論も攻撃の対象となった。一九二九年一〇月、世界経済・世界政治研究所は「組織資本主義」に関する討論会を組織した。所長ヴァルガは「組織資本主義」理論は、現代国家はもはや階級国家ではないとする欺瞞であって、「古い社会改良主義から社会ファシズムへの架け橋である」と断じた(コーエン 一九七九:三二三、三四〇—三七一頁、Вестник. 1929. 35-36: 297; Черкасов 2004: 24; "Организованный„ 1930: 167)。

ソ連指導部の左旋回はコミンテルンと連動した。一九二九年七月、コミンテルン執行委員会第一〇回総会は資本主義の安定化は終わったとした。「社会ファシズム」論が本格的に打ち出され、ドイツにおける社会民主党の連立への参加が非難された(コーエン 一九七九:三八六頁、村田・五巻 一九八二:八二—八三頁)。この連立参加はヒルファディングの構想に基づいていた。国防軍の民主的改革、貴族財産の没収、八時間労働の再実施などが目指され、彼自身蔵相となったが、目立った成果はあがらなかった。一〇月にニューヨーク株式市場の暴落で始まった世界恐慌(ヴァルガはソ連経済学者の中で例外的に、初期の時点でそれが深刻であることを的確に把握した)が波及し、一九三〇年三月に連立は崩壊した。「組織資本主義」のカルテル支配は反議会主義的性格を強めていった。一九三三年一月にアドルフ・ヒトラーが首相になり、まず共産党が弾圧され、六月に社会民主党も禁止された(Черкасов 2004: 26; ゴットシャルヒ 一九七三：二二〇―二三二頁)。「社会ファシズム」論は共産党と社会民主党の提携を不可能にした。

四、社会主義大国の出現

スターリンの革命

穀物調達危機を契機に農村の私的経営に対する攻撃が始まり、全面的な農業集団化へと展開していった(奥田 一九九六)。農村は飢餓に苦しんだが、政権は穀物を輸出して工業化の原資を獲得した。プレオブラジェンスキーなど元トロツキー派の多くがこれを支持した。一九二九年四月、最高国民経済会議などの専門家が作成した第一次五カ年計画案が採択された(発効は前年一〇月とされた)。銑鉄生産の二七／二八年度実績が三三〇万トンのところ、三二／三三年度の目標数値を一〇〇〇万トンとするなど、科学的算定の結果というよりは動員目標としての数値が並び、採択後も引き上げられた(ノーヴ 一九八二：一六五―一六六頁)。

最高国民経済会議内で製品売買を管理する各シンジケートは、供給時期・価格・品質について、上部機関である各トラストと、年度開始に先立って契約を結ぶことを目指した。消費者の動向を基準として、市場原理と計画経済の両立を図ったのである。しかし、最高国民経済会議全体が、スターリンの副官セルゴ・オルジョニキゼ率いる労農観察人民委員部(ラブクリン)の攻撃に晒された。ラブクリンから見て最高国民経済会議は、国家にとっての必要よりも経済的合理性を優先させ過ぎていた。ラブクリンは最高国民経済会議傘下の企業を頻繁に査察し、製造する製品の種類を指定し、生産量を拡大させ、経営組織の改組を要求した。こうした圧力は、生産目標の頻繁な修正、一貫性の欠如、無秩序といった、ソ連計画経済における指令システムの基本的な特徴となった。ラブクリンの査察を材料として、オゲペウ(統合国家政治本部)が経済官僚・技師をサボタージュで摘発し、見世物裁判を組織した(Shearer 1996: 62, 87, 92-94)。一九三〇年、オルジョニキゼが最高国民経済会議の長となり、二年後には彼のもとで、同会議の後継機関として重工業人民委員部が成立した。

元トロツキー派のゲオルギー・ピャタコフが率いる国立銀行もラブクリンと歩調を合わせ、企業が生産計画拡大に応えられるように極度の紙幣増刷に踏み切った。一九三〇年第3四半期の紙幣発行上限は四億三七三〇万ルーブリと設定されたが、実際には八億二〇五〇万ルーブリが刷られた(*Ibid.*: 72)。

第一次五カ年計画は国民に窮乏を強いたが、労働者・青年層は社会主義建設に熱狂した。カウツキーはソ連指導部の論理を敷衍して「この全き窮乏と零落の五ヶ年間は、一つの過渡期以外の何ものでもなく、誠にそれはカソリック教徒の云ふところの煉獄であり、やがてはパラダイスの永遠の至福へと到達するものだと云ふのである」と記したが、あながち間違ってはいなかった(カウツキー 一九三一:四頁)。各地で巨大な工業拠点が新設され、生産を拡大した。銑鉄生産の一九三二年実績は六二〇万トンである(ノーヴ 一九八二:二一九頁)。

一九三〇年の第一六回党大会(六月二六日―七月一三日)でスターリンは「資本主義の全般的危機」について語り、帝国主義諸国間の矛盾の激化について指摘した(スターリン 一九八〇:二七一―二七二頁)。だが一九三三年末にヴァルガは、資本主義の危機は終わりつつあり、長期不況に入ったとの展望を示した。スターリンもこれに同意した(Черкасов 2004: 26)。資本主義の破滅の展望が遠ざかるのと軌を一にして、ファシズムの脅威が深刻さを増した。一九三五年、コミンテルン第七回大会(七月二五日―八月二五日)は社会民主主義者との統一戦線に路線を切り替えた(村田・六巻 一九八三:一六四―一七六頁)。

資本主義世界は滅びなかったが、「計画化」への関心は高まった。たとえばアメリカのジャーナリスト、ジョージ・ソウルは『ニュー・レパブリック』誌一九三二年三—四月号に評論「混沌か統制か」を発表し、ソ連の計画経済が利潤を消費財生産の拡大にではなく固定資本の拡大に戦略的に振り向けていることを評価した。ソウルは「現代科学が生み出した条件に経済を組織的・民主的に適合させることが計画化の本質である」と記した(Под маской 1933: 62, 73)。ただし、資本主義の破壊ではなく、国民の意志によるその統御を図るナチス・ドイツの混合経済の方が、国際的な影響力は大きかった(とくに公共労働による失業対策)(Gunitsky 2017: 106)。

「上からの革命」(この語をスターリンは一九五〇年に用いた)(スターリン 一九五四：一五六頁)は、戦時統制経済および労働強化によるアウタルキー的社会主義建設という、レーニンとトロツキーの構想を継承したものである。一九三〇年代半ばまでに、社会主義への前進運動は過渡期を終えたと判断できる位置にまで、ロシアはいたった。一九三六年一一月二五日、第八回全連邦ソヴィエト大会で新憲法草案について報告したスターリンは、ソヴィエト社会は「すでに基本的に社会主義を実現した」と述べた(Сталин 2007: 146)。

「上からの革命」は、私的経済部門を周縁化しただけではない。それは国内に残る「後進性」の解消も目指していたのである。集団化は「遅れた」農村の発展段階を引き上げるものであった。さらに、ソ連各地の「共和国」「自治共和国」「自治州」も、工業化と集団化によって変貌していった。ユダヤ人活動家のセミョーン・ディマンシテインは、ソ連中央執行委員会民族会議(上院)の機関誌『革命と民族』一九三六年一月号に次のように書いた。「党とソヴィエト権力は、遅れた諸民族地域にソ連の先進諸民族に追いつく可能性を与える一連の措置の実現に着手した」。「勝利した先進プロレタリアートの具体的支援のもとで、後進諸民族が非資本主義的発展の道をたどる可能性に関しての、レーニンとスターリンの指示」の遂行が党とソヴィエトの課題である。ここにはコミンテルン第二回大会で示された、発展段階を圧縮ないし跳び越して前進する世界史認識が示されていた。新憲法草案がマリやチェチェン＝イングーシなど一連の自治州を自治共和国に、カザフやキルギスといった自治共和国を共和国に昇格させたことも、この「前進」の表れであった(Революция и национальности. 1936. 1: 29; 7: 17-18)。被抑圧地域の諸民族とともに世界革命を行なうというレーニンの展望は、このように形を変えて実現した。ソ連自体が、世界史の前進を体現する、一個の世界となったのである。

第二次世界大戦後の世界とソ連

アウタルキー的社会主義は、敵に包囲されている危機感と不可分であった。ドイツと日本のスパイがいたるところにいるという疑念がスターリンをとらえた。一九三七年と三八年に内務人民委員部により一五七万五二五九人が逮捕され、六八万一六九二人が銃殺判決を受けた(Хлевнюк 2010: 320)。一九三七年一月の国勢調査は、ソ連人口が一億六二〇〇万人であることを明らかにしたが、これは人口動態に基づく政権の予想一億八〇〇〇万人を大きく下回った。一九三二・三三年の飢餓をはじめとする諸要因がその背後にあった。政権はこの国勢調査の結果を封印し、関係者を処刑した(Жиромская 1996: 29-33)。

一九四一年から四五年の独ソ戦でも、ソ連は多数の死者を出した(公称二七〇〇万人だが、軍人一一五〇万、民間人四五〇万、計一六〇〇万人とする説が妥当と考えられる)(Земсков 2012: 63-64, 67-69)。しかし、戦時統制経済を基盤とするソ連体制が、二〇世紀二度目の総力戦を耐え抜いたこともたしかである。戦後、ソ連体制は東ヨーロッパ、東南アジア、東アジアに広がり、世界史の進歩を体現する国家としての威信はそれだけ高まった。

東ヨーロッパに形成された体制の分析に取り組んだヴァルガは、一九四七年三月発表の論文でそれを「新しい型の民主主義」と呼んだ。「新しい型の民主主義」は、モンゴル人民共和国(一九二四年成立)を除き、既知のいかなる国家とも異なるとヴァルガは判断した。大地主制は廃止され、大企業は国有化されたが、生産手段の私有は農業・手工業などで残った。議会があり、国家機構が破壊されなかったので、プロレタリアート独裁とも違った(Варга 1947: 3)。

他方、資本主義諸国も第二次世界大戦の結果変貌したとヴァルガは考えた。国家機構の役割は増大し、国有化や計画化も導入された(Мировое. 1947. 11. Приложение: 3-4)。ヴァルガの観点は「組織資本主義」論に近づいていた。

ヴァルガの議論は、社会主義と資本主義の相互接近の可能性を潜在的には示唆した。これは戦後世界における資本主義の矛盾の激化を展望するスターリンの認識と食い違った。一九四七年五月にはヴァルガの著書『第二次世界大戦の結果としての資本主義経済の変化』(一九四六年刊)の批判討論がもたれ、九月には世界経済・世界政治研究所が廃止された(Мировое. 1947. 11. Приложение; Черкасов 2004: 23)。同じ九月にはイデオロギー担当のソ連党幹部アンドレイ・ジダーノフが、コミンテルン(一九四三年解散)の後継機関であるコミンフォルム(共産党・労働者党情報局)の創設会議(ポーランド、シュクラルスカ・ポレンバで開催)で演説し、帝国主義・反民主主義陣営と反帝国主義・民主主義陣営という対立の構図を示した。一九四八年春からは、ソ連と異なる独自の社会主義建設の道があるという考えが否定され、各国共産党の民族主義的偏向に対する攻撃が強まった(Совещания 1998: 157, 529)。

二大陣営の対峙は資本主義諸国間の対立を除去するわけではないとスターリンは考えた。一九五二年一〇月に発表した、生涯最後のまとまった著作である「ソ連邦における社会主義の経済的諸問題」の中で、彼は帝国主義と戦争というレーニンの主題に立ち返った。スターリンによれば、社会主義陣営が成立し、資本主義諸国が自由にできる市場が縮小した結果、「資本主義体制の全般的危機の深化」が起こっている。イギリス・フランス・ドイツ・日本がアメリカに立ち向かわない保障はどこにもない。現在の平和運動は「新しい世界戦争を未然にふせぐため」の闘争であり、「帝国主義戦争の内乱への転化」を目指してはいない。だが、当面の戦争を未然に防ぎ、好戦的な政府を退けるだけでは、「資本主義諸国間の戦争の不可避性を絶滅してしまうためには」不十分である。「戦争の不可避性をとりのぞくためには、帝国主義を絶滅することが必要である」(スターリン 一九五四：二四一―二四六頁)。

こうして第二次世界大戦後のソ連は、帝国主義の廃絶と世界社会主義革命という、第一次世界大戦時の左派社会主義者の課題に回帰した。資本主義の全般的危機の深化という展望が、その課題を容易にしてくれるように見えた。だが、実際にはアメリカは、資本主義世界の安定を保証するだけの力を擁していた。その強大なアメリカを相手にして、ソ連は二〇世紀後半、世界社会主義革命という遠大な目標を追求し続けなければならなかったのである。

注

(1) 一九一七年から一八年初頭にかけての叙述では、グレゴリオ暦よりも一三日遅いロシア暦(ユリウス暦)を用いる。一九一八年二月一日に暦の切り替えがなされた。

(2) ロシア帝国の解体および内戦の概略については池田(二〇二二)を参照せよ。

(3) 党名は一九二五年一二月の第一四回党大会で全連邦共産党(ボリシェヴィキ)に改称された。さらに、一九五二年一〇月の第一九回党大会でソ連共産党となった。

参考文献

池田嘉郎(二〇〇七)『革命ロシアの共和国とネイション』山川出版社。

池田嘉郎(二〇一七)「ボリシェヴィキ政権の制度と言説」同責任編集『ロシア革命とソ連の世紀1 世界戦争から革命へ』岩波書店。

池田嘉郎(二〇二二)「パリ講和会議とロシアの内戦」木村靖二編『一九一九年　現代への模索』〈歴史の転換期11〉、山川出版社。

石井規衛(一九七七)「「ネップ」初期研究――「商品交換体制」の成立をめぐって」『史学雑誌』八六編一二号。

石井規衛(一九八一)「国家と農民――食糧独裁令から貧農委員会の改造まで」『土地制度史学』九〇号。

石井規衛(一九八四)「革命ロシアにおける赤軍建設政策の諸側面――国家形成と赤軍の正規軍的再編成　一九一八年三月―一九一九年三月」溪内謙編『ソヴィエト政治秩序の形成過程――一九二〇年代から三〇年代へ』岩波書店。

石川禎浩(二〇〇七)「初期コミンテルン大会の中国代表」「初期コミンテルンと東アジア」研究会編著『初期コミンテルンと東アジア』不二出版。

上垣彰(一九七八)「ソビエト「戦時共産主義」期の経済建設構想――ラーリン・プレオブラジェンスキー・クリツマンの主張につ

いて」『ロシア史研究』二八号。

奥田央(一九九六)『ヴォルガの革命――スターリン統治下の農村』東京大学出版会。

カウツキー、カール(一九三一)『五ヶ年計画立往生――サウィエート・ロシアの革命的実験は成功したか?』小池四郎訳、先進社。

梶川伸一(一九九八)『ボリシェヴィキ権力とロシア農民――戦時共産主義下の農村』ミネルヴァ書房。

門脇彰(一九七一)「レーニンと「戦時共産主義」――最近の研究動向によせて」『社会科学』一三号。

コーエン、スティーヴン・F(一九七九)『ブハーリンとボリシェヴィキ革命――政治的伝記、一八八八―一九三八』塩川伸明訳、未来社。

ゴットシャルヒ、W(一九七三)『ヒルファディング――帝国主義とドイツ・マルクス主義』保住敏彦・西尾共子訳、ミネルヴァ書房。

庄野新(一九六八)「最高国民経済会議の活動と工業管理問題」江口朴郎編『ロシア革命の研究』中央公論社。

スターリン、ヨシフ(一九五四)『スターリン戦後著作集』大月書店。

スターリン、ヨシフ(一九八〇)『スターリン全集〔復刻版〕』第一二巻、大月書店。

スティーンソン、ケアリ・P(一九九〇)『カール・カウツキー 一八五四―一九三八――古典時代のマルクス主義』時永淑・河野裕康訳、法政大学出版局。

高橋清治(一九九〇)『民族の問題とペレストロイカ』平凡社。

トロツキー、L(一九六七)『一九〇五年革命・結果と展望』対馬忠行・榊原彰治訳、現代思潮社。

西川正雄(一九八九)『第一次世界大戦と社会主義者たち』岩波書店。

ノーヴ、A(一九八二)『ソ連経済史』石井規衛・奥田央・村上範明他訳、岩波書店。

林忠行(二〇二一)『チェコスロヴァキア軍団――ある義勇軍をめぐる世界史』岩波書店。

ブルダコーフ、ウラジーミル(二〇一七)「赤い動乱――十月革命とは何だったのか」池田嘉郎・李優大訳、池田嘉郎責任編集『ロシア革命とソ連の世紀1 世界戦争から革命へ』岩波書店。

ヘイスコックス、J・P(一九八六)『インドの共産主義と民族主義――M・N・ローイとコミンテルン』中村平治・内藤雅雄訳、岩波書店。

マルクス、カール、フリードリヒ・エンゲルス（一九六〇）『マルクス・エンゲルス全集』第四巻、大月書店。

水野直樹（二〇〇七）「初期コミンテルン大会における朝鮮代表の再検討——第一回大会から第五回大会まで」「初期コミンテルンと東アジア」研究会編著『初期コミンテルンと東アジア』不二出版。

村田陽一編訳（一九七八—一九八五）『コミンテルン資料集』全六巻・別巻、大月書店。

山内昭人（二〇〇七）「片山潜、在露日本人共産主義者と初期コミンテルン」「初期コミンテルンと東アジア」研究会編著『初期コミンテルンと東アジア』不二出版。

『レーニン全集』（一九五三—一九六九）全四五巻・別巻二巻、大月書店。

和田春樹編（一九七七）『世界の思想家二二　レーニン』平凡社。

和田春樹（一九八二）「国家の時代における革命——ブハーリンとレーニン」溪内謙・荒田洋編『ネップからスターリン時代へ』〈ソビエト史研究会報告第一集〉、木鐸社。

Chernev, Borislav (2017), *Twilight of Empire: The Brest-Litovsk Conference and the Remaking of East-Central Europe, 1917–1918*, Toronto, University of Toronto Press.
Columbia: Columbia University, Rare Book & Manuscript Library, Sofiia Vladimirovna Panina Papers, 1900–1956, Series I, Box 5 (Rodichev A. F.).
Cunow, Heinrich (1915), *Partei-Zusammenbruch? Ein offenes Wort zum inneren Parteistreit*, Berlin, Buchhandlung Vorwärts Paul Singer.
Day, Richard B. (2004), *Leon Trotsky and the Politics of Economic Isolation*, Cambridge, Cambridge University Press (First ed. 1973).
Gunitsky, Seva (2017), *Aftershocks: Great Powers and Domestic Reforms in the Twentieth Century*, Princeton, Princeton University Press.
Kautsky, Karl (1915), "Zwei Schriften zum Umlernen", *Die Neue Zeit*, 33 (2).
Kautsky, Karl (1918), *Die Diktatur des Proletariats*, Wien, Ignaz Brand & Co.
Lih, Lars T. (2019), "'Revolutionary Social Democracy' and the Third International", Oleksa Drachewych and Ian Mckay (eds.), *Left Transnationalism: The Communist International and the National, Colonial, and Racial Questions*, Montreal, McGill-Queen's University Press.
Lindenmeyr, Adele (2001), "The First Soviet Political Trial: Countess Sofia Panina before the Petrograd Revolutionary Tribunal", *The Russian*

Review, 60 (4).

McDonough, Terrence (1995), "Lenin, Imperialism, and the Stages of Capitalist Development", *Science & Society*, 59-3.

Rodichev, Fedor I. (1983), *Vospominaniia i Ocherki o Russkom Liberalizme*, Newtonville, Ma., Oriental Research Partners.

Schafer, Daniel E. (2001), "Local Politics and the Birth of the Republic of Bashkortostan, 1919-1920", Ronald Grigor Suny and Terry Martin (eds.), *A State of Nations: Empire and Nation-Making in the Age of Lenin and Stalin*, Oxford, Oxford University Press.

Shearer, David (1996), *Industry, State, and Society in Stalin's Russia, 1926-1934*, Ithaca, Cornell University Press.

Smele, Jonathan D. (2015), *The "Russian" Civil Wars 1916-1926: Ten Years That Shook the World*, London, Hurst & Company.

Sozialistische Monatshefte.

van Ree, Erik (2010), "Lenin's Conception of Socialism in One Country, 1915-17", *Revolutionary Russia*, 23: 2.

Velikanova, Olga (2013), *Popular Perceptions of Soviet Politics in the 1920s: Disenchantment of the Dreamers*, Basingstoke, Palgrave Macmillan.

Варга, Е. (1947), "Демократия нового типа", Мировое хозяйство и мировая политика. 3.

Вестник: Вестник Коммунистической академии.

Восьмой (1959), Восьмой съезд РКП (б). Март 1919 года. Протоколы. М., Госполитиздат.

Второй (1934), Второй конгресс Коминтерна. Июль-август 1920 г., М., Партийное издательство.

ДСВ (1957), Декреты Советской власти. Т. 1, М., Политиздат.

Жиромская, В. Б., И. Н. Киселев, Ю. А. Поляков, (1996), Полвека под грифом. Всесоюзная перепись населения 1937 года, М., Наука.

Земсков, В. Н. (2012), "О масштабах людских потерь СССР в Великой Отечественной войне (в поисках истины)", Военно-исторический архив. 9.

Ирошников М. П. (1973), "К вопросу о сломе буржуазной государственной машине в России", Проблемы государственного строительства в первые годы Советской власти, Л., Наука. Ленинградское отделение.

Коминтерн (1998), Коминтерн и идея мировой революции. Документы. М., Наука.

Коминтерн (1999), Коминтерн против фашизма. Документы. М., Наука.

Кузнецова, О. Н. (2011), "Экономический Совет при Временном правительстве", Новейшая история Россси, 2.

Мировое: Мировое хозяйство и мировая политкиа.

"Организованный,, (1930), "Организованный капитализм,,. Дискуссия в комакадемии, Второе издание, М., Издательство Коммунистической академии.

Под маской (1933), Под маской планирования. Сборник статей. Государственное издательство "Стандартизация и рационализация,,, М.-Л.

Политики (1924), Политики и писатели запада и востока о В. И. Ленине. М., Общество бывших политич. каторжан и ссыльно-поселенцев.

Революция и национальности.

Свидзинская, М. С. (2011), "«Дело РАСМЕКО»: Из истории нравов российского чиновничества и борьбы с «выжиманием взяток» (1918 г.)" Новый исторический вестник, 30 (4).

Совещания (1998), Совещания Коминформа. 1947, 1948, 1949. Документы и материалы, М., РОССПЭН.

Социал-Демократ.

Сталин, И. В. (2007), Сочинения. Т. 14. Изд. второе, Тверь, Союз.

Хлевнюк, Олег (2010), Хозяин. Сталин и утверждение сталинской диктатуры, М., РОССПЭН.

Хмельницкая, Е. (1927), "Государственно-монополистический капитализм (Германия 1914-1918 гг.)", Вестник коммунистической академии, 24.

Черкасов, П. П. (2004), ИМЭМО. Портрет на фоне эпохи, М., Весь Мир.

Штейн, Б. Е. (1949), «Русский вопрос» на Парижской мирной конференции (1919-1920 г.г.), М., Госполитиздат.

問題群｜*Inquiry*

二〇世紀アメリカの勃興

中野耕太郎

はじめに——二つの「二〇世紀アメリカ」

世界が二〇世紀への転換期を迎えるころ、「新興国」アメリカ合衆国を見るヨーロッパ人の眼差しが微妙に変化しつつあった。総じて一九世紀のアメリカが、広大な領土を治める立憲共和政の一大実験として、青年イタリアのマッツィーニのごとき反君主制論者の羨望の的であったとするなら、二〇世紀のアメリカはその政体としての天才より、むしろ物質的巨大さや技術的、組織的な先進性、そしてなにより、他の世界を自らの文化や生活様式に同化せんとする影響力において無視しえぬ存在となっていた。例えば、一九〇二年にイギリスの社会改良家ウィリアム・ステッドが出版した、『世界のアメリカ化——二〇世紀の潮流』は、アメリカに胚胎する新たな国際性に注目した書物だった。同書は「今やアメリカ合衆国は英語圏で指導的地位を占めるに足る力と繁栄を体現している」と記し、ヨーロッパのみならず、トルコや日本ですら遠からず文化的、経済的に「アメリカ化」されるだろうと予言していた。また、かかる「アメリカの侵出」(American invasion)は、それが当該地域に「繁栄」の恩恵をもたらすがゆえに、むしろ歓迎される傾向があるとし、二〇世紀アメリカの力の源泉が、「科学の分野で他を寄せ付けないこと」、そして、「あらゆる才能が富の追求に向かっている」ことにあると看破したのだった(Stead 1902)。

だが、こうしたステッドの見立ては、自らを腐敗したヨーロッパから聖別し、孤立主義の伝統を墨守せんとする保守的なアメリカ人にとっては、にわかに受け入れがたいものだったろう。そもそも、世紀転換期の段階ではまだアメリカ文物の海外輸出は限られたものであったし、なによりも、ヨーロッパ人が注目した「近代性」の評価は肯定的なものばかりではなかった。すなわち、高度な産業社会化や物質主義の風潮は、それ自体、アメリカの国民社会に深い分断を生んでおり、当時、様々な急進主義や社会保守の運動が叢生するきっかけともなっていたからだ。事実、階級対立から無縁なはずのアメリカにおいて、かつて「例外的」とさえ言われた民主主義が機能不全に陥り、ヨーロッパと変わらぬ「社会問題」がはびこるさまは、大西洋の対岸でも多くの耳目を集めるところであった。

そうした問題への感受性を備えた今一人のヨーロッパ人に、著名な作家H・G・ウェルズがいる。ウェルズは一九〇五年の訪米を機に、翌年『アメリカの未来』なる書物を刊行した。彼もまた、「アメリカの……大きく自由奔放な成長」と「人間活動の規模の巨大化」に瞠目したが、野放図な独占企業の専横に触れるなど、現状に批判的な視点も持ちあわせた。同書が興味深いのは、アメリカが抱えるある種の古さに言及している点である。ウェルズは、建国期より個人主義と財産権が確立したアメリカは、元来、貴族も労働階級もいないミドルクラスの社会だと考えた。そのことが、この国のダイナミックな経済発展に寄与したことは言うまでもないが、この自由の制度自体は一〇〇年以上前の発明である。曰く、アメリカ人は「一八世紀末に近代的で進歩的だった経済慣習を憲法に書き込み、あたかも永久にこれを刻印したかのようである……そして、今なおアメリカは純粋な一八世紀であり、(二〇世紀の)濁った水から結晶を得ようとしている」と。しかるに、昨今の急激な工業化のなかで、「財産を国家の支配から解放する」というこの革命の伝統は、むしろ著しい富の偏在を生んでおり、「もしそれが修正されないなら」、本来、無階級的なアメリカも「貧者と富裕層へと永久に分断されるしかない」。そうウェルズは指摘したのだった(Wells 1906)。

二〇世紀初頭という全く同じ時代を生きたヨーロッパ人が、異なる二つのアメリカの未来像――すなわち、①豊かさと繁栄の文明を手に新時代を先導し、世界に飛翔せんとするアメリカと、②工業化のなかでなお革命の遺産に拘泥し社会分裂の危機にあるアメリカ――を提示している点は興味深い。また、見逃してはならないのは、この二つのアメリカが、実のところ孤立と自由を柱とする伝統的なアメリカ例外論を、いわばアナクロなものとして退ける点で共通したことである。大量の移民を受け入れ、欧州市場に参入したアメリカは、もはや北米の一部に閉じた聖地ではなかったし、独立独歩の個人(財産所有者)がすべての市民社会でもありえないというのだ。また、後に見るように、かつて世界から隔絶した聖なる「丘の上の町」を祝福した啓蒙普遍の理想主義は、合衆国が他国に介入しアメリカ化する際の資源として新たな意味を持ちはじめていた。この時期、国民国家としてのアメリカは、内的な統合原理においても外部世界との関わり方においても全く新しいものに生まれ変わろうとしていたのである。

もっとも、その具体的な行き先はいまだ不透明なものだった。もはやアメリカの海外膨張が避けられないとしても、それは、経済的・文化的な領域に限られるべきか、それとも自ら覇権国家となって他者を支配するのか、あるいは、その内政は企業のイニシアティブを最大化する方向をとるのか、はたまた、財産権や契約の自由を一部制限してでも、格差の是正と結果平等の確保に努めるべきか。実のところ、本稿で扱う一九世紀末から第二次世界大戦の時期は、内外の多様な勢力を巻き込んで、生成途上の「二〇世紀アメリカ」のあるべき姿が模索される過程であった。

この二〇世紀前半は、アメリカ史上「改革の時代」とされることが多い。そこには、世紀転換期に始まる革新主義や第一次大戦下の総力戦体制、そして、ニューディール政策に代表される社会民主主義的な要素すら含まれる。このとき、先に見た「豊かさ」を携え世界を同化するアメリカと、現代的な社会政治の葛藤に苦悩するアメリカという二つのアメリカはどのように切り結び合い、新しい時代を創っていったのだろうか。かつて歴史学者オリヴィエ・ザンズはこの時期、専門家・知識人主導の「社会的知性」が生み出されたこと、まさにこのことが第二次大戦後の覇権主義的な「アメリカの世紀」を可能にしたと論じた（ザンズ 二〇〇五：五六頁）。後述するように、本稿は必ずしも「アメリカの世紀」に向かって現代史のすべてが収斂していくとは考えないが、ザンズが指摘するある種の史的なブレイクスルーを重視するものである。むしろここでは、その背景となったより大きな社会変動や価値規範の変容にも視野を広げて検討を進め、「二〇世紀アメリカ勃興」の世界史的な意味を考えていきたい。

一、兆し

コロンビア博覧会（シカゴ万博）

矛盾に満ちた「二〇世紀アメリカ」が、はじめてその片鱗を世界に垣間見せたのは、やや時期を溯って一八九〇年代中葉のことであった。一八九三年、西部の新開地シカゴで、コロンブスの「新大陸発見」四〇〇周年を記念した万国博覧会が開催されている。四六カ国が出品し、二七〇〇万人が来場したこの国民的イベントは、南北戦争後のアメリカが実現した資本主義文明の最先端を誇示するものだった。一二七台の発電機が、巨大な噴水や電動エレベータを稼働させ、キネスコープ（初期の映画）を上映し、夜も煌々と明かりを灯した。また、会場の一角には、アメリカで発明された無数の消費財が展示されていた。洗濯機、掃除機、フルーツガム、即席パンケーキ粉、ジッパー、エアスプレー、食洗器等々。こうした商品がいずれ大衆消費の対象となり、一九二〇年代にはヨーロッパや日本の市場を席巻することになるだろう。また、シカゴ万博は理想都市の祭典でもあった。後年、都市計画家として名を馳せるダニエル・バーナムの総指揮のもと、二〇〇を超える白色の建物を整然と配置したさまは、社会主義者のヘンリー・D・ロイドをして、万博は「人々に、これまで夢想だにしなかった社会的な美と実用、調和の可能性を示している」と言わしめた。それは、アメリカがこれまでの農業国から、都市的なネイションに生まれ変わりつつあること、そして、この「都市」という空間で社会改良を構想できることを内外に宣するものであった。かつて、建国期のトマス・ジェファソンはジェームズ・マディソンへの書簡の中で、「わが国の政府は、主に農業的である限りにおいて、何世紀でも高潔でいられるが……大都市に集住する状況になれば、ヨーロッパのごとく腐敗してしまうだろう」と書いたが、そうした旧来の農本主義的なアメリカの自画像は、もはや自明のものではなくなっていた。

危機の兆し

一八九三年の万博は、こうした展示だけでなく、二〇にも及ぶ学術会議や国際集会を併催し、いわばソフト面でもアメリカ文明の進歩を表現しようとした。面白いのは、この中に物質主義的な産業・都市文化に批判的な要素も多く含まれたことである。例えば、一〇月には婦人キリスト教節酒連盟がシカゴで大会を開催している。この団体は有力な国際フェミニスト組織として知られたが、福音主義の道徳復興を唱える社会保守の運動でもあった。会長のフランシス・ウィラードはこの時シカゴで演壇に立ち、「禁酒法、女性解放、労働者の地位向上という三位一体の運動」の完遂を誓ったのである。ウィラードはシカゴ万博について、それが婦人パビリオンの設置をみとめ、企画に女性を参加させたという点で高く評価した。また、彼女は労働紛争の拡大に強い懸念を示し、労資対立を調停するイギリスのフェビアン協会を称賛する言葉を送っている。それは、ヨーロッパ流の社会民主主義とプロテスタントの社会保守、そしてリベラルな女権運動が奇妙に同居する当時の改良運動のありようをよく示すものであった。

同様の併催企画として、アメリカ歴史学会大会が開かれ、気鋭の研究者フレデリック・J・ターナーが「フロンティア学説」を発表したことはさらに有名である。「アメリカ史におけるフロンティアの意義」と題した大会基調講演で、ターナーは常に西方へと漸進する「野蛮と文明の狭間」、すなわち、「フロンティア・ラインでの原始的条件への回帰」と「絶え間のない再生……がアメリカ人の性格を支配してきた」と論じた。この論文は、アメリカ民主主義の「例外性」に学術的な根拠を与えたという点で、以後長くアメリカ人の自国史認識を支配し続けるが、分けても「アメリカとは何か」というナショナリズムに触れた次の箇所は重要である。すなわち、「フロンティアはアメリカ人の混合的な国民性の形成を促した……辺境の坩堝の中で、移民たちはアメリカ化され、解放され、融合して……ひとつの混合人種となったのだ」と。この議論がおよそ一五年後のアメリカで流行するメルティングポット論のプロトタイプであることは多言を要しまい。だが問題は、ターナーが講演冒頭で「フロンティアの消滅」を言明していたことだ。実のところ、フロンティア説の枢要は、一九世紀末、すでに初期アメリカの例外性の基盤は失われているという指摘にある。もはや、「新しい人種」としてのアメリカ人が自然に任せて生み出されることはないのであって、二〇世紀になお内的なアメリカ化を目指すのであれば、それは何らかの能動的取り組みを必要とする。別言すれば、メルティングポットには坩堝を熱する人工的な火力——すなわち、愛国的な公教育や総力戦——が不可欠なのであった。

二、一九世紀末の危機

恐慌と「社会問題」の発見

一八九三年はまた旧来のアメリカの諸制度が機能不全に陥っていることをはっきりと可視化させた年でもあった。シカゴ万博が開幕してわずか四日後の五月五日、ニューヨーク株式市場が未曾有の大暴落に見舞われている。なかでも南北戦争後のアメリカ資本主義の成長を牽引した鉄道関連産業への打撃は甚大で、万博に最先端の車両を出品したプルマン寝台車会社などは、シカゴ工場の従業員数百人を解雇した。大都市圏のシカゴやニューヨークでは一〇万人近くが職を失ったのであり、アメリカの富を象徴した万博会場から一歩外に出ると全く対照的な貧困と暴力が渦巻く世界があった。先に見た、道徳的堕落を恐れる禁酒主義者の焦燥や辺境の喪失を嘆く歴史学者のペシミズムが、こうした状況を意識したものであったことは容易に想像できる。翌一八九四年五月、プルマン社では激烈な労働争議が勃発し、全米二五万人の鉄道労働者を巻き込んだストライキは、一時デトロイト以西の鉄道輸送を麻痺させてしまう。これに対して、民主党のクリーブランド政権は連邦軍を派遣してストライキを収束させたが、経済の自由放任を標榜する政府による労働者への武力行使は、統治の正統性を揺るがす行為であった。それは、かつてアメリカ人が「ヨーロッパの腐敗」と軽侮した階級闘争の現実が全米を覆っていくおぞましき瞬間であった。

自らを何らかの運動体に組織し得なかった、多くの都市大衆の困窮はさらに悲惨なものであった。なかでも、アメリカ資本主義の膨張とともに、不熟練の労働力として引寄せられた南・東欧系の移民や南部の農村を出た黒人は、低劣な集合住宅に密集して暮らすほかなく、その心身の健康は危険な状態にあった。当時の推計によると、こうした全米の貧困者の数は、世紀転換期までに一〇〇〇万人に達したとされ、ニューヨークやシカゴには巨大なスラムが姿を現した。そして、同じく都市化のなかで形成された新興のアメリカ中産階級の多くは――ジェイコブ・リースのベストセラーになぞらえるなら――そうした「他の半分の人びとの暮らし」を強く意識し始めていた(Riis 1890)。

もとより、このような「危機」の諸相――、すなわち、労働紛争の拡大や工業化にともなう農村の疲弊、移民の流入、都市環境の悪化、貧困問題等々は、同時代のイギリスや、フランス、ドイツなどでも広く見られた現象で、「社会問題」なる新語がヨーロッパでも広く流通していた。都市社会学者ジャック・ドンズロの言葉を借りれば、それは「最大多数すなわち「人民」の政治的主権と、経済の面での少数による最大多数の搾取とのあいだに矛盾が存在すること」に他ならない(ドンズロ 二〇一二:一〇頁)。別言すれば、近代啓蒙のいう市民・国家間の社会契約だけでは、解決しえない「事実としての不平等」の問題がそこにはあった。そして、この「社会的な」問題は、典型的な近代所有者社会を形成していたアメリカでは特に深刻であった。

たしかにこの頃、アメリカの都市中産階級の間でも「社会問題」という語が頻繁に使われるようになった。だが、この自由の国で、持たざるがゆえに「所有者の自由」から疎外され、「契約」の主体にすらなりえない貧者を社会のなかにどう位置づけていくか、また、彼らの社会的権利をどう保障するかといった問いに即答できるものは少なかった。あるものは、都市の安全を確保するために、そうした「他の半分の人びと」を排斥し、自らとの間に障壁を築くべきだといい、また、あるものは、「公的な」政策として貧者や労働者を支援して実質的な平等に立脚した市民社会を構築すべきと論じた。さらに、そうした改良の主体は誰なのかという問題もあった。民間の市民団体がその任に当たるのか、地域社会や自治体に責任があるのか、あるいは敢えて連邦政府の公権力を呼び出すべきか等々。

海外への眼差し

加えて、一八九七年に経済不況が終息しアメリカ資本主義が息を吹き返す中で、大企業の市場独占や海外進出の野心という、もうひとつの「二〇世紀アメリカ」の潮流が以前にもまして加速化していった。鉄道や鉄鋼、石油等の業界に現れた巨大資本は、これまでも地域の自足的コミュニティを全国市場に統合する役割を果たしてきた。その卓抜したパワーは、農村から都市へ大規模な人口移動をもたらし、富める者と貧しき者の格差を拡大し、全国的な労働紛争を惹起し、対抗勢力としての労働組合の組織化を促した。垂直統合的に市場を独占する大企業は、それ自体、個人主義が支配する農業的なアメリカを破壊し、世紀末の「社会問題」と密接にかかわっていたのである。そして、世紀転換期のビジネスは、フロンティアの消滅が象徴した飽和的な国内市場を越えて、今や海外にも目を向け始めていた。

こうした企業活動の全国性、国際性は連邦政府の経済的、軍事的重要性をかつてなく高めることになる。一八九六年選挙で政権に就いた共和党のマッキンリー大統領は、米西戦争を敢行し、パン・アメリカ博覧会を主催するなど、アメリカ企業の海外進出を支援したが、この政策は特にフィリピン領有をめぐって、国論を二分するもうひとつの政治危機を現出した。一八九八年に組織された反帝国主義連盟は、共和党政権の政策が、孤立主義を旨とした建国期以来のアメリカ例外主義を棄損する、伝統からの逸脱だとして強く批判した。また、反帝国派のなかに、新たに領有するフィリピンやカリブ海島嶼から非白人の植民地人が、安価な労働力としてアメリカ本国に流入することを恐れたものもいた。それは、アメリカの帝国化が、先に見た都市化や貧困などの「社会問題」の別の側面を構成することを示唆するものであった。新たに宗主国となって、憲法の及ばぬ植民地で有色の他者を統治し、また、その一部をフロンティアなきアメリカ本国の国民社会にどのように組み込んでいくのか――それはやはり従来の立憲共和政体では想定されていない、「社会的な」問いであった。ここに「一九世紀末の危機」の本質を見ることができよう。

三、革新主義の実験

輸入されるソーシャル・ポリティックス

「一九世紀末の危機」は、これまでにない実験的な改革政治の肥沃な培地となった。革新主義と呼ばれるこの思潮は、具体的には、婦人参政権運動やソーシャル・セツルメント、反独占の公有制運動、反貧困論、労働者保護、禁酒運動など多様な形態をとって現れた。だが、広範囲にわたる改革の声が、前述のウェルズがいう一八世紀的な制度と工業化社会の現実との葛藤から生じる諸問題、すなわち、「社会的なもの」の領域を主戦場としていたのは明らかだった。また、革新主義の諸運動は、独特の国際性を持っていた点でも新しかった。ジェームズ・クロッペンバーグが指摘するように、革新主義の改良思潮には、ウェブ夫妻の産業民主主義やレオン・ブルジョアの社会連帯論など同時代の在欧・ソーシャル・ポリティックスの影響が色濃く存在した(Kloppenberg 1986)。

その意味で、都市部の貧困や労働の問題と現場で対峙した、社会事業家の運動はもっとも注目すべきものであった。ロンドンの社会福祉活動の拠点トインビー・ホールに学び、この経験を糧にシカゴでソーシャル・セツルメント(ハルハウス)を運営したジェーン・アダムズは、「近隣」という独特の都市的な表現で地域的な社会連帯を模索した。アダムズは自己の活動の目的について、「民主主義をして政治的表現を超えて拡大すること」、すなわち、この一八世紀的な理想に「社会的な機能を付加すること」だと述べていた。ところで、彼女らの最大の政敵は、都市貧困層を支配するボス政治家であった。ボス政治家はある意味で「一九世紀末の危機」を象徴する存在でもあった。彼らが新来の移民や下層労働階級の人々に与えた庇護(パトロネージ)は、カステルの言葉を借りるなら、自由な財産所有者間に結ばれた双務的な契約関係の「外部」に現存する「人類学的(人間学的)ともいえる格差に基づく空間」であった(カステル 二〇一二:二八七頁)。この不等価交換(あるいは、支配と被支配)を成り立たせていたのは、貧者を「未成年」のごとく扱う「後見人」としてのボスの私的な権威である。アダムズらのセツルメント運動は、こうした「社会問題」から派生した私的な庇護や慈善をより公的な営みに再編し、新しい社会福祉に昇華しようとするものだった。

ニューヨークの貧困地区に立地するバプテスト教会で、困窮者を支援したウォルター・ラウシェンブッシュも、平等と民主主義の社会・経済領域への拡大を訴えた一人だった。アメリカ生まれながら、ギュンタースロー(ドイツ)のギムナジウムに学んだラウシェンブッシュは、キリスト教社会主義の国際ネットワークを背景とし、アダムズと同じく古典的な自由主義の弊害を批判した。彼は元来、近代化の牽引者であった所有者の自由が、今日新たな不自由、新たな不平等の源泉になっているとして次のように書いた。かつて「産業革命は所有の民主化を開始した。生まれたばかりの資本主義は……さび付いた封建特権の鎖を断ち切り、能力あるものに財産をもたらす革命の力だった。……しかし、今日資本主義は自由を叫びつつも、真の自由を求める運動を阻害している。……ここに新しい貴族政が誕生し……資本主義は特権の庇護者、専制を守る塹壕になり下がった。だから新たな所有と産業の民主化運動を再生せねばならない」と。ラウシェンブッシュは、啓蒙の自由が放置する「事実としての不平等」を解消すべく、財産権を排他的な個人主義から切り離してより集合的なものに創りかえるべきだと論じていた(Rauschenbusch 1912: 355-356)。

アメリカ固有の展開

こうした革新主義が内包した社会的な平等や「富の共有」の議論は、いくつかの点でアメリカ独特の展開をしていく。ひとつは人びとの生活状態の物質的な底上げへの強いこだわりであった。ラウシェンブッシュと同じくドイツに留学した経済学者のサイモン・パッテンやウォルター・ワイル等は、社会全体に蓄積された富(「社会的剰余」)を平等に再分配することで、広範な労働者層にも見苦しくない生活を保障できると主張した。この「アメリカ的生活水準」と「新しい民主主義」を結び付ける議論は、全般的な好景気を迎えた二〇世紀初頭の経済状況の中で一定の説得力を持ち、また生成期にあった大衆消費の文脈からも広く受け入れられていった。この物質主義的なディセンシー(見苦しくない生活)の再定義は、「他の半分の人びと」との間に「橋を架ける」セツルメント活動家にとっても、移民や貧者をアメリカ化し、国民社会に包摂するための重要な回路を成すものだった。

だが一方で、「アメリカ的生活」を単に形式的な自由の権利だけでなく、貧困や識字、犯罪といった社会状態に照らして考えることは、深刻な副産物をもたらしてもいた。その一つがジムクロウと呼ばれた人種隔離の蔓延であった。かつて人種奴隷制を持った入植者植民地主義(settler colonialism)国家であったアメリカにおいて「社会的なもの」を問うことは、白人社会が持つ人種混淆への恐怖に公的な性格を与えることにつながった。事実、革新主義期に広く語られた「社会的平等」は、黒人市民が当事者となるや異人種間結婚を含意することがしばしばで、W・E・B・デュボイスをはじめとする黒人指導者の多くが、この語の使用に極めて慎重になっていた。また、革新主義者の間には、都市生活の安全という観点から、人種や民族を「分ける」という社会政策を必要悪と認め、積極的に要請する傾向があった。二〇世紀前半の長い「改革の時代」が、新たな人種差別の揺籃となり、特に都市部において種々のカラーライン(人種境界)が画定されていった事実は、アメリカに固有の現象と言ってよい。

いまひとつ、二〇世紀初頭のアメリカの社会政治に特徴的なのは、自らの「後進性」の自覚とでも言いうるものであった。革新主義者の多くは、同時代のヨーロッパやオーストラリアでもアメリカと同様の社会問題への取り組みがなされていることを熟知していた。そのうえで、アメリカは労働者保護や社会福祉の分野で大きく立ち遅れており、先行者の実績を「輸入」する立場にあると認識されていた。事実、二〇世紀初頭のアメリカは、労災補償や女性労働に特化した最低賃金法以外にまともな労働政策を持たず、老齢年金にいたっては西欧諸国より四半世紀遅れて一九三〇年代中葉まで制度化できなかった。この現状は、一九世紀までのアメリカが史上稀に見る反君主政の立憲共和国として、世界中の自由主義者や民族主義者を教導し、民衆自治の範型を提供してきたことを考えると隔世の感があった。

振り返ってみれば、アメリカの社会問題は当初、ターナーが鋭く指摘したアメリカ例外主義の破綻——すなわち、「ヨーロッパ化」の危機として看取された。そして、この危機はアメリカ革命の近代性ゆえにこそ、当のヨーロッパよりもはるかに深い矛盾をはらむものであった。政治的かつ形式的な自由と平等は、資本制下の所有の問題を経由して、看過できない格差と貧困、「実質的な不平等」を生み出していたが、アメリカ革命の理念とプロテスタント的伝統への強い自負心は抜本的な改革を困難にしていた。このとき、ヨーロッパやオーストラリアに学ぶことで、フロンティアなきあとの「アメリカ」を再興させようというリベラルの国際主義が大きな役割を果たすようになった。それは「ヨーロッパ化」の危機をさらなる「ヨーロッパ化」で乗り切ろうという逆説とも見えるが、アメリカ固有の地理的条件や独特の物質文明は、単なるヨーロッパ化を越えた「二〇世紀アメリカ」の勃興を可能にした。

新しいナショナリズム

こうした革新主義の文脈を共有し、ヨーロッパと世界に新たな眼差しを向ける指導者は、アメリカの主流政治のなかにも現れた。その代表格が第二六代大統領となったセオドア・ローズヴェルトであった。ローズヴェルトは大統領在任中から、独禁法を用いて鉄道や石油の持ち株会社を告発したり、商務労働省を新設して企業の情報公開を推進するなど、現代的な市場規制を推進した政治家であった。彼の政治の大きな特色は、労働紛争や貧困といった社会的な問題に、集権的な国民国家の行政で対応しようとした点にある。このローズヴェルトの新しい国家主義は、革新主義の今一人のイデオローグ、ハーバート・クローリーのナショナリズム論と共鳴し合った。クローリーは、一九〇九年に出版した主著『アメリカ的生活の約束』で、ハミルトン主義の伝統を引いて、所有者の個人主義を越えた「公益」の重要性を強調した。もっともそれが、一八世紀的な「公共」とは次元を異にし、すこぶる現代的な観念だったことは明らかだ。クローリーは言う、「アメリカ国民は、かつて(建国期の)ナショナル・デモクラシーが回避できると考えた問題——すなわち、社会問題——に直面している。……深刻な富の不平等は……社会成員間の根本的な差異を示す極めて危険かつ絶望的な兆候となっている」と(Croly 1909: 139)。産業化の中で分断の危機にあるアメリカ、そこに失われた社会紐帯と共同性を取り戻すためには、「社会的なもの」を大きく包み込んだ新しい「国民」を創らねばならないというのだ。その後、クローリーは、ジャーナリストのウォルター・リップマンやワイル等と共にセオドア・ローズヴェルトに政策助言を与えるようになり、一九一二年の大統領選挙にローズヴェルトが革新党から出馬した時には、労災補償法や老齢年金制度を柱とした「福祉国家的な」綱領を世に問うた。興味深いのは、ここでも彼らは、アメリカの遅れを自覚し、ヨーロッパに学ぶ姿勢を見せていたことだろう。一二年八月の革新党大会でローズヴェルトは、次のように直截に述べている。「ドイツが老齢年金のために行ったことを研究し、われわれの生活様式や思考習慣に必要な修正を加えて、この制度を我が物としようではないか」と。

革新主義の帝国

ローズヴェルトは、対外政策においても古い例外主義を乗り越えようとした。その二〇世紀世界への眼差しは、やはりアメリカのヨーロッパ化と見える行動をともなった。自身が米西戦争の英雄でもあったローズヴェルトは、大統領時代にはアメリカの支配に抗するフィリピンの反乱を鎮圧し、運河掘削のためにパナマ地峡地帯を海外領土化するなど、帝国主義的な施策を展開した。その背景には、欧州列強に倣い自国企業の海外進出や輸送・通信等の国際的なインフラ整備に政府が積極的に関与すべきだという確信があった。奇しくも右記の革新党大会演説の中で、ローズヴェルトは次のようにも述べていた。「わが人民の福祉にとって、対外貿易を拡大することは不可欠である。……この点に関してドイツの歩みを観察する機会があった人なら誰でも、政府と企業の協力政策によってこの国が比較的短期間に世界貿易の有力国となったことを知っている」。

具体的に、ローズヴェルト政権は、東アジアでは前任者マッキンリーの門戸開放・領土保全政策を引き継ぎ、中米・カリブ海では当該地域の政情安定を目的に軍事介入もいとわなかった。エックスとジーラーが指摘するように、当時、世界の情報通信や商船ネットワークはイギリスが支配しており、アメリカ企業はラテン・アメリカとの電信やアジアへの運航においても、英帝国のインフラに頼らざるを得なかった(Eckes Jr. & Zeiler 2003: 21-26)。ローズヴェルトの政府は、そうした後発のグローバル資本たる自国企業を支援すべく積極的に活動した。件のパナマ運河の掘削は、ヨーロッパに対抗する国際インフラ事業の典型例であったし、商船の補給基地確保のためには、海軍力を増強してハワイなどの島嶼を支配するのも必要だと考えられた。だが、米系企業の海外市場への進出に、政府が時に軍事力を行使してまでコミットするという事態は、従来の孤立主義の外交原則を全く逸脱するものであった。

一九〇二年頃から、経済破綻したベネズエラやドミニカ共和国に政治干渉を繰り返したローズヴェルト政権は、一九〇四年の年次教書で「モンロードクトリンのローズヴェルト系論」と呼ばれる対外政策論を明らかにする。曰く「我が国が望むのは隣国が安定して、秩序があり繁栄していることだ」、しかしながらそれを実現できない場合は「文明国の介入を受けざるを得ないのであり、西半球の場合はモンロードクトリンを信奉するアメリカが……国際警察力を発動することになる」と。元来、建国期以来の孤立主義を体現したモンロードクトリンは、西欧主権国家群が構成するヨーロッパ公法のオルタナティヴとして、新大陸に自由と革命の空間を隔離、維持しようという理想であった。だが、西半球における「文明国の責務」をいうローズヴェルトの再解釈は、アメリカがイギリスやフランスと変わらぬ白人の主権国家、普通の帝国だと自ら認めたも同然だった。事実、アメリカは海兵隊の武力を背景にドミニカの関税徴収権を掌握し、当該地域はその後長くJ・P・モルガンを筆頭に米系資本の経済支配を受けた。

このようにローズヴェルト等の革新主義政治では、西欧流の福祉国家構想とアメリカ経済のグローバル化の夢が同時に追求されていた。さらに、この内政と対外政策の有機的な関係性は、合衆国が直接統治をおこなったフィリピンやキューバ等、海外領土でより鮮明に看取できた。キューバではローズヴェルトの腹心の軍政総督レナード・ウッドが公教育や公衆衛生の制度を導入し、フィリピンでも同様の民生改革が行われた。興味深いのは、これら「社会的な」領域を対象とした諸政策が、現地植民地に立憲自治が不在であるがために、より効率的に実践できたことであった。例えばアメリカ本国では「個人の自由」の不可侵性ゆえに困難だった麻薬取締法の導入がフィリピンでは六年も先行して実現していた。今日この植民地での実績が、当時アメリカ国内の反麻薬や禁酒運動を大いに刺激したことがわかっている。しかも近年の研究によると、この時、フィリピン総督府の諮問委員会は日本の台湾でのアヘン取り締まり政策を調査・参照していたという(Foster 2009: 97-98)。歴史的な工業化がもたらしたアメリカの海外膨張は、社会的な統治技法を媒介した帝国間の「国際主義」を包含するものでもあった。

四、第一次世界大戦のアメリカ

ウィルソンの新外交

一九一四年八月にはじまる第一次世界大戦は、未熟な福祉国家、後発のグローバル勢力というアメリカの自己認識に大きな変化をもたらすことになる。野蛮な戦争は、イギリスをはじめとするヨーロッパ列強の権威と国力を失墜せしめ、かわって欧州外のアメリカが世界の金融や海運を支配する力を持つようになった。このパワー・シフトを背景として、時のウッドロウ゠ウィルソン政権は、世界政治に本格的にコミットする道を選択し、「新外交」なる理念的な対外政策を展開した。それは、戦争の主原因と見られたヨーロッパ主権国家の勢力均衡論に代えて、多国間の公開外交に基づく自由民主主義的な国際秩序を構築しようとするものだった。前出の経済学者ウォルター・ワイルはウィルソンの戦争政策に賛同して、「我々は、孤立主義を捨て、ヨーロッパでの新しい介入主義に向かった。我々は旧いアメリカニズムを過去に残し、海外に新しくより幅広いアメリカニズムを発見した。それが国際主義である」と述べた。ウィルソン自身の発言を参照するなら、アメリカ参戦後の一七年五月三一日付のニューヨークタイムズは、戦没将兵追悼式典で演壇に立った大統領が、連合国に向けて次のように語ったと報じている。「この国は、自分たちのためだけに孤立的で利己的な自由を得ようと創られたのではない。私たちは、あなた方を助け世界の戦場で人類の自由のために戦う用意があるのです」。こうした言葉のなかには、アメリカが伝統的な孤立主義からリベラルな国際主義に自己変革を行う中で、ついにヨーロッパを指導する立場に立ったという強い自負心がうかがえよう。

ただし、新外交の理想主義には、留保をつけるべき点もあった。ひとつは、低開発地域に対する帝国支配を容認する性格である。実際、ウィルソンは、大統領就任以来、メキシコ革命への干渉を繰り返し、第一次大戦の中立期の一九一五年と一六年には、それぞれハイチとドミニカに海兵隊を送って軍政下においた。外交史研究者のアンブロシウスが指摘したように、政治史家でもあったウィルソンの「歴史主義」的な民族観によれば、アジアや中米の人びとの多くは、自己統治を行うには未成熟なのであり、「民主主義の教師」として彼らを支配し、教導するのがアメリカの責務だとされた(Ambrosius 2002: 128)。つまり、民主的な自己統治の原則を柱とするリベラルな国際主義は、それ自体がアメリカの介入を正当化するのであった。さらに、こうした西半球の地政学とグローバルな新外交が表裏一体であったことも忘れてはならない。米墨関係の修復を目指して構想された多国間のパン・アメリカ条約案(一九一六年)が国際連盟のプロトタイプとなったことは、今日、多くの研究者が認めるところである。第一次大戦への参戦、すなわち、ヨーロッパ政治への本格的な関与の決断が、新世界での国際関係の危機のなかで行われたことは記憶してよい。

第二に、ウィルソンの新外交は、自らをヨーロッパ流の権力政治と差別化する過程で、新しい例外主義とでも呼ぶべき独善的なナショナリズムを喚起していた。一九一七年一月の「勝利なき平和」演説は、のちにアメリカの戦争目的と位置づけられるものであるが、その中でウィルソンは、「政府の持つ正当な権力がすべて被治者の合意に由来するという原則……を認めないような平和は永続しない」と『独立宣言』の一節を引き、啓蒙普遍の立場からドイツの専制政治を批判した。また同演説は、新たな国際秩序のために「諸国が一致してモンロー大統領の原則を世界の原則として採用すること」を求めていた。まさにヨーロッパ政治から聖別される「アメリカン・システム」を、グローバルに拡大することで恒久平和が確立されるというのだ。この倒錯——すなわち、元来、孤立主義の拠り所であったモンロー・ドクトリンを普遍化し、この理念を武器にヨーロッパ政治に乗り込んでいこうとする修辞は、かかる「アメリカの原則」がローズヴェルトの再解釈を経て、すでに武力介入を含む現実政治の次元を持ったことを認めて、はじめて理解可能である。むしろヨーロッパの政治指導者等にとって目についたのは、ここでのアメリカの特権性ではなかろうか。二カ月半後の一七年四月二日、ウィルソン大統領が議会で行った第一次大戦への参戦演説はより直截にこの点を強調していた。ウィルソンはこの戦争が「世界それ自体をついに自由にする……諸国民の協調によって、普遍的な正義の支配」を目指すのだと定義づけたが、この理想は「私たち自身が最も大切にしてきたもの」だと断言し、こう続けた。「アメリカはその血と力を、自らを誕生させた……原理のために、また自らが慈しみ育ててきた平和のために犠牲にするだろう」と。ここでも新外交の普遍主義は二〇世紀アメリカの膨張主義的なナショナリズムと強く結びついていた。

「社会的なもの」の国家化

第一次大戦への参戦は、社会的な政治の領域でも甚大なインパクトをもたらした。史上初の総力戦を戦うアメリカ政府は、鉄道や鉱山を国家の管理下に置くなど業界団体との連携を基調としつつ、前例のない産業・社会統制を実施した。戦時産業局などの政府機関には、若い行政官僚や専門家が集い、効率の最大化をめざす施策が展開されたのである。その中では、戦争遂行の目的に適う範囲で数多く急進的な方針も採用された。例えば、労働関係の領域では、団結権・団体交渉権を擁護する緊急大統領声明が出され、労働紛争の調停機関たる戦時労働委員会が創設された。これまで労働立法が立ち遅れ、労組の法的な承認に消極的だったアメリカにおいて、それは歴史学者スティーブ・フレイザーの言葉を借りるなら「ニューディールの予行演習」ともいうべき画期的な試みであった(Fraser 1983)。ここに、T・ローズヴェルトが構想した社会的な国家主義は、政敵であった民主党ウィルソン政権の手で実現に近づいたのであり、当のローズヴェルト自身も、戦時下にアメリカ政治の最右翼・愛国陣営にあって総力戦を鼓吹した。

重要なのは、こうした戦時の社会・経済政策が先述の革新主義思潮の上に構築されたことである。そのことは、ジョン・デューイをはじめとする、左派的と目された知識人や社会事業家がウィルソンの戦争に期待し、これを支持したことからもわかる。総力戦を社会改良の好機ととらえたデューイは「戦争の社会的可能性」という論文の中でこう書いている。「戦争には……あらゆる分野の科学的専門家の集合的学知と技術を活用し、コミュニティの目的のために組織する習性がある。(それは)……私的かつ所有者的利害を、公的で社会的な利益の至高性に従属させるだろう」と(Dewey 1929: 552)。だが戦時下に、ここでいう「公的で社会的な利益」は、どのようなものとして発現するというのだろうか、今日の目から見ると彼の見通しはあまりにもナイーブに過ぎた。実際、当初から、「社会的なもの」が国家に簒奪されていく近未来に懸念を抱く革新主義者もいた。在欧経験があり、ドイツ帝国の社会政策と軍国主義の両面を知悉した哲学者、ランドルフ・ボーンはコロンビア大学の同僚でもあるデューイを批判し、「戦争は国家の健康状態」であると非民主的な国家主義の暴走に警鐘を鳴らしたのであった。

ところで、「被治者の合意」という一八世紀啓蒙の理想を戦争目的に掲げたウィルソン政権は、少なくとも形式的には強制ではない「任意の」戦争協力にこだわった。住民個々人に国家が直接アクセスするのではなく、既存の中間団体を国防会議という半官半民の動員組織に編成する手法がとられた。その結果、賛助団体として国内戦線に加わった民間の任意団体は総数一八万四〇〇〇を超えた。その多くが各々のやり方で多様な社会問題と対峙し、独自の社会連帯の在り方を模索してきた民間の運動体であった。一例を挙げるなら、シカゴでは、ハルハウスの会計担当で、黒人地区の貧困と少年非行の問題に取り組んだルイーズ・ボーエンがイリノイ州国防会議の婦人部長に就任し、州内の婦人参政権団体や婦人クラブを戦争政策に糾合した。ボーエンが指導した同婦人部は、若い兵士に健全な娯楽と正しい性規範を伝える活動を展開したが、実際にその手足となって働いたのは多様な婦人団体だった。そこでは、伝統的な市民社会の公と私の境界が融解し、「社会的なもの」がすべからく国家活動に動員される状況が生まれていた。だがそのことは、彼女らが完全に主体性を喪失したことを意味しない。戦後、ボーエンの働きかけで、同婦人部の活動はイリノイ州に移管され、州保健衛生局社会衛生部という恒常的機関として存続したのであった。

カラーラインの国策化

「社会的な」領域への公権力の滲出と軍事化の潮流は、二〇世紀アメリカの人種・民族的な国民形成にもさらに大きな影響をもたらした。なぜなら、アメリカの第一次世界大戦は、これまで国民社会の周縁にあった移民や黒人、植民地人等に大きく依存したものだったからだ。兵力だけに注目しても、米軍兵士のうち約三六万七〇〇〇人が南部等に住む黒人、約五〇万人は南・東欧系を中心とする移民だった。さらにアメリカ先住民一万二〇〇〇人とプエルトリコ島民一万八〇〇〇人、さらにフィリピン現地人二万人が戦時に動員されていた。当時、「メルティングポットをつくく熱せよ」と叫んだレナード・ウッドの言葉のように、この多様な「国民軍」を一つにするには、彼ら「他の半分の人びと」を取り巻く「社会問題」に政府として能動的に関与する必要があった。

具体的に、アメリカ政府は一九一七年六月に始まる徴兵登録を機に、この国に暮らす人々の職業、家族構成、人種、国籍、身体的問題といった個人情報を膨大に収集し、これをもとに政策を立案した。それは二四〇〇万人を超える成人男性を対象とした一大社会調査であり、国家による前例のない社会統制の試みであった。ウィルソン政権は、新来のヨーロッパ移民については将来の帰化宣言の有無を徴兵の条件とし、一定の文化的多元性を認めつつも積極的なアメリカ化教育を整備した。他方、黒人の徴兵に関しては、軍事訓練は最小限に抑え、主に鉄道建設や港湾労働等で使役することとし、軍施設の使用や部隊編成も人種隔離の原則に則って進められた。これに加えて、黒人の佐官、将校を前線から排除する方針をとり、当初ヨーロッパ遠征軍の副司令官が噂された黒人のチャールズ・ヤング大佐も解任されてしまう。これらの施策が、黒人の武装を恐れ、黒人の指揮を受け入れられない、南部白人社会に配慮したものだったことは明らかだ。その意味で、国内戦線にみられた国家と民間との双方向的な関係は戦時の軍形成にも当てはまったと言える。だが、一旦、こうした地域的な人種慣習が国策として受容されると、今度はそれがナショナルな正統性を身にまとい、市民社会に還元されていく。その再帰的な関係性の中に、社会的な人種差別は増幅し、戦時中に居住区を争点とする人種暴動や公共施設の人種隔離が全国に蔓延していった。

このように、第一次大戦はアメリカの社会的統合とヨーロッパ移民の国民化を推進する一方で、カラーラインによる分断を深化させることにもなった。だが、それにもかかわらず、全米黒人地位向上協会(NAACP)等の黒人団体は戦争の最末期になお、「我々の個別の不満を一時棚上げにしてでも、隊列を密に保とう」と戦争協力に尽くしてきた。それゆえ、パリ講和会議でウィルソン大統領が公約に反して、英仏が求める植民地主義の温存を受け入れたことは、国内のマイノリティの間にも深い失望を惹起した。この失望が講和条約調印に反対した中国の五・四運動やエジプトの民族主義者のウィルソン主義への幻滅と同種のものであったことは言うまでもない。戦争協力の旗振り役だったデュボイスが「アフリカの自治」を求めるパン・アフリカ運動に加わり、NAACPも組織としてハイチの現状調査に乗り出すなど、アメリカ黒人が反植民地の国際主義に目覚めていったことは、戦争の皮肉な副産物であった。

もっとも、ウィルソン自身は植民地主義への「譲歩」を、自らが発した一四カ条(一九一八年一月)の自己統治原則や、これに続く「四原則」演説(同年二月)の「民族的野心」論に相反するものとは考えなかった。そもそも、これらの宣言は同時期のボリシェヴィキ革命とレーニンの平和攻勢への対抗という性格が強く、先に見たウィルソンの歴史主義——すなわち、ある種の「有機的」国家を建設可能な民族集団といまだ未熟で無秩序な状態にある集団を峻別する発想——は参戦前から一貫していた。その意味で、「新外交」が大きな限界を抱えていたことは事実であった。さらに現実政治においては、ウィルソンが掲げた大国間の集団安全保障構想すら米国議会の合意を得られなかった。アメリカは最終的に国際連盟に加入せず、この時点でなお、世界政治へのコミットメントは限定的であった。むしろ、第一次大戦とウィルソン主義がアメリカにもたらした主たる新規性は、次に見る経済国際主義の領域に見出されよう。

五、一九二〇年代

ヨーロッパのアメリカ化

第一次大戦によってイギリスを中心とする国際経済システムが破綻をきたしたことは、ついにアメリカを世界の交易と金融の指導的地位に押し上げるきっかけとなった。アメリカは最大の債権国となり、ドルは戦後の金本位制の兌換通貨として大きな力を持つようになる。エックスとジーラーが実証したように、ウィルソン政権は、①輸送、②通信、③エネルギー(石油)の三部門を中心にアメリカ政府と米系企業の国際的な経済活動を促進した(Eckes Jr. and Zeiler 2003: 50)。政府は合衆国海事委員会(一九一六年設立)を軸に商船の建造、管理に力を入れ、海軍のイニシアティブのもと新たな無線電信網を確立するなど、世界貿易のインフラを掌握していった。また、アメリカ政府が特に手厚く保護した石油産業は、戦時下にロシアでの生産が滞る中で膨大な海外シェアを獲得し、一九二〇年代をとおして世界規模での自動車、航空産業を支えるものとなった。

このようなアメリカが主宰する経済的な国際主義の形成は、特にヨーロッパにおけるアメリカの資本と生活様式の浸透をうながし、ひいてはヨーロッパ人が持ったアメリカ観を大きく変容させた。研究者コスティグリオラは、そうしたヨーロッパの「アメリカ化」を二つの時期に分けて考察した。一つは、二〇〇万人を超えるアメリカからの遠征軍がヨーロッパに駐留した一九一八年から一九一九年の時期である。この時、戦禍に疲れた現地の人々が目にしたのは、徹底して機械化されたアメリカ軍の物量と効率であり、慰問に訪欧したYMCAが持ち込んだハリウッド映画などの大衆娯楽であった。また、遠征軍が携行した標準化されたアメリカ製品と米兵の統制のとれた組織行動は大いにヨーロッパ人を魅了したという(Costigliola 1984: 167-183)。

次に「アメリカの浸透」が加速したのは、ドーズ案とロカルノ条約の締結によりヨーロッパの政治・経済に安定が訪れた一九二〇年代中葉だった。例えば、一九二四年から二八年の間にアメリカ資本は約二五億ドルの対独投資を行うなど、欧州の戦後復興を支え、各国はフォード方式の組み立てラインを採用した。また、当時膨大な数のアメリカ人旅行者がヨーロッパを訪れ、その数は二〇年代末には年間二五万人を超えた。イギリスの映画館では上映作品の約九割をハリウッド映画が占め、ドイツではブレヒトのごとき左派の前衛芸術家ですらアメリカの大衆文化に技術的進歩と民主主義の香りをかぎ取っていた。ここに、本稿冒頭で引いたステッドによる「世界のアメリカ化」の予言は的中したかに見える。ヨーロッパ在住のアメリカ人ジャーナリスト、エドガー・アンセル・モーラーの『このアメリカ文明』(一九二八年)での表現を借りれば、「ヨーロッパ人は、アメリカがうまく身につけた諸価値に、自分たち自身が依存しているとついに気付き、その時アメリカの威信は跳ね上がった。事実、アメリカは金融、産業、技術の分野で(ヨーロッパが)模倣するに足る発展を遂げたのである」(Mowrer 1928: 131-132)。ここにアメリカ人が囚われてきたヨーロッパへの劣等感はようやく払拭されつつあったように見える。

専門家統治と社会保守の時代

アメリカ国内に目を向けると、一九二〇年代には革新主義や戦時体制から継続するものと断絶するものがあった。継続の側面を代表したのは、専門知識を備えたテクノクラートが差配する官僚制的統治であった。オリヴィエ・ザンズは著書『アメリカの世紀——それはいかにして創られたか?』で、この時期、産業界、大学、政府、財団からなる機関連環が強化され、これを介して、二〇世紀的な「社会的知性」が生み出されたことを強調した(ザンズ 二〇〇五)。たしかに、モルガン商会のトーマス・ラモントやハーバート・フーヴァー(第三一代大統領)のような実業界出身の政治指導者は、効率を重視した社会工学的な発想を国家運営に持ち込んでいた。特に二〇年代の共和党政権で商務長官を務めたフーヴァーは、有能な社会科学者を集めて政策を立案させ、二〇〇〇に及ぶ業界団体の「自治」を政府がコーディネートすることで経済成長を技術的に支援した。こうした展開は先に見たヨーロッパのアメリカ化とも無関係ではない。フーヴァーが国内で推進した規格化された大量生産と非人格的な消費文化は、まさに地理的な移転が容易な「文明」としてヨーロッパに輸出できた。また、第一次大戦期のベルギー救援事業や戦後の対独、対ソ食料支援活動で名を馳せた、フーヴァーの「国際的市民」としての顔が持った象徴的な意味も小さくなかったろう。

これに対して、労働者保護政策や社会福祉全般については、戦時体制との断絶、あるいは、一時的な後退という状況が顕著だった。戦争直後に戦時鉄道庁や戦時労働委員会などの動員機関が次々解体されるや、政府の後ろ盾を失った労働運動は低迷し、一九二〇年代中葉までに組合員数も戦前の水準まで減少した。そうした労働運動や社会民主主義の不調を横目に活況を呈したのは、排外的な社会保守の運動であった。なかでも禁酒運動はキリスト教婦人節酒連盟やシカゴ万博の年（一八九三年）に結成された反酒場連盟を中心に勢力を拡張し、一九一九年に酒類の醸造、輸送、販売を禁じる憲法修正第一八条を実現した。禁酒は元来、産業社会や都市の「悪徳」に福音派プロテスタントの道徳で対抗しようという復古主義的な側面を持つ。だが、かかる「善行」を全国法で定め、連邦政府の権威を用いて個人に強制しようという構えはいかにも二〇世紀的であった。禁酒をめぐる法執行に注目するマッガーなどが、移民や黒人をターゲットにした取り締まりの実態に触れ、二〇年代の禁酒行政に、むしろ現代の刑罰国家の原型を見る所以である（McGirr 2016）。たしかに、禁酒に限らず宗教的な社会保守の情動は、工業化がもたらした混乱や地位不安を和らげようとするのであり、その限りで資本主義的発展と相補的な関係を結ぶ現代史の同行者とも言えた。だが、この二〇年代の禁酒勢力においては、特に排外主義的かつ人種抑圧的な性格が強かったのも事実である。今日、当時の反酒場連盟の運動が地域の草の根レベルでは、白人至上主義団体KKKのヘイト活動と密接に結びついていたことがわかっている。かつてネイティビズム（排外主義）史の泰斗、ジョン・ハイアムは、この時期の人種・民族的な分断状況を指して、「部族の二〇年代」と呼んだが、正鵠を射た評価であったと言わざるを得ない。第一次大戦後のアメリカは、経済的な国際主義の進展に逆行するかのように、その文化生活では、ヨーロッパと世界を拒絶し、国民社会の多様化に抵抗する傾向があった。

むしろ、曲がりなりにもこの時期のアメリカに国民的統合を担保したのは、前代未聞の好景気がもたらした大衆消費の普及であった。すなわち、一九二〇年代にアメリカのGDPは製造業を中心としておよそ四〇%も増大したが、これに呼応するかのように、耐久消費財を安く供給する巨大な全国市場が形成された。そこでは、チェーンストアやデパートのような新たな小売り業態やクレジット払いの普及、ハリウッド映画に代表される大衆娯楽などを通じて、移民や人種マイノリティを含む多様な都市住民が消費者としての共通体験を享受した。一見してわかるとおり、この物質主義的なアメリカ的生活様式の拡がりは、先述のヨーロッパのアメリカ化と同じ現象の別の側面と言ってよい。一九二〇年代に花開いた経済的な国際主義は、アメリカ経済に大きな恩恵を与え、その果実は人種・民族的なナショナリズムに引き裂かれたアメリカと世界に一定の物質的な共有基盤をもたらしていた。しかし、この市場が媒介する消費と生活水準の「共同体」は、かつてアダムズやラウシェンブッシュが要請した社会連帯や社会的な平等の構想とは異なり、景気動向に左右される脆弱さがあった。それゆえ、一九二九年一〇月の世界恐慌の到来とこれを契機に進行した世界経済のブロック化の影響は甚大かつ壊滅的であった。

六、ニューディールと「アメリカの世紀」

ソーシャル・ポリティックスの復活

大恐慌下の一九三三年に始まる民主党フランクリン・ローズヴェルトの政権は、専門家による科学的行政の技法をフーヴァーから受け継ぎつつも、いくつかの点で異なる政策アプローチを見せていく。第一にニューディールと呼ばれた同政権の政策は、明確に労働者保護と貧困対策の方向に舵を切った点で新しかった。それは、大恐慌が広範囲にわたって労働者層を直撃し、一〇〇〇万人を超える失業者が町に溢れた状況を考えれば当然の施策でもあった。「繁栄の二〇年代」とヨーロッパのアメリカ化が、遅れた福祉国家としての引け目を一時的に忘れさせたとしても、好景気が途切れるや否や多くのアメリカ人が貧困のリスクに直面せざるを得なかった。歴史家デイビッド・ケネディが示唆したように、「アメリカは近代工業国のなかで唯一、失業補償や高齢者保護の全国的制度を持たずに恐慌に突入した国」だったからである(Kennedy 1999: 260)。ローズヴェルト政権は社会問題に造詣の深いブレーンを中心に種々の政策を立案させ、一九三五年のワグナー労働関係法で、第一次大戦期以来はじめて労働組合を法的に承認するとともに、同年の社会保障法で西欧に遅れること四半世紀にして失業保険と老齢年金を制度化した。それは一九世紀末以来、三〇年以上にわたってアメリカの知識人がヨーロッパのソーシャル・ポリティックスと交わり、そこから多くを学んだ成果であった。

当時、産業別組織会議(CIO)の副委員長シドニー・ヒルマンは「安全の要求こそが現代人の生活の中心的な論点だ」と述べたが、まさにニューディールは経済的なセキュリティの体制となった。そもそも、すべての人々に保障される「安全」とは、歴史的な社会政策の中枢にある理念であった。再びカステルを引くなら、福祉国家の画期性とは「安全と財産との結びつきを少なくとも部分的に切り離したということ、そして安全と労働とを繊細に結合したということ」なのであり、まさに労働者の権利と社会保障に関するニューディールの改革はこの政治運動の性格をよく表すものであった(カステル 二〇一二：二二九頁)。ただし、「社会的なもの」が前景化した改革政治は、先にも触れた「人類学的ともいえる格差に基づく空間」を再構築するものでもあった。件の社会保障法は、九四〇万人と言われる主に非白人が従事したメイドや農業労働を制度の対象外としていた。福祉国家建設の過程で、新たなカラーラインが引き直される展開は、第二次大戦後の人種化された貧困の問題につながる新たな分断を準備していた。

孤立主義と国際主義の狭間で

ニューディール政治の第二の特徴は、各国の経済ナショナリズムが猖獗《しょうけつ》を極めた一九三〇年代の状況にあって、基本的に一国主義的な「復興」を目指したことであった。多くのニューディーラーは、国内の「低消費」を恐慌の主因と見る立場をとり、その点で経済国際主義に拘り続けたフーヴァー政権とは異なった。こうしたローズヴェルトの政府は、当初、対外政策において「消極的」な傾向があった。ヨーロッパの政治情勢とは距離を置き、米西戦争以来の帝国支配の清算にも着手した。ニューディール外交は、「モンロードクトリンのローズヴェルト系論」撤回を前政権から継承し、ハイチからの撤兵、対キューバ保護国条約の改定、フィリピンの独立公約といった方針を打ち出した。

だが、アメリカは決して一九世紀以前の孤立主義に回帰したわけではなかった。キューバやフィリピンでの植民地統治を縮小しながら、現地に一定の軍事力を残し、グローバルな基地のネットワークに再編していった。また、ローズヴェルトの政府は、第二次大戦が勃発すると、再びヨーロッパ政治にも深くコミットするようになり、一九四一年一月には「四つの自由」という戦時の包括的な政策目標を明らかにする。注目すべきは、言論の自由、礼拝の自由、欠乏からの自由、恐怖からの自由という、四つの理想がアメリカと世界の双方で達成されるべきものと位置づけられたことだ。例えば、「欠乏からの自由」は反貧困の社会権を示唆し、「二〇世紀アメリカ」のひとつの到達点を示す理念であったが、それは同時に「世界のすべての国に、その住民のための健全で平和な生活を保障する経済的理解である」と外部世界に開かれた権利として定義された。ここに一九世紀末以来、ヨーロッパから学んだ社会的な政治にアメリカ的生活様式の規範を加えてアレンジし、新たな理想として他国に輸出しようという野心が窺われる。たしかに、こうした政治公約は間近に迫った総力戦を念頭に置いて出されたものであった。だが、来るべき戦争と戦後の生活において、「社会的なもの」が重要な意味を占めるという認識はやはり重要だった。そして、そのとき、世界の中でアメリカがいかなる軍事的、政治的役割を果たすかについては、なお曖昧な部分が残っていた。

こうした危機の感覚のなかで、生み出された新しいアメリカの自画像に「アメリカの世紀」なるものがある。そのエッセンスは一九四一年二月、ニューヨークの大物出版人ヘンリー・ルースが『ライフ』誌上に掲載した同名の論文に明示されている。ルースはこの論文で自国民に対して、「我々は孤立主義をかつての奴隷制のように打ち捨て、真に〝アメリカ的〟な国際主義を現代の飛行機やラジオのように自然なもの」とすべきだと論じた。そして、それは「アメリカが世界の支配的パワーとなった最初の世紀だからこそ、二〇世紀は……われわれのものなのだ」という確信に裏打ちされた主張だった。また、同論文は、人類史における、二〇世紀の物質主義的な傾向にも着目し、「より「豊かな生活」を……という特殊アメリカ的な約束」と、「豊かさ」の大前提たる「自由」こそが、最も重要な価値となったと位置づけた(Luce 1941)。ただ、忘れてならないのは、このルース論文はヨーロッパとアジアで第二次大戦の戦火が広がる中で、一刻も早い自国の参戦をうながす政治的意図を持った主張だったことだ。その意味で、「アメリカの世紀」は、少なからず軍事的、覇権主義的な含意をもつものであった。

そして、「アメリカの世紀」は一九四一年一二月のアメリカ参戦後、ますます愛国的な性格を帯びるようになり、戦後はアメリカの冷戦を正当化する規範的なイデオロギーとなった。だが、このルースのアメリカニズムには、当初から強い批判もあった。『ネイション』誌のフリーダ・キルチウェイは四一年三月一日の論説で、直截にルースの主張は「「明白な天命」や「アングロサクソンの正義」「白人の責務」といった言葉を想起させ……この新しい帝国主義は今風の服を着たキプリングにすぎない」と難じていた。さらに「アメリカの世紀」への反論や代案は、政府内部からも表明された。一九四二年五月に副大統領ヘンリー・ウォレスが国際的な反ファシズム団体、自由世界協会で行った演説は、「アメリカの世紀」ではなく、「庶民の世紀」を唱え、アメリカの覇権と切り離した「欠乏からの自由」のグローバルな普及を主張するものだった。戦後は、新しい国際組織での多国間協議をとおして「アメリカやイギリスだけでなく、インドやロシア、中国、ラテンアメリカ……さらにイタリア、ドイツ、日本でも庶民(common man)にとってのよりよい生活水準」が保障されるべきだというウォレスの主張は、アーロン・コープランドのようなラディカルな芸術家や左派の社会事業家を触発し、国内外に一定の支持を集めていく。再び、同時代のヨーロッパ人の観察を引いておくなら、文明史家アーノルド・トインビーの次の言葉はなお含蓄が深い。すなわち、「アメリカ人が公論のなかで決断を迫られたのは、第二次世界大戦の直後に、二〇世紀を「アメリカの世紀」と表現するか、「庶民の世紀」として描くべきかという」問題であった、と(Toynbee 1954: 581)。ここに至ってなお、二〇世紀アメリカはその国際主義とナショナリズム／「豊かさ」(物質主義)と「社会的なもの」の内実をめぐって複数の立場がせめぎ合っていたのである。

むすびにかえて

以上、急激な工業化が生んだ「一九世紀末の危機」を振り出しに、新しい二〇世紀のアメリカが勃興し一定の成熟をとげる過程を概観してきた。最後に、その中で明らかになったことを簡潔にまとめておこう。

第一に、二〇世紀アメリカは、一八世紀の革命に由来する「孤立と自由」の例外主義を乗り越えようとする、ある種の自己変革の運動として発現した。またその際、しばしば西ヨーロッパ工業諸国の先行例が参照され、ヨーロッパ人のアメリカ評価が強く意識されてきた。

第二に、この二〇世紀アメリカの構想は、少なくとも二つの方向性をその構成要素として含み持っていた。一つは、市民社会の自由・平等の原則に「社会的なもの」の領域を見出し、新しい社会連帯を構築しようとする政治であり、今一つは、アメリカ資本主義が生み出す物質的な豊かさを武器に、海外に進出しようという新しい国際主義であった。この二つは当初、異なる利害、異なる党派の主張として現れるが、単に競合する未来図としてだけでなく、時に相補い合いながら二〇世紀のアメリカ政治を形作ってきた。

第三に、このアメリカ版のソーシャル・ポリティックスと帝国的膨張を含む国際主義の関係性を考えるとき、セオドア・ローズヴェルトの帝国主義＝福祉国家の構想や、ウィルソンの新外交＝戦時国家体制は、のちの「アメリカの世紀」論を先取りするものとして、重要な意味を持った。これらは、二〇世紀アメリカに胚胎した二つの方向性を現代的な国家・パワー構築の文脈に統合しようとする試みであったからだ。特に後者のウィルソン主義は、人類普遍の理念外交を唱えながらも、アメリカのみに「介入」の資格を認める「新しい」例外主義を構築したという点で、「アメリカの世紀」論に顕著なパターナリスティックな使命感と相通ずるものがある。

第四に、一九二〇年代に昂進した「世界のアメリカ化」の歴史的意義も決して小さくない。この大衆消費と経済国際主義が生み出した「二〇世紀アメリカ」の構想は、すでに一八九三年のシカゴ万博の頃には姿を現し、二〇世紀のヨーロッパ人のアメリカ観を規定する力を持った。だが、それは一九二〇年代の絶頂期をあとに、短期的には大恐慌の到来とともに破砕した夢であった。しかし、それにもかかわらず、この平和と「豊かさ」の記憶は広範なアメリカ人の間に深く根付き、一九四〇年代、第二次大戦の特需を梃《てこ》についに不況から脱出した時、再び、理想的な未来像として追求されるようになる。そのことが、四つの自由の公約、わけても「欠乏からの自由」のイメージや「アメリカの世紀」の議論に反映されたことは言うまでもない。

第五に、二〇世紀アメリカが乗り越えられなかった課題として、人種・民族的な差別の問題があったことも指摘できる。二〇世紀前半のアメリカが推し進めた、国内の人種隔離や海外の島嶼部支配は、それ自体が「社会的な」改革政治や多様な国際主義の展開と密接に結びついていた。それゆえ、カラーラインは「二〇世紀アメリカ」のなかに深く構造化された問題であり、これを克服するには、戦後継続されるアメリカのさらなる自己変革、あるいは「アメリカ」なるものの再定義の試練を待たねばならない。

そのような限界を抱えながらも、二〇世紀アメリカは結局、覇権国家としての道を歩むようになる。そうであれば、やはり「アメリカの世紀」が体現する経済成長路線や大国意識は、現代のアメリカとは何かを知るうえで、重要な参照点とならざるを得ない。だがその一方で、ジェーン・アダムズの社会的な民主主義やウォレスの世界規模での再分配論もまた、アメリカ政治の底流に生き続け、今日のリベラル左派の思潮などに受け継がれているように見える。そのように考えると、「一九世紀末の危機」はまだ過ぎ去ってはおらず、二〇世紀アメリカもまだ生成の途上にあると言えるかもしれない。

参考文献

カステル、ロベール(二〇一二)『社会問題の変容――賃金労働の年代記』前川真行訳、ナカニシヤ出版。

紀平英作(二〇一〇)『歴史としての「アメリカの世紀」――自由・権力・統合』岩波書店。

ザンズ、オリヴィエ(二〇〇五)『アメリカの世紀――それはいかにして創られたか?』有賀貞・西崎文子訳、刀水書房。

ドンズロ、ジャック(二〇一二)『都市が壊れるとき――郊外の危機に対応できるのはどのような政治か』宇城輝人訳、人文書院。

中野耕太郎(二〇一三)『戦争のるつぼ――第一次世界大戦とアメリカニズム』人文書院。

中野耕太郎(二〇一五)『二〇世紀国民秩序の形成』名古屋大学出版会。

西崎文子(二〇〇三)「アメリカ「国際主義」の系譜――ウィルソン外交の遺産」『思想』九四五号。

古矢旬(一九九八)「アメリカニズム――その歴史的起源と展開」東京大学社会科学研究所編『二〇世紀システム1 構想と形成』東京大学出版会。

Addams, Jane (1893), "The Subjective Necessity for Social Settlements", Jane Addams, et al., *Philanthropy and Social Progress: Seven Essays*, New York: Thomas Y. Crowell & Co.

Ambrosius, Lloyd E. (2002), *Wilsonianism: Woodrow Wilson and His Legacy in American Foreign Relations*, New York: Palgrave MacMillan.

Costigliola, Frank (1984), *Awkward Dominion: American Political, Economic, and Cultural Relations with Europe, 1919-1933*, Ithaca: Cornell University Press.

Croly, Herbert (1909), *The Promise of American Life*, New York: MacMillan.

Dewey, John (1929), "The Social Possibilities of War", Dewey, *Character and Events: Popular Essays in Social and Political Philosophy*, Vol. II, New York: Henry Holt & Co.

Eckes Jr., Alfred E. and Thomas W. Zeiler (2003), *Globalization and the American Century*, New York: Cambridge University Press.

Foster, Anne L. (2009), "Prohibiting Opium in the Philippines and the United States: The Creation of an Interventionist State", Alfred W. Mc-Coy & Francisco A. Scarano (eds.), *Colonial Crucible: Empire in the Making of the Modern American State*, Madison: University of Wisconsin Press.

Fraser, Steve (1983), "Dress Rehearsal for New Deal: Shop-Floor Insurgents, Political Elites, and Industrial Democracy in the Amalgamated Clothing Workers", Michael H. Frisch and Daniel J. Walkowitz (eds.), *Working-Class America: Essays on Labor, Community, and American Society*, Urbana: University of Illinois Press.

Higham, John (1955), *Strangers in the Land: Patterns of American Nativism, 1860-1925*, New Brunswick: Rutgers University Press.

Kennedy, David M. (1999), *Freedom from Fear: The American People in Depression and War, 1929-1945*, New York: Oxford University Press.

Kloppenberg, James T. (1986), *Uncertain Victory: Social Democracy and Progressivism in European and American Thought, 1870-1920*, New York: Oxford University Press.

Luce, Henry R. (1941), "The American Century", *Life* (Feb. 17).

McGirr, Lisa (2016), *The War on Alcohol: Prohibition and the Rise of the American States*, New York: W. W. Norton & Co.

Mowrer, Edgar Ansel (1928), *This American World*, London: Faber & Gwyer.

Rauschenbusch, Walter (1912), *Christianizing the Social Order*, New York: MacMillan.

Riis, Jacob A. (1890), *How the Other Half Lives: Studies among the Tenements of New York*, New York: Charles Scribner's Sons.（ジェイコブ・リース『向こう半分の人々の暮らし――一九世紀末ニューヨークの移民下層社会』千葉喜久枝訳、創元社、二〇一八年）

Rodgers, Daniel T. (1998), *Atlantic Crossings: Social Politics in a Progressive Age*, Cambridge: Harvard University Press.

Rodgers, Daniel T. (2002), "The Age of Social Politics", Thomas Bender (ed.), *Rethinking American History in a Global Age*, Berkeley: University of California Press.

Stead, William T. (1902), *The Americanization of the World, or, the Trend of the Twentieth Century*, New York: H. Markley.

Steigerwald, David (1994), *Wilsonian Idealism in America*, Ithaca: Cornell University Press.

Toynbee, Arnold J. (1954), *A Study of History*, Vol. IX, London: Oxford University Press.

Trachtenberg, Alan (1982), *The Incorporation of America: Culture and Society in the Gilded Age*, New York: Hill & Wang.

Wells, H. G. (1906), *The Future in America: A Search after Realities*, New York: Harper & Bros.

Weyl, Walter E. (1918), *The End of War*, New York: MacMillan.

White, Donald W. (1996), *The American Century: The Rise and Decline of the United States as a World Power*, New Haven: Yale University Press.

問題群｜*Inquiry*

イスラーム主義の盛衰

飯塚正人

はじめに

ムスリム（イスラーム教徒）が唯一神アッラーのことばだと信じている聖典『クルアーン』は、神が万物の創造主、全知全能の支配者であることを強調して、人間に神への絶対服従（イスラーム）を呼びかけている。やがてこの世には終末が訪れ、人間は裁きにかけられるが、それに備える唯一の方法は神の命令に従うことであり、最後の審判の結果、天国で永遠の至福の生活を送れるか、地獄で業火に焼かれ、永劫の罰を受けるかは、ひとえに各人の現世での生き方にかかっているという。加えて『クルアーン』は、現世における諸共同体の繁栄と没落もまた、神の命令に服従するかどうかに応じて決まると説く。

六二二年に預言者ムハンマド（六三二年没）が故郷メッカでの迫害を逃れてヤスリブ（後のメディナ）に移り、彼に従う信徒のウンマ（イスラーム共同体）が自由に活動できるようになって以来、ウンマは神のこうした教えに従い、神の命令すなわちシャリーア（イスラーム法）を自らの法としてきた。ムハンマドの死後、ウンマの指導者となったカリフ（預言者の代理人）の人選をめぐって、ハワーリジュ派やシーア派といった分派が生まれ、アッバース朝（七五〇―一二五八年）

期にはシーア派のファーティマ朝(九〇九—一一七一年)に加えて、アンダルスの後ウマイヤ朝(七五六—一〇三一年)までもがカリフを名乗り、やがてアッバース朝のカリフが権力も権威も失って、最終的にはオスマン帝国のエジプト征服を機にカリフ不在の時代が到来しても、シャリーアが施行されているかぎり、誰もそうした状況を危機とは考えなかったのである。シャリーアの施行はそれほどまでにイスラームの核心を成すものと見なされていたのであった。

しかるに、イスラーム圏の大半が列強の間で分割されてしまった帝国主義の時代は、シャリーアを施行する「イスラーム国家」体制のなかで生きてきたムスリムにとっても、未曽有の危機の時代となる。多くのムスリム王朝が列強によって植民地化される一方、かろうじて独立を保った国々も列強への政治経済的な従属を強いられた。列強の植民地となった地域ではシャリーアに代わって西洋法が施行され、植民地化を免れた国々でも、列強への従属が進むのを阻止すべく、大胆な「近代化」=西欧化政策が採られた結果、西洋法が導入される。いまやシャリーアの施行というイスラームの根幹が揺らいでいた。

そうした状況のなか、現地では欧化したエリートがリーダーとなって帝国主義への抵抗、ひいては帝国主義支配からの解放を目指す世俗的ナショナリズムが形成され、人びとの支持を獲得していく。それまで人間集団をイスラーム、キリスト教、ユダヤ教、ゾロアスター教といった宗教への帰属によって分類し、曲がりなりにもシャリーアを施行する「イスラーム国家」体制を維持してきたイスラーム圏で初めて、言語や居住地を同じくする人間同士の絆が注目され、アラビア語話者が連帯して西はモロッコから東はイラクに至る一つの国家を作るべきだと考えるアラブ民族主義や、エジプトないしナイル峡谷という枠組みでの独立を目指すエジプト国民主義などが時代を彩った。アラブ民族主義の夢が十全な形で実現されることはなかったが、世俗的ナショナリストたちの努力はやがて実を結び、二〇世紀半ばまでにはイスラーム圏の大半が政治的な独立を達成する。そして独立当初、これらの国々では相続や婚姻などに関係する家族法の分野を除いてシャリーアが施行されることはなく、事実上の政教分離が常態化した。

もっともイスラーム圏の場合、帝国主義の時代に帝国主義への抵抗、帝国主義支配からの解放を訴えて、人びとの支持を集めたのは世俗的ナショナリズムだけではない。まさにこの時期、シャリーアを施行する「イスラーム国家」体制の維持・実現を求める運動も大衆的基盤をもって活動するようになり、世俗的ナショナリズムの強力なライバルとなっていった。研究史上、こうした思想や運動はときに「イスラム原理主義」、ときに「イスラーム復興運動」などと呼ばれてきたが、今日では「イスラーム主義」という呼称が定着しつつあり、本稿もこれに従う。

本稿は帝国主義の時代に帝国主義への抵抗、帝国主義支配からの解放を唱えて急成長したイスラーム主義について、二〇世紀前半に重点を置きつつ、前後の展開も視野に入れ、今日のムスリムに与えた影響まで踏まえて、その歴史的意味を論じようとするものである。なお、記述の中心は、史上初の大衆イスラーム主義運動ムスリム同胞団(Ikhwān al-Muslimīn)が誕生し、巨大組織へと成長したエジプトになる。(1)

一、列強の優位が生んだイスラーム主義の思想

西洋近代文明の衝撃を受けて

一九世紀前半、すでに産業革命を成し遂げ、工業生産量を飛躍的に増大させた西欧諸国は、工業製品の販路を求め、また工業用の原材料と食料を確保するために、史上例を見ない規模での域外進出に乗り出した。アジア・アフリカ各地に散在していたムスリム諸王朝も、この進出を受けてじょじょに西欧への政治経済的な従属を余儀なくされ、やがて帝国主義の時代を迎えることになる。もちろんムスリム諸王朝もこうした事態を、ただ指をくわえて見ていたわけではない。軍事・科学技術の導入から法体系や教育・行政制度の整備に至るまで、大胆な「近代化」=西欧化が図られる一方、国家による産業独占・通商独占などを通じた強力な中央集権化が推進された。けれども、オスマン帝国の

タンズィマート(一八三九―七六年)に代表されるこの種の「近代化」は、改革に必要な資金をときに過酷な徴税に求めて民衆を困窮させる一方、外債を安易に発行することでまかない続けた結果、やがて国家財政の破綻を招き、債権者である列強への従属をいよいよ深める結果になってしまう。かくて帝国主義の時代を生きたムスリムは、「人類最良のウンマ」(『クルアーン』三章一一〇節など)が没落するという、およそあってはならないはずの状況が目の前にあることを認めざるを得なくなった。それはとりもなおさず、イスラームの根幹を成す教えに疑問符がついてもおかしくない、極めて危機的な状況だったと言える。

というのも、イスラームは元来、ユダヤ教・キリスト教の誤りを正す完璧な宗教として自らを位置付けており、神はムスリムにこそ幸福をもたらすものと信じられてきた。本稿の冒頭で述べたとおり、神の命令に服従した報酬は、天国という個人のレベルのみならず、現世におけるウンマの繁栄という形でも約束されているはずだったのである。ウンマ生誕以来一二〇〇年続いた繁栄の歴史がこの信念を揺るぎないものにしていた。しかるにいま、ムスリムともあろうものがキリスト教徒の西欧などに圧倒されているのはなぜか。これでは約束が違うではないか。イスラームは本当に信ずるに値する宗教なのか。

同じムスリムでも、世俗的ナショナリズムを奉ずる欧化エリートであれば、イスラームを否定しないまでも、この疑問に対して、神の命令に服従すれば個人は来世で永遠の天国に入るものの、ウンマが繁栄するわけではない、現世でウンマに報酬があるというのは誤解だと答えたのかもしれない。しかしながら、イスラーム主義者の回答はまったく違っていた。彼らは『クルアーン』の教えには一切疑問を呈することなく、ムスリムがキリスト教徒の西欧などに遅れを取ってしまった責任、「人類最良のウンマ」がここまで没落してしまった原因をムスリム自身のあり方に求め、ウンマが神の命令に逆らったがゆえに神の怒りをかった、没落はいわば天罰だと考えたのである。

『クルアーン』がイスラームを「完成された宗教」と言っている以上、イスラーム自体に非はない。非があるとすれば、それはウンマ、ひいてはその成員であるムスリム個々の側にあるというのがイスラーム主義者の発想なのであった。もっとも論理的に考えれば、神の命令に逆らうという状況には二つのケースがある。命令をきちんと理解しているにもかかわらずあえて従わないケースと、命令を誤解したがゆえに、従っているつもりで実は逆らってしまうケースである。結果としてここから、没落したウンマの復興を目指すイスラーム主義の二つの方向が生まれた。ひとつは怠惰や欲望、意志の弱さゆえに神の命令に従わずにきたウンマの現状を変革する営み(シャリーア遵守の呼びかけ)、もうひとつは『クルアーン』に立ち帰って「真のイスラーム」を再発見し、伝統的なイスラーム解釈の「誤解」を正そうとする試み(解釈の革新)である。

かくて、シャリーアの施行を求めるイスラーム主義は、神による天罰を終わらせ、没落したウンマを再び繁栄させるための処方箋と見なされるようになり、帝国主義の時代以前とは次元の異なる強烈な危機感をともなって追求されることとなる。ただし、そこで施行されるべきシャリーアの中身については、昔ながらのシャリーアでよしとする者がいる一方、伝統的な解釈の「誤解」を正した後に見出される新たなシャリーアでなければならないと考える者もおり、今日までイスラーム主義者全員が納得する結論は得られていない。

サラフィー主義の先達——アフガーニーとアブドゥフ

イスラーム主義の二つの主張のうち、シャリーア遵守の呼びかけは、いわばイスラームの教えそのものであり、イスラームの価値を疑い始めていた欧化エリートを除けば、あえて説明するまでもなく、ムスリムの誰もが納得する主張だったと言える。これに対し、新たに登場した「解釈の革新」の思想をイスラーム圏の隅々まで広めた功績は、イラン生まれのジャマール・アッ＝ディーン・アル＝アフガーニー(Jamāl al-Dīn al-Afghānī, イランではアサダーバーディー(Asadābādī)と呼ばれる。一八九七年没)に帰せられる。彼は帝国主義の脅威に対抗するため、インドからイラン、エジプト、オスマン帝国、さらにはヨーロッパにまで及んだ旅の先々でムスリムの団結を説いて回った。ムスリムは宗派の違いを超えて連帯し、ヨーロッパと戦わなくてはならない。信仰に基づくムスリムの絆は本来最も強固なものであり、それさえ取り戻せば帝国主義に勝利できるのである。

ムスリム全体の連帯を説くこうした思想は「パン・イスラミズム」と呼ばれるが、アフガーニーは帝国主義と闘う前提条件として、ムスリムが自らの責任で招いたウンマの衰退を早急に克服しなくてはならないとも説いた。帝国主義への抵抗と防衛のためにこそ内なる改革、つまり「解釈の革新」と近代科学の摂取が求められたのである。

アフガーニーの思想は一八八四年に彼自身がパリで刊行した雑誌『固き絆』(*al-'Urwa al-wuthqā*)を通じてイスラーム圏各地に広まり、強烈なインパクトを与えていく。アフガーニー自身が思想構築よりも行動を重んじたことから、彼の思想が体系化されることはなかったが、その仕事は彼の弟子で『固き絆』の主筆も務めたエジプト出身のウラマー(イスラーム法学者)ムハンマド・アブドゥフ(Muhammad 'Abduh, 一九〇五年没)に引き継がれた。アブドゥフは利子・配当や、非ムスリムが命を絶った動物の肉を食べることの是非、また衣服の制約といった諸問題について、彼以前の法解釈とは異なる斬新なファトワー(法判断)を発出したために、伝統派・保守派のウラマーから厳しく非難されたが、西洋近代文明に圧倒されるなかでイスラームを生き残らせるべく、イスラーム思想の本格的な再構築に取り組み、二〇世紀以降のムスリムに多大な影響を与えることになる。

アブドゥフの原点は、西洋化にともなう二重法体制・二重教育体制の弊害として現れたイスラーム道徳の深刻な退廃に対する強い危機感にあった。いまや、西洋流の教育を施す新しい学校で西洋近代思想に触れた欧化エリートが公然とイスラームの価値に対する疑問を口にし、イスラーム道徳に反する行為に手を染めるようになっていたのである。アブドゥフは西洋への盲従のみならず、伝統的なイスラーム解釈への盲従まで併せて批判することで、事態の打開を図る。彼自身の回想によれば、彼の目的は「思考を盲従の束縛から解放し、分裂が生じる以前に父祖たちがしたように宗教を理解し、その知識を得るに際しては最初の源まで戻って、宗教を人間理性という秤にかけること」(Rashīd Riḍā 1931: vol. 1, 11)にあり、正しく理性を行使した結果であれば、イスラームは西洋近代文明を含め、理性のあらゆる所産を受け入れることができると主張した。ムスリムが知的に堕落している間にヨーロッパはイスラームから学び、理性の力で文明を発展させたが、今度はムスリムが『クルアーン』の命じる理性の行使を通じて、かつての栄光を取り戻す番である。そのためにはまず、シャリーアを再解釈して「現代」の課題に適合させなくてはならない。

アブドゥフはこのように述べて、欧化エリートのイスラームへの疑念と、一般ムスリムの近代文明に対する疑念をそれぞれ晴らそうと尽力したが、伝統的なイスラーム解釈への盲従に反対し、解釈の革新を唱える彼の思想は、正当性の根拠をウンマの父祖(salaf)に求めたがゆえに「サラフィー主義」と呼ばれ、弟子ムハンマド・ラシード・リダー(Muḥammad Rashīd Riḍā, 一九三五年没)がカイロで発刊した『アル=マナール』(*al-Manār*)誌を通じてイスラーム圏各地に広まっていく。アブドゥフの時代、西洋近代文明の政治力・経済力・軍事力は圧倒的で、彼のサラフィー主義、イスラーム主義が欧化エリートの心を動かすことはほとんどなかったが、その姿勢と思想は二〇世紀の大戦間期に生まれたムスリム同胞団に引き継がれ、世界恐慌やファシズムの台頭を受けて西洋近代文明の価値が疑問にさらされ、イスラームの価値が再評価されるときを待つことになる。

二、大衆イスラーム主義運動の誕生

ムスリム同胞団誕生までのエジプト

エジプトは一五一七年にオスマン帝国に征服されて以来、その属州となっていたが、一七九八年にナポレオン・ボナパルト(一八二一年没)率いるフランス軍がエジプトを占領すると、オスマン帝国は将兵を送ってエジプトの奪還を図った。やがてフランス軍がイギリス軍に敗れて撤退し、イギリス軍も任務を終えてエジプトを離れると、一八〇一年にオスマン帝国から派兵されていたアルバニア人ムハンマド・アリー(Muḥammad ʻAlī, 一八四九年没)が熾烈な権力闘争を勝ち抜いてエジプト総督となり、事実上オスマン帝国から独立する。彼は殖産興業を精力的に進めただけでなく、土地を国有化して徴税請負制を廃止し、オスマン帝国支配期に徴税請負人が手にしていた莫大な中間マージンを国庫収入に加える一方、換金作物である綿花を含む主要農産物と工業製品を専売制にすることで国家財政を安定させた。その近代化/富国強兵政策は一定の成果を挙げ、一八三〇年代前半にはオスマン帝国を破って、シリアなどの支配権を手に入れる。

けれども彼の成功は、東地中海における軍事バランスの崩壊、新興勢力の台頭を警戒するイギリスを刺激し、列強の圧力を受けて四〇年代初めには、オスマン帝国が一八三八年にイギリスとの間で結んでいた不平等条約の適用を強いられた。この条約がまさに、ムハンマド・アリーの脅威に直面して窮地に立たされたオスマン帝国がイギリスの支援を得るために結んだものだったことを思えば、歴史の皮肉と言うよりほかないが、エジプトはここに、列強に治外法権を認め、関税自主権も放棄させられる最悪の形での開国を迎えたのである。ムハンマド・アリーは四一年、エジプト総督位の世襲だけはオスマン帝国に認めさせたものの、工業国として発展する道を奪われたエジプトは基本的に、イギリスに綿花を輸出して加工製品を輸入する一農業国として国際市場に組み込まれることになる。

もっとも、この不本意な開国によって直ちにエジプト経済が苦境に陥ったわけではない。豊かな農業生産に支えられたムハンマド・アリー朝の国家財政はそれでもなお、さらなる近代化政策を推進するに十分な収入を確保できていた。ムハンマド・アリーの死後、彼の導入した土地の国有化と主要農産物の専売制は廃止されたが、個人の土地所有権が認められるなか、土地を大量に購入・集積して大地主となった貴族や村落富裕層は綿花栽培をさらに拡大し、エジプト経済を繁栄させせることになる。

第四代総督サイード(Saʿīd, 在位一八五四―六三年)の時代にはスエズ運河が着工され、一八六九年に開通を見たものの、その莫大な建設費によって国家財政は疲弊した。しかるに、サイードを継いだ第五代総督イスマーイール(Ismāʿīl, 在位一八六三―七九年、六七年以降はオスマン帝国から副王ヘディーヴの称号を認められる)は状況を顧みず、ヨーロッパの銀行から巨額の借金を重ね、よりいっそうの西欧化を推し進めた結果、ついに七六年、エジプト国家財政は破綻する。この状況下、債務返済を求める列強は英仏による財政「二重管理」体制を導入し、七八年八月にはイギリス人、フランス人の大臣がそれぞれ、国庫の収入と支出を管理する「ヨーロッパ内閣」を発足させた。

けれどもやがて、財政「二重管理」体制への不満はエジプト全土に広がり、特権階級だった名士(ザワート)層の中からは国政参加を求める声が上がり始める。そしてこれ以後、事態は英仏と副王イスマーイールの綱引きに、アフマド・ウラービー(Aḥmad ʿUrābī, 一九一一年没)大佐ら農村有力者出身の軍将校、名士層立憲派、一部のウラマーらによって組織された「国民党」の力が加わって推移することとなり、七九年以降は外部勢力の排除を掲げるエジプト初の民族運動「ウラービー運動」が組織された。

八一年九月にはウラービー指揮下のカイロの連隊が副王タウフィーク(Tawfīq, 在位一八七九―九二年)の宮殿に進撃して、内閣罷免、憲法制定、軍隊増員の三要求を実現させる。翌八二年にはウラービーが軍事大臣に就任し、運動は成功したかに見えたものの、同年夏、既得権益の確保を狙うイギリスの侵攻を受けてウラービー運動は瓦解した。以後、エジプトは七〇年に及ぶイギリス占領期(一八八二―一九五二年)に入るが、イギリスは当初からエジプトの教育や工業化を意図的に妨げ、支配の永続化を図る。

もちろん、エジプト人がイギリスによる占領体制に不満を抱かなかったわけではない。二〇世紀に入ると、エジプト人の民族感情は宮廷をも巻き込む形で高揚する。そうしたなか第一次世界大戦が勃発すると、大戦中の反乱を恐れたイギリスは、開戦後まもない一九一四年一二月、エジプトをオスマン帝国の宗主権から切り離して「保護国」化し、全土に戒厳令を布いた。かくて、大戦中一切の政治活動を禁じられたエジプト人は、戦後のパリ講和会議に独立を求める使節団(ワフド Wafd)を送ろうとしたものの、イギリスはこの要求を拒否したため、エジプト全土で一斉に反英運動が燃え広がる(一九一九年革命)。やがてこの大衆反乱はサアド・ザグルール(Sa'd Zaghlūl, 一九二七年没)率いるワフド運動に集約されていった。

こうした事態を打開すべく、イギリスはワフドを離脱したエジプト人メンバーを団長とする「正式」代表団のパリ渡航を認めたが、「正式」代表団は国内の反対運動に直面して交渉の成立を断念し、追い込まれたイギリスは二二年二月、ついに「エジプトの独立」を一方的に宣言する。エジプト王国(一九二二―五三年)の誕生である。もっとも、ここに実現を見た「独立」はあくまで形式的なものに過ぎず、イギリスによる占領支配体制の再編以外の何物でもなかった。実際の政治は、ザグルール率いる議会制民主主義志向のワフド党と側近政治を望む国王・宮廷派にイギリス当局が加わって、三つ巴の権力の綱引きを繰り返すことになる。議会選挙が行われるたびに勝利し、時には首相職を手にしたワフド党に対し、国王は憲法で定められた議会解散権を行使して対抗した。一九三六年には、前年に起きたイタリア軍のエチオピア侵攻を背景に、イギリスがエジプト独立をめぐる再交渉に応じたことから、新たに「イギリス・エジプト同盟条約」(Anglo-Egyptian Treaty)が結ばれたものの、平時でもスエズ運河とその周辺にイギリス兵一万人の駐留が認められるなど、完全独立の夢は果たされず、国内政治の三つ巴体制もこれまでどおり維持されたのである。

もっとも、名目的とはいえ独立が達成されると、ムハンマド・アリーの時代にイギリスの手で破壊されたエジプトの近代工業も、大地主層の富に支えられた民族資本の手で息を吹き返す。一八四〇年代に開国を強いられて以来、エジプト国内には商品経済・貨幣経済が浸透し、農村の自給自足経済を崩壊させたうえ、大地主制の下で土地を失い、重税や賦役にも苦しめられた農民は、生まれ育った村を捨てて都市に移り、都市労働者として生計を立てるようになっていたが、第一次世界大戦による特需が産んだ工場建設ブームは大戦後も繊維産業を中心に継続し、都市労働者の雇用は飛躍的に増加した。さらに食料生産の増大と医療の改善により、人口そのものも増加して都市化が進む。加えてエジプトの名目的独立は、以前から存在していた西洋式高等教育機関の数をいよいよ増加させ、学生の数も急増させた。結果として二〇世紀前半は、政治の舞台でも都市の労働者や学生たちが中心的な役割を果たすようになっていく。横田貴之が指摘するように、かつての農民反乱や都市騒擾に代わって、労働者や学生が主体となるデモなどの街頭行動を手段とする、組織化された大衆運動の時代がやってきたのである(横田 二〇〇九：一一－一三頁)。

カリフ制の廃止とさまざまな反応

第一次世界大戦にオスマン帝国が敗北すると、アナトリアは戦勝国の占領下に置かれ、分割の危機に直面した。これに対し、ムスタファ・ケマル(Mustafa Kemal, 一九三八年没)は一九二〇年、アンカラに「トルコ大国民議会」政府を樹立し、連合国側に回ったオスマン帝国カリフ政府に対して、公然たる武力反乱を開始する。やがて祖国解放運動に勝利したアンカラ政府は二二年、オスマン朝スルタン・カリフ制をスルタン制とカリフ制とに分離し、スルタン制を廃止した。この結果、オスマン朝スルタンは国外に亡命してオスマン朝は滅亡し、カリフにはオスマン王家の一員が選ばれて即位する。いわゆる「精神的カリフ制」の成立である。(2)

このようなカリフ制をめぐる一連の危機への反応は、まず一九二〇年初頭のインドで、反英の立場から大戦後のオスマン帝国カリフを擁護・支持するヒラーファト運動となって現れた。これをヒンドゥー・ムスリム協調の好機と見たガーンディー(一九四八年没)は国民会議派を率いて、自らインド・ヒラーファト委員会議長に就任する。二三年にはイスタンブルで、インド・シーア派の指導者アミール・アリー(Amīr ʻAlī, 一九二八年没)とアーガー・ハーン三世(Āghā Khān III, 一九五七年没)がカリフ制の擁護を訴える共同声明を発出した。もっとも、イスラーム主義の文脈から見てより重要なのは『アル＝マナール』誌の主筆ラシード・リダーが展開したカリフ論である。彼はカリフ制がシャリーアの定める宗教的義務であることを強調し、イスラーム法学上「解き結ぶ者たち」(Ahl al-ḥadd wa al-ʿaqd) と呼ばれるウンマの指導者層が選任する唯一無二のカリフが、聖典に明文規定のないすべての事項について「解き結ぶ者たち」と協議しつつ、シャリーアを施行する新たな「イスラーム国家」像を提示した。この新たな政治論は、のちの大衆イスラーム主義運動にも大きな影響を与え、以後イスラーム主義はカリフ制の復活を求め続けることになる。

とはいえ、ラシード・リダーらの活動や議論によってカリフ制の危機が解消されたわけではない。カリフ擁護論の高まりは皮肉なことに、もともと西欧的な「世俗主義」国民国家を志向していたケマルをかえって刺激し、カリフ制そのものの廃止を決意させてしまった。一九二四年三月、「トルコ大国民議会」はカリフ制の廃止を可決する。声明では、カリフ制は本来啓示とは無縁の単なる便宜的制度であったとされ、すでにカリフ制が使命を終えた以上、ムスリムが時代の必要と状況に応じたいかなる政体を採用するのも自由との宣言がなされた。ここにトルコ共和国は政教分離への不退転の決意を示し、やがてシャリーアの廃止にまで突き進むことになる。

一方、ここに至ってアラブの政治指導者の間では、空席となったカリフ位を狙う動きが一気に表面化した。イスラーム諸学の頂点と見なされていたアズハル機構を中心とするエジプトのウラマーがカリフ位の空位を宣言し、カリフ制の将来を検討する国際会議の開催を呼びかけたことが、この動きをいっそう加速させる。そうした状況のなか、メッカ、メディナの二大聖地を擁するヒジャーズ(アラビア半島紅海岸)の太守フサイン・イブン・アリー(Ḥusayn ibn ʿAlī, 一九三一年没)は、自らカリフ位就任を宣言したためにムスリム指導者の間で孤立し、のちにサウディアラビアを建国するサウード家の攻撃を受けてヒジャーズから追放された。さらにサウード家は、エジプトのウラマーが呼びかけたのと同様の国際会議を自ら開催すると宣言し、広くイスラーム圏の有力者・知識人に参加を呼びかける。結果として両者はそれぞれ別個に会議を開催することとなり、ウンマにただひとりの新たなカリフを選出する夢ははかなく潰えてしまった。

しかしながら、新たなカリフの選出をめぐって各所で議論が沸騰し、それが中東国際政治の重要な論点にまでなったことは、図らずも、それまで世俗的ナショナリズムに圧倒されていたイスラーム主義が世に出る環境を整えることに貢献した。特にエジプトの場合、名目的な独立にともなって発布された「一九二三年憲法」がエジプト人を国民とする「国民国家」を王国体制の原理としていたにもかかわらず、国内はウンマを政治的に指導する唯一無二のカリフ職の将来をめぐる激しい論争に巻き込まれてしまい、イスラームとその絆があらためて注目されるきっかけとなったのである。

ムスリム同胞団の誕生

ムスリム同胞団は一九二八年、当時のエジプトを支配していたイギリス軍が集中的に駐屯していた町、スエズ運河沿いのイスマーイーリーヤで生まれた。カリスマ的指導者であったハサン・アル＝バンナー(Ḥasan al-Bannā, 一九四九年没)の言によれば、彼は同胞団の誕生以前から、第一次世界大戦後のエジプトを覆った世俗化および自由主義の傾向とトルコのムスタファ・ケマルに代表されるイスラーム攻撃に対する強烈な危機感を抱いていたという(al-Bannā 2011: 45-48)。バンナーの目に映ったエジプト社会はいまや、自由の名のもとにイスラームの教えが軽視・無視され、イスラームの価値そのものにまで疑問が呈され、日々、道徳的な頽廃が進む、言ってみれば重病に取りつかれた社会なのであった。この病んだ社会を自分たちの手で治療し、イスラーム道徳を尊重する社会、ひいてはシャリーアを施行する「イスラーム国家」を建設することが同胞団のひとつの目標になる。

もっとも、バンナー自身が後年回顧した同胞団設立時のエピソードが真実だとすれば、この組織はむしろ、エジプトを支配するイギリスに抵抗し、その支配を終わらせるために設立されたと考えるべきかもしれない。ナイル・デルタ出身のバンナーは、一八七一年に開校されたカイロのアラビア語教員養成学校ダール・アル＝ウルーム（Dār al-ʻUlūm）で学んだ後、一九二七年からイスマーイーリーヤに小学校教師として赴任していたが、毎日の勤務を終えると街角のカフェに出かけ、そこにいる客を相手にイスラームの危機や外国支配からの解放などを訴える説法を行っていた。彼はもともとイスラーム道徳に敏感な青年だったと思われるが、上京してカイロで学んでいた折、特に若者の間にはびこっていたイスラーム道徳に反する行為を目にして衝撃を受け、カフェでの説法に取り組み始めたという。

イスマーイーリーヤ赴任後もそうした地道な努力を続けていたことが功を奏してか、一九二八年三月二八日の晩、以前からバンナーの説法に感銘を受けていた当地のエジプト人労働者六名が彼のもとを訪れ、自らの窮状を訴えてきた。彼らはエジプト人労働者を搾取するイギリス人を非難しつつ、エジプトにはアラブ・ムスリムの尊厳などどこにもないと嘆き、それでも自分たちにはどうすればエジプトとイスラーム、国民に奉仕できるのかわからない、ついてはバンナーに自分たちの指導者になって欲しい、と懇願したのである。イスマーイーリーヤ赴任以来、当地のスエズ運河会社やイギリス軍基地で働く外国人と地元住民との間のあまりに大きな貧富の差を目のあたりにしてきたバンナーはこの申し出を快諾し、ここにムスリム同胞団が誕生する（al-Bannā 2011: 70-71）。イギリスによるエジプト支配を終わらせ、エジプト人ムスリムの尊厳を取り戻すための戦いが始まったのである。

とはいえ、もちろん生まれたばかりの同胞団に直接イギリスと対峙する力があろうはずもない。この時点での同胞団は当時のエジプトでよく見られた小規模なイスラーム慈善団体のひとつに過ぎず、まずはモスクの建設・運営と地元住民へのイスラーム道徳の教育に取り組んだ。それが、帝国主義勢力に支配されたウンマの現状を天罰ととらえ、シャリーアの遵守によって神の怒りを解くことで、帝国主義勢力に勝利しようというイスラーム主義の思想を反映していたことは言うまでもない。

もっとも、この時期の同胞団がイスラーム教育に取り組んだのにはもうひとつ、イギリス占領下のエジプトで当局の保護・支援を受けて活動していたキリスト教宣教団の脅威に対する差し迫った危機感もあった。イスマーイーリーヤでもキリスト教福音派の学校が大きな成功を収めており、バンナーは若者がキリスト教に惑わされることを恐れて、彼らに対抗すべく同胞団を作ったとする説もある(Baron 2014: 123)。彼はキリスト教宣教団の学校をまねて、一九三一年にはイスラーム諸学とクルアーンの暗唱を教える学校を開校し、翌三二年には女子のための学校も開設した。そこで学んだ学生たちはやがて、同胞団の教えを広める教宣活動(ダアワ)に従事していくことになる。以後も同胞団はキリスト教宣教団の活動に反対・対抗するイスラーム組織として活動し、エジプト国内で少しずつ名を知られていった。バンナーとわずか六名の団員で発足した同胞団にとって、シャリーアを施行する「イスラーム国家」の建設ははるか遠い夢でしかなかったが、彼らは眼前にあるキリスト教宣教団の脅威に対抗してイスラーム道徳の教育を進めることで、活動の第一歩を踏み出したのである。

三、巨大組織への成長

創設者バンナーの思想と同胞団の活動領域

一九三二年にバンナーがカイロに転勤になると、同胞団は本部をカイロに移し、以後エジプト各地に多くの支部を設立していく。一九三〇年代末にはすべての県に支部が設置され、四〇年代末には支部数およそ二〇〇〇。さらにシリア、ヨルダン、スーダンなど、国外にも支部が設立された。一九四〇年代末の団員数は五〇万とも一〇〇万ともいわれているが、当時のエジプトの人口が二〇〇〇万人だったことを思えば、同胞団が誕生からわずか二〇年のうちに、とてつもなく巨大な組織へと成長したことがわかる。そして、当初は極めて小さな慈善組織に過ぎなかった同胞団をここまで成長させたのは、自らのイスラーム主義思想に基づき、人びとが参加しやすい組織を作りあげた初代団長バンナーの才覚にほかならなかった。同胞団はイギリスのエジプト支配、また西洋文明に毒されてイスラーム道徳をないがしろにする欧化エリート層を苦々しく思っていたエジプト人大衆の共感を呼び、彼らが行動できる場として、絶大な人気を博したのである。

バンナーはエジプトのみならずイスラーム圏のそこここで進行する世俗化を、西洋がイスラームを破壊するために導入した最強の攻撃、組織的なキャンペーンと見なしていた。バンナーによれば、ヨーロッパ人は半裸の女性や酒、劇場、ダンスホールその他、もろもろの害悪をイスラーム圏に持ち込み、軍事侵略をはるかに凌ぐ深刻な影響をムスリム社会に与えていたのである(al-Bannā 1978: 27-29)。もちろん、それを許しているムスリム側、特に上流階級の責任も大きい。彼らはイスラームの本当の姿を知らぬがゆえに、西洋の説く物質主義や世俗主義に惑わされ、ヨーロッパを神聖視して、熱心にその模倣に励んでいる。けれどもまだ手遅れではない。あらゆる時代と場所で人間生活の完璧な指針となる包括的システム、真理の道であるイスラームに帰ることで、病は克服できる。最初期のムスリムたちはイスラームの真の姿を理解して栄えたが、現代のウンマも預言者ムハンマドの教友たちのごとく、正しくイスラームを理解すれば繁栄を手にすることができるだろう。必要なのは、イスラームが生活のあらゆる側面を網羅した完璧な社会システムであるという事実を人びとに納得させて、彼らを覚醒させることであり、そのためにこそムスリム同胞団は生まれたのだとバンナーはいう。

このようにしてイスラームの包括性・普遍性をムスリム大衆に訴えかけた同胞団にとって、追い風となったのは一九三〇年代の混沌としたヨーロッパ情勢であった。イスラーム圏の政治体制を非民主的・前近代的と批判してきたヨーロッパでファシズムが台頭し、ソヴィエトと並ぶ権威主義体制のドイツ・イタリアが注目を浴びる。一方で世界恐慌以来の不況により、街には失業者が溢れかえっていた。かくて、自らの政治的・経済的繁栄を前提に、イスラームを後進的と非難してきたヨーロッパの屋台骨が揺らぐと、そうした非難を甘んじて受け入れてきたムスリムの側にはヨーロッパの先進性に関する疑問が生じる(Frampton 2018: 21-24)。近代西洋はもはや行き詰まっているのではないか。同胞団が主張するとおり、真に優れているのはイスラームなのではあるまいか。

世界恐慌やファシズムが台頭する以前、西洋近代文明の優位を疑うべくもなかった一九二〇年代までと違って、西洋近代文明の限界を指摘し、イスラームの普遍性・包括性を説く同胞団の訴えに人びとが耳を傾ける条件が整い始めていたのである。そうした、ある意味恵まれた時代環境のなか、バンナーの同胞団が「イスラームこそ解決」という、今日まで変わらないスローガンのもとで展開した活動は、世界恐慌下の不況に苦しむ困窮者への経済支援や相互扶助組織の設立・運営に始まって、モスクの建設・運営、子どもたちへの識字教育の実施、果ては会社や工場、病院、診療所、薬局の経営にまで及んでいった。さらに彼らは失業者に職を斡旋し、労働組合や大学生の組織化にも取り組んでいく。こうした活動は、同胞団の設立時にバンナーに指導を仰いだイスマーイーリーヤの労働者たちが口にしたように、祖国とイスラーム、エジプト国民への奉仕を望みながらも、その方法がわからずにいた人びとに行動の場を提供しただけでなく、多種多様な活動の中から自分の得意分野を選んで貢献できる気軽さも手伝って、大衆を引きつけ、団員数を劇的に増やす大きな要因となったに違いない(横田 二〇〇六：三九―四〇頁)。

さらに注目すべきは、同胞団が憲法やラジオ、スポーツクラブなど、西洋近代文明の所産を肯定的にとらえたうえで、その「イスラーム化」を図ったことである。バンナーはあるとき、映画はイスラームで許されている(ハラール)か、禁じられている(ハラーム)かと支持者に尋ねられ、「ハラームな映画はハラーム、ハラールな映画はハラール」と答えたという。つまり彼にとって、映画が西洋近代文明の所産であるかどうかは問題ではなく、問われるべきは映画の中身がイスラーム的に見て善か悪かなのであった。

こうした姿勢は同胞団の活動領域をよりいっそう広げる結果となり、時代に即した事業がまた人びとを引きつける。同胞団は青少年の身体強化と精神教育のために、ボーイスカウトやスポーツクラブも自らの活動に加える一方、一九三三年の第二回総会で出版社の設立を決定し、同年中に雑誌『ムスリム同胞団』を刊行して、メディアを活用した教宣に乗り出した。バンナーがカイロのダール・アル＝ウルームで学んでいた時期、講義を聴講するなどして教えを受けていたサラフィー主義の先達ラシード・リダーが三五年に亡くなると、やがて彼の『マナール』誌を買い取り、四〇年の廃刊まで六号を刊行してもいる。

こうした出版事業への肩入れも、読み書きのできる学生や公務員を同胞団に引き込むきっかけとなったに違いない。アフガーニーやアブドゥフ、ラシード・リダーのサラフィー主義思想はイスラーム主義者の間ではすでに知られていたものの、一般のムスリムには馴染みが薄く、二〇世紀前半を生きる若者にとって、魅力を欠いた旧来のイスラームに代わる新たなイスラームはまだ見えていなかった。しかるに、同胞団の出版物は彼らにサラフィー主義の先達の教えをわかりやすく伝え、同胞団の活動に参加することが帝国主義からの解放にもつながるという確信を与えてくれたのである。

イギリス支配への抵抗とムスリム女性のあり方をめぐって

バンナーは同胞団の目標として、(一)イスラーム圏の外国支配からの解放と(二)『クルアーン』を憲法とする「イスラーム国家」の樹立を掲げたが、直接政権を奪取する道は追求せず、まずムスリム個々の内面を改革し、次いで家庭、社会と段階を追って「イスラーム化」を進めることで、必然的に「イスラーム国家」が誕生すると考えた。カリフ制については、そうやって生まれる複数の「イスラーム国家」が共通のカリフを国家元首として戴くことで統合され、単一の国家になっていけばいいと考えていたようである。つまり、彼にとって何より大事だったのは個人、家庭、社会の「イスラーム化」であり、だからこそ同胞団は政治に一定の距離を置く一方、現代生活におけるイスラームの貫徹を目指して、社会のあらゆる分野に意欲的に進出していった。実際、一九三〇年代の同胞団は慎重に政府との対立を避け、政府の弾圧を受けそうになると、自らは純粋な宗教組織でしかないと主張して弾圧を免れている。

けれども一九三八年に雑誌『警告者』(*al-Nadhīr*)が創刊されると、同誌にはしばしば反英・反シオニズムの論考が掲載されるようになる。おそらくはこのために、同年バンナーは初めて当局に逮捕され、二四時間拘留されたが、釈放後も『警告者』誌上でのイギリス批判、シオニズム批判は止まなかった。第一次世界大戦中のバルフォア宣言でユダヤ人の「民族的郷土」とされ、戦後イギリスの委任統治領となっていたパレスチナには一九三〇年代、ヨーロッパにおけるナチス・ドイツの迫害を逃れたユダヤ人移住者が急増し、情勢は一気に緊迫する。これを受けてバンナーは、イスラーム圏のどこであろうと、異教徒の攻撃を受ければ、すべての成人男子は侵略者を撃退すべく、生命・財産・言論を捧げて抵抗しなくてはならない、つまりジハードがすべてのムスリム男子の個人義務となると主張。帝国主義列強に圧倒されるなかですっかり忘れ去られていたジハードの思想をムスリムに思い出させるべく奮闘した。同胞団のスローガンも「神がわれらの目的、使徒(ムハンマド)がわれらの指導者、クルアーンがわれらの憲法、ジハードがわれらの道、神のための死はわれらの最高の望み」という形でジハードの義務を強調するものとなり、彼らはパレスチナ・アラブに武器を支援する一方、現地ムジャーヒディーン(ジハード戦士)との協力も進めることになる。このため同胞団は、三〇年代後半にはイギリス当局に注目・警戒される存在となっていった。

実際、同胞団にはエジプトを含め、列強に奪われた「イスラームの家」(ダール・アル=イスラーム)を奪還するジハードのための軍事部門が存在したし、一九四八年のイスラエル建国が引き起こした第一次中東戦争ではパレスチナに義勇兵を派遣してもいる。同胞団はイギリスの支配に抵抗し、イギリス支配からエジプトを解放するという主張と行動ゆえに、大衆の強力な支持を得ていたが、パレスチナ問題の進展はエジプト人の反英感情をいよいよ刺激し、パン・イスラミズムに基づいてパレスチナを支援する同胞団への支持をさらに増やしたとする説もある(Gershoni 1986: 381-382)。

一方、同胞団にとっては、ムスリム女性のあり方が列強から厳しく非難されていたことも看過できない問題であった。イギリスにかぎらず、イスラーム圏を支配する植民地体制は一夫多妻や男性による一方的離婚権、わけてもムスリム女性のヴェールに注目し、これぞイスラーム文明の後進性を示すものとして、激しい批判を浴びせかけた。西洋は「遅れた」ムスリム社会に進歩をもたらす「解放者」とされ、その「正義」を楯に植民地支配が正当化されたのである。だがしかし、それではムスリム女性は西洋女性のようになればいいのだろうか。

ムスリム同胞団は、西洋女性はムスリム女性のモデルにはなり得ないと主張して、植民地体制による批判を一蹴する。いわく、西洋は女性や女性の性を金儲けのために利用しており、働く女性やモデルを使った広告は女性の搾取にほかならない。そうではなくて、ムスリム女性は男性と同様、教育を受けて成長すべきなのである。同胞団は女性と男性が同じ空間で一緒に教育を受けることには反対で、女性の真の責務は家庭と家族にあり、妻や母としての役割が優先されると主張したが、他方でイスラームが女性に禁じている学問はなく、服装と行動さえイスラーム道徳に則っていれば、ムスリム女性は商人、医者、弁護士など、何にでもなれるとも説いた。こうした主張に共感して同胞団に加わった女性団員は一九四八年の時点で五〇〇〇人を数え、エジプト全土に五〇の女性支部があったと言われている。

四、エジプト政治への進出とバンナー暗殺

政治への傾斜

一九三九年に開かれた同胞団の第五回総会で、バンナーは同胞団に「イスラームの原典に回帰する「サラフィー主義の教宣」」「イスラーム社会の病弊を解消し、ウンマの快癒を目指す「社会思想」」など八つの定義を与えたが、そのなかには「ウンマの統治・外交の改革を希求する「政治組織」」という定義も含まれていた。それまでの同胞団は

組織防衛を優先して、政治権力の弾圧対象とならないよう、慎重な行動を心がけていたが、以後は「政治組織」という自己定義に従い、じょじょに政治活動の比重を高めていく。彼らは街頭デモやストライキを行って、イスラーム道徳に反するアルコールや売春などの規制を求めた。

しかしながら、時はちょうど第二次世界大戦と重なり、同胞団の活動もイギリス当局にいよいよ警戒されていく。同胞団はこの時期、反体制運動の主役であった左翼を潰そうとした政治家や王宮の期待を集め、強力な支援を受けるまでに成長していたが、他方でパレスチナとエジプトのムスリムにとって共通の敵と見なされていたシオニストや左翼共産主義者、イギリスと戦うために、ナチスへの接近を呼びかけていたパレスチナの宗教指導者ハーッジ・アミーン・アル＝フセイニー(Ḥājj Amīn al-Ḥusaynī, 一九七四年没)に協力・賛同し、ナチス・ドイツとの直接交渉ルートまで持っていたことから、イギリスはエジプト政府に圧力をかけ、同胞団の弾圧を図った。

結果として四一年三月、バンナーは上エジプトのケナーに転勤させられたが、半年後にはカイロに復帰する。同年一〇月にも再び逮捕・拘留されたものの、同胞団員による抗議活動と王宮関係者の介入により、一カ月も経たないうちに釈放された。その後もイギリスはエジプト政府に圧力をかけ続けたが、四二年二月に成立したワフド党のムスタファー・アン＝ナッハース(Muṣṭafā al-Naḥḥās, 一九六五年没)内閣は、弾圧は同胞団を地下に潜伏させることになりかねず、得策ではないと主張してイギリスの圧力をかわしていく。

もっとも、同年中にエジプト議会が解散されると、バンナーは同胞団の第六回総会において、自身をはじめ団員一七名がシャリーアの施行を求めて総選挙に出馬する意向を表明する。議会もまた西洋近代文明が産み出した制度であるものの、むげに否定するのではなく、むしろ肯定的にとらえたうえで、その「イスラーム化」を図るという同胞団の基本姿勢がここでも発揮された。しかしながら、同胞団の政治力を警戒したナッハース首相はバンナーに出馬を思いとどまるよう呼びかけ、これを受けてバンナーも出馬を断念する。代わりに彼は首相に売春の禁止と聖ラマダーン月のアルコール販売の禁止を約束させ、政府はまもなく売春を禁止。アルコールにも一定の規制を設けた。

その後も同胞団とワフド党政権との関係は一筋縄では行かず、四二年夏にロンメル将軍麾下のドイツ軍の進撃を受けて同胞団の学生団員がドイツ支持の街頭デモを行うと、同胞団の公的集会は一時的に禁止され、さらに翌年一月には、週に一度イスラームについて語り合う会合を除いて、カイロでの会合が全面的に禁止される。しかしながらちょうどこの時期、ワフド党内で内紛が起きたことからナッハース首相は同胞団と和解する道を選び、同年四月、同胞団は活動規制を解かれて、世界大戦の終結を待つこととなった。かつては世俗的ナショナリズムを代表していたワフド党がいまや、同胞団と協力することでイスラーム色を漂わせる時代がやって来たのである。

戦後の混乱とバンナー暗殺

第二次世界大戦が終結すると、エジプトは極めて深刻な不況に直面した。大戦中に駐留していた連合軍がエジプトを離れたことで、駐留にともなって生まれた雇用の大半が消滅し、失業者が街に溢れかえる。そこに戦後のインフレが追い打ちをかけ、賃金が目減りするなかで、貧富の差も著しく拡大した。こうした状況のもと、ムスリム同胞団は三〇年代に世界恐慌下の不況に苦しむ困窮者を支援したのと同様に、社会慈善事業を進める一方、病院や診療所で医療を提供し、自らが経営する会社や工場でも失業者を雇用するなど、困窮者の救済に取り組むことで、いよいよ支持者を増やすことになる。大戦中の四三年から四四年にかけて二〇万人の死者を出したマラリヤに的確な対策を打ち出せなかったナッハース内閣への幻滅も手伝って、三六年に締結されたイギリス・エジプト同盟条約の改正を求め、一刻も早いエジプトの真の独立を願っていた人びとの間に、もはやワフド党に期待しても無駄ではないかという空気が漂ったことも同胞団にとっては追い風となった。

一方で彼らは、大戦が終わった四五年に成立したマフムード・ファフミー・アン＝ヌクラーシー(Maḥmūd Fahmī al-

Nuqrāshī，一九四八年没）内閣の不況に対する無策を厳しく糾弾し、ストライキや反政府デモを組織する。第一次ヌクラーシー政権はこれに弾圧で応え、同胞団員を逮捕・拘束したものの、これに反発した同胞団内の「特別機関」部門は、報復として政府関係者の襲撃・暗殺に打って出た。彼らはもともと、列強に対するジハードを目的に設立された組織であったが、秘密軍事部門だったがために最高指導者バンナー直属の機関とされ、同胞団内の他の組織とは異なる指揮命令系統で動いていたのである。その彼らがいまや、政府との決定的な対立だけは回避する構えでいたバンナーの意志さえも無視して暴走し、指導部そのものが二元化したのであった。

直接的な暴力行為の応酬で政府と同胞団の関係が緊迫するなか、四八年に第二次ヌクラーシー内閣が同胞団解散令を発すると、非合法組織となった同胞団の団員は逮捕され、資産も押収されるなど、厳しい弾圧にさらされる。これに対し「特別機関」は一二月二八日、ヌクラーシー首相を暗殺。翌四九年二月一二日には秘密警察がカイロでバンナーを暗殺し、ここに同胞団は唯一無二の絶対的な指導者を失った。そのうえ、同胞団指導部はバンナー後をめぐって、反政府武装闘争も辞さない「特別機関」と、ムスリムが同じムスリムを傷つけることは神の禁ずる傷害罪・殺人罪にあたると考える穏健派とに大きく分裂する。けれども、四八―四九年の第一次中東戦争で独立直後のイスラエルに敗れたことで、混迷の度を深めたエジプト情勢は同胞団に組織再建の時間を与えない。五二年七月には、第一次中東戦争に従軍し、敗戦のなかで体制変革の必要を痛感した若手将校が秘密裏に組織した「自由将校団」による王政打倒クーデタ（エジプト革命）が勃発した。同胞団はこのクーデタで自由将校団に協力したことから、五三年一月にすべての既成政党が解散させられたときも、政党ではないという理由で活動の継続を認められたが、組織的統一を欠いて政権奪取への積極的な方策を取れないまま、やがて自由将校団の指導者ガマール・アブドゥン＝ナーセル（Jamāl 'Abd al-Nāṣir，一九七〇年没）と対決。一九五四年には、アレキサンドリアでナーセル暗殺を謀ったという真偽不明の容疑で非合法化され、壊滅的な打撃を被った。こうして始まった「冬の時代」はナーセルが亡くなるまで続き、同胞団幹部の多くは十数年にわたる獄中生活を余儀なくされる。かくて二〇世紀前半のエジプト史、イスラーム史に大きな痕跡を残した大衆イスラーム主義運動は、いったんは歴史の表舞台から姿を消したのである。

もっとも、ナーセルの率いた自由将校団の世俗的ナショナリズム政権がイスラームを無視したり排除しようとしたなどと考えることはできない。四半世紀にわたる同胞団の活動が功を奏したと言うべきか、エジプト社会においてイスラームはすでに否定し得るものではなくなっていた。結果としてナーセルは自らを「真のイスラーム」の護持者と主張し、同胞団をイスラームを歪める者として非難することで、彼らを弾圧したのである。

五、一九七〇年代以降の展開

第三次中東戦争の敗北からイスラーム主義運動の復活へ

一九五六年にエジプト大統領に就任したナーセルは同年、スエズ運河の国有化をめぐって勃発したイギリス・フランス・イスラエルとの第二次中東戦争に外交上の勝利を収め、アラブ民族主義の英雄となった。彼は対外的には親ソ路線、対内的にはアラブ社会主義を掲げ、一党独裁のもと、土地改革や輸入代替工業化などの政策を進めて、五八年にはシリアと合邦し、アラブ連合共和国を結成する。六一年にシリアはアラブ連合を離脱・独立したものの、六二年以降、ナーセルは軍事クーデタで王政が打倒された後のイエメン内戦に介入した。しかしながらイエメン内戦はイエメン王政の復活を目指すサウディアラビアとの代理戦争となって泥沼化し、六七年の第三次中東戦争でエジプトをはじめとするアラブ諸国がイスラエルに惨敗する遠因となる。この敗北でナーセルの威信は地に落ちたが、それはそのまま、ムスリム同胞団に代表される大衆イスラーム主義運動の復活につながった。

この間の事情は一般に以下のように説明されている。第三次中東戦争でアラブ諸国が壊滅的な大敗を喫し、メッカ、メディナに次ぐイスラーム第三の聖地イェルサレムまで失ったことは、知識人であろうと大衆であろうと、全世界のムスリムに深刻な精神的打撃を与え、あらためて自らの現状に厳しい反省のまなざしを向けさせた。彼らはイスラームの教えに忠実な形で、神の命令に正しく従っているかぎり繁栄を約束されているウンマがどうして、同じ神の命令を不完全な形でしか実現していないはずのユダヤ教徒(イスラエル)に敗れ去ったのかと自問し、この敗北はシャリーアを十分に施行してこなかった自らへの報い、すなわち神が下した天罰と結論づけたのである。結果として人びとの間にはイスラーム的な生活を取り戻そうとする空気が充満し、いまや決定的に没落したアラブ民族主義に代わって、政治原理としてのイスラームを見直そうとする雰囲気すら生まれてくる。こうした空気のなかでは、それまで世俗的ナショナリズムに依拠してきた各国の政権も、イスラームに支配の正統性を求めざるを得なくなった。シャリーアを正しく施行する「イスラーム国家」の建設を目指すイスラーム主義の再登場は時間の問題であった……。

こうした説明が、かつて帝国主義の時代にイスラーム主義者たちが自問し、導き出した回答の再現であることは誰の目にも明らかであろう。本稿の最初のほうで述べたとおり、イスラーム主義者たちは一九世紀から二〇世紀前半にかけて、ムスリムがキリスト教徒のヨーロッパなどに遅れを取ってしまったのはなぜかと問い、その原因をウンマが神の命令に逆らったがゆえの天罰と考えたが、今度もまた、ユダヤ教徒のイスラエルに敗れた原因は以前と同じ枠組みで自問され、同じ回答にたどりついたとされる。

けれども、イスラーム圏の多くの地域が列強の植民地となっていた、文字どおりイスラームの危機の時代とは違って、二〇世紀半ばには世俗的ナショナリズムの指導のもと、すでに大半の地域が政治的独立を達成していたこと、またナーセルに象徴されるアラブ民族主義のうねりがムスリム大衆の自尊心を満足させるに足る外交上の成果を挙げてきてもいたことを思えば、帝国主義の時代に昔ながらのイスラーム思想の枠組みで没落の原因を問うたかつてのイスラーム主義者たちと、一九六七年戦争の大敗に直面したムスリム大衆がまったく同じ思想的枠組みで状況を理解したとは考えにくいのも事実である。言い換えれば、第三次中東戦争に敗れた原因を、シャリーアを施行してこなかった自分たちムスリムに対する天罰と見なす議論には、イエメン内戦などで準備不足のままイスラエルと開戦し、大敗を喫したナーセルの政治責任を転嫁する作用があり、むしろ政権側が敗戦責任を免れるためにイスラーム主義を利用した可能性もあるのではなかろうか。むろん事の真偽を明らかにするのは困難極まりないが、いずれにしろ、かくてイスラーム主義は再び歴史の表舞台に立つ日を迎えたのであった。

七〇年代に入ると、民衆の間に広まったイスラーム主義的な発想を受けて、多くの国の政権も自ら「イスラーム政府」を名乗るようになる。シャリーアに従う「イスラーム国家」と「イスラーム社会」の建設・維持は、ここに誰も批判できない国是となった。報道に現れる用語もイスラーム化が進み、政治をイスラームの文脈で語ることが一般化する。なかでも重要だったのは、対イスラエル戦争に関する意義づけの変更であった。一九七三年の第四次中東戦争の際、エジプト大統領アンワル・アッ＝サーダート（Anwar al-Sādāt, 一九八一年没）が喧伝した「ジハード」の概念は、ナーセル政権下の対イスラエル戦争で掲げられてきた「反帝国主義闘争」のスローガンに取って代わり、やがてイスラーム圏各地の独立闘争や抵抗運動にも適用されるようになっていく。ほぼ同じ時期、パキスタンでもイスラーム主義運動によるジハード論が注目を集め、後の対ソ・アフガニスタン解放闘争の基礎が築かれた。

ムスリム同胞団の復活

一九七〇年一〇月、急死したナーセルに代わってエジプト大統領に就任したサーダートは、間もなくムスリム同胞団幹部の大量釈放に踏み切った。依然として政権内に強大な影響力を保持する左翼勢力に対するカウンターバランスとして同胞団を利用するためである。さらにサーダート政権は、大学内に「イスラーム団」(al-Jamā'a al-Islāmīya) と呼ばれる組織を誕生させ、ここでも大学自治会を支配する左翼勢力への対抗措置を講じた。かくて、イスラーム主義に対する弾圧の時代は終わりを告げたのである。

ここに復活を見たムスリム同胞団は、規模としては四〇年代前半に一〇〇万を超える団員数を誇ったころと比べるべくもなかったが、事実上政府公認の強みを生かしてじょじょに勢力を拡大していく。とりわけ彼らにとって追い風となったのは、その真意がどこにあったにせよ、サーダートが機会あるごとにイスラームに言及したことであった。第四次中東戦争の際の「ジハード」のみならず、テレビ・ラジオ・新聞・雑誌などマスメディアの語彙が少しずつ「イスラーム化」されるに及んで、同胞団の主張は聞き手にとって違和感のないものになっていく。復活した同胞団主流派も政権との協調に努め、進んで左翼勢力に対抗する一方、合法路線に則ってシャリーアの施行を要求した。サーダート政権も七一年九月に公布された新憲法で、イスラームを国教、シャリーアを「立法のひとつの主要な源泉」と規定しており、両者はある時期までは蜜月関係を維持することになる。

けれども、七九年にキャンプ・デイヴィッド合意が成立し、サーダートが対イスラエル単独和平路線を歩むことが明らかになると、同胞団と政権との関係は急速に冷え込み、八一年九月、サーダートは同胞団幹部を含む反対派の一斉検挙に乗り出した。しかしながらこの時点ではすでに、同胞団指導部の合法路線を批判して、「背教者」サーダートを処刑すべしと考える新世代の武装闘争が離陸しかけており、八一年一〇月、サーダートは上エジプトのイスラーム団と協力したカイロのジハード団員の手で暗殺される。そしてこれ以後、エジプトにおけるイスラーム主義運動は、議会、業種別シンジケートなど、法の枠内で「イスラーム国家」の建設を目指す多数派＝ムスリム同胞団と、シャリーアを適用しない為政者を「背教者」として断罪し、武力をもってでも排除しようとする武装闘争派の地下組織に大きく分かれ、時に両者が対立しつつ、二〇一一年の「アラブの春」を迎えることになった。同年二月、全国に広がった反政府デモと民衆蜂起を受けて、三〇年続いたホスニー・ムバーラク（Ḥusnī Mubārak，二〇二〇年没）政権が倒れると、同胞団は自由公正党を結党し、翌年には大統領選挙に勝利して政権を獲得したが、一三年に勃発した軍事クーデタで再び非合法化され、テロ組織に指定される。五四年にナーセルの弾圧で壊滅的な打撃を被ってからおよそ六〇年。歴史は繰り返し、同胞団に再び冬の時代が到来したのである。

おわりに

本稿を終えるにあたり、あらためて史上初の大衆イスラーム主義運動ムスリム同胞団の持った歴史的な意味について考えてみたい。二〇世紀前半に生まれた同胞団は、世界恐慌に苦しむなかでイギリスによるエジプト支配の終焉を望みつつ、かと言って世俗的ナショナリズムの依って立つ、イスラームそのものまで否定しかねない自由主義には心理的な抵抗を感じ、むしろイスラーム道徳に従って生きる道を選んだムスリム大衆が納得して参加・活動できる場として機能した。また、西洋起源のさまざまな制度やシステムをただ否定するのではなく、ムスリム自身の判断に従って取捨選択する姿勢を定着させることで、ムスリム独自の「近代化」の可能性を広く人びとに認識させた点も、彼らの大きな功績だったと言える。それは、国家がイスラームに基盤を置くこと自体の是非が問われるようになっていた時代における、またその時代に対する、ひとつの明確な回答であった。

とはいえ、第三節で述べたように、ムスリム同胞団の創設者・初代団長であったバンナーによれば、この運動の目標は(一)イスラーム圏の外国支配からの解放と、(二)『クルアーン』を憲法とする「イスラーム国家」の樹立にあったという。しかし客観的に見て、(一)は世俗的ナショナリズムの功績、(二)もいまだ実現されていない目標と言わなくてはなるまい。大胆に言ってしまえば、同胞団の活動は掛け声倒れに終わったと見なすことも可能なのである。

しかしながら、同胞団がナーセルの弾圧を受けて壊滅的な打撃を被ってからちょうど半世紀後の二〇〇四年にヨルダン大学戦略研究所(Center for Strategic Studies, University of Jordan)がシリア、レバノン、エジプト三国の研究機関と共

表1 アラブ諸国民が諸組織を「合法的な抵抗運動」と考えている割合(%)

	選択肢	ヨルダン	シリア	パレスチナ	エジプト
イスラミック・ジハード運動	抵抗運動	87	95	95	82
	テロリスト	2	1	1	3
	聞いたことがない	2	1	0	8
	その他	10	3	4	7
ハマース	抵抗運動	87	95	94	85
	テロリスト	2	1	1	3
	聞いたことがない	1	1	0	6
	その他	10	3	6	6
アル＝アクサー殉教者旅団	抵抗運動	88	95	94	86
	テロリスト	2	1	1	2
	聞いたことがない	1	2	0	6
	その他	9	2	6	7
ヒズブッラー	抵抗運動	84	96	92	80
	テロリスト	3	1	1	3
	聞いたことがない	1	0	1	8
	その他	12	3	6	8
アルカーイダ	抵抗運動	67	8	70	41
	テロリスト	11	40	7	31
	聞いたことがない	3	4	2	8
	その他	20	49	21	20
武装イスラーム団(アルジェリア)	抵抗運動	33	2	32	20
	テロリスト	24	54	17	34
	聞いたことがない	17	21	16	30
	その他	27	23	36	16

出典：Center for Strategic Studies, University of Jordan, *Revisiting the Arab Street Research from Within*, Amman, Jordan, February 2005(http://www.mafhoum.com/press7/revisit-1.pdf)

同で実施した世論調査の報告書『アラブの街角再訪　内側からの調査』(*Revisiting the Arab Street Research from Within*)を見ると、彼らの掲げた二つの目標が二一世紀に入ってなお、アラブ・ムスリムの意識に多大な影響を与えていることに気づかされる。この世論調査はヨルダン、シリア、レバノン、パレスチナ、エジプトの四カ国・一地域で行われたが、キリスト教徒が人口の半分近くを占めるレバノン以外の三カ国とパレスチナにおける調査結果を見てみよう。

まず同胞団の掲げた二つの目標のうち、(一)イスラーム圏の外国支配からの解放に関連する調査項目としては「アラブ諸国民が諸組織を「合法的な抵抗運動」と考えている割合」が参考になる。この調査では、米国などによ

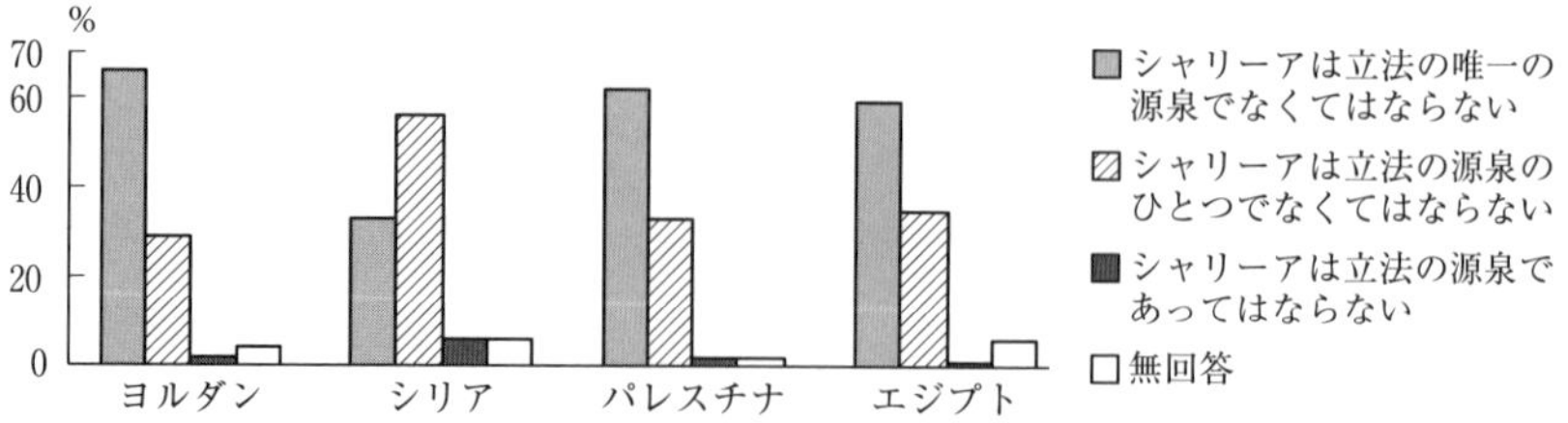

図 1　自国の立法におけるシャリーアの役割に関するムスリムの見解

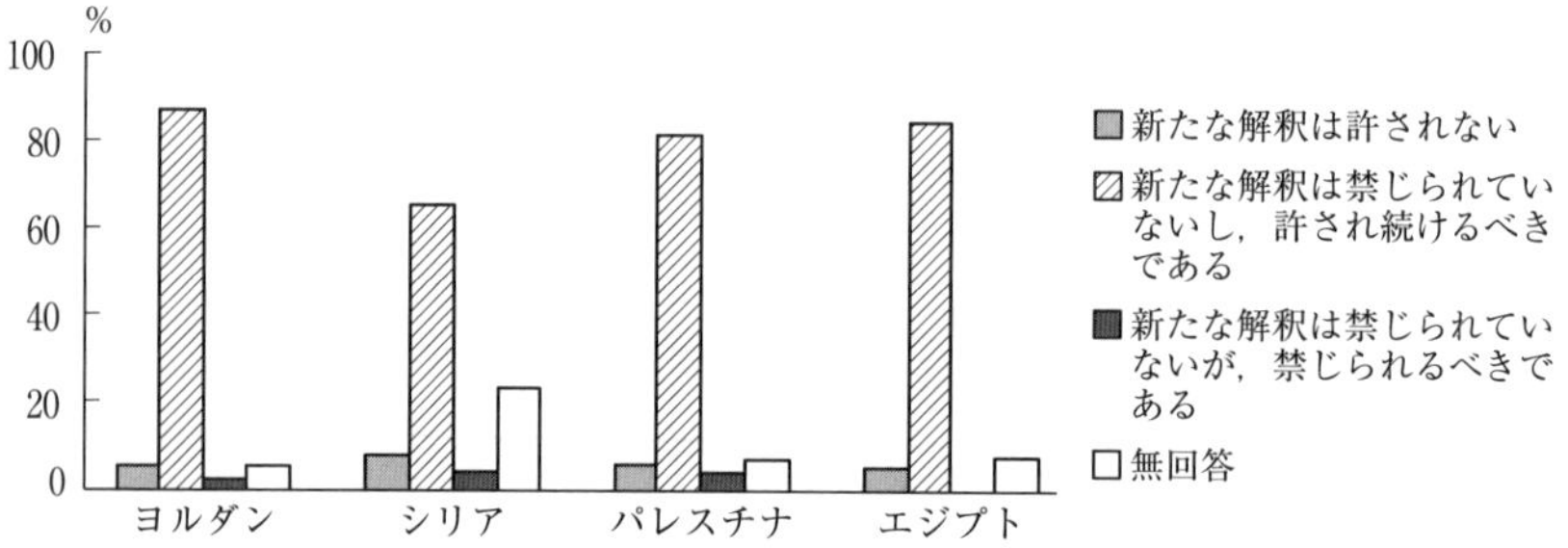

図 2　イジュティハードに関するムスリムの見解

出典：Center for Strategic Studies, University of Jordan, *Revisiting the Arab Street Research from Within*, Amman, Jordan, February 2005（http://www.mafhoum.com/press7/revisit-2.pdf）

って「テロ組織」に指定されている組織を「合法的な抵抗運動」と考えるか、テロリスト組織と考えるかが尋ねられているが、パレスチナやレバノンを拠点にイスラエルに対する武装闘争を行っているイスラミック・ジハード運動、ハマース、アル=アクサー殉教者旅団、ヒズブッラーについては、どの国・地域でも軒並み八割を超える回答者がテロリストではなく「合法的な抵抗運動」すなわちジハード組織と考えていた。アルカーイダや、アルジェリアで反政府武装闘争を展開してきた武装イスラーム団（GIA）については評価が分かれるが、パレスチナにおけるシオニズムとの戦いをジハードと呼び、帝国主義の時代に事実上忘れ去られていたジハードの義務をムスリムに思い出させようとしたバンナーの努力は、第四次中東戦争をサーダートがジハードと呼んだことと相俟って、二一世紀に入っても実を結んでいると言えるだろう。

一方、同胞団のもうひとつの目標であった（二）

『クルアーン』を憲法とする「イスラーム国家」の樹立、すなわちシャリーアの施行については、「自国の立法におけるシャリーアの役割に関するムスリムの見解」という調査項目が回答者たちの意向を教えてくれる。そこでは、「シャリーアは立法の唯一の源泉でなくてはならない」という回答と「シャリーアは立法の源泉のひとつでなくてはならない」という回答を合わせた数字がどの国・地域でも九割を超えており、回答者の大半がシャリーアの施行を望んでいることがわかる。もっとも、時代や環境に合わせたシャリーア解釈の革新、すなわち「イジュティハードに関するムスリムの見解」という調査項目では、新たな解釈は許されないと答えた回答者が一割以下に留まった一方、解釈の革新は今後も必要という意見がシリアで六割、その他の国と地域ではおおむね八割に達した。

このように見てくると、二〇世紀前半にムスリム同胞団が行った活動は同時代のムスリム大衆に留まらず、二一世紀を生きる多くのムスリムにも大きな思想的影響を及ぼしていると言っていいだろう。帝国主義の時代に急成長したムスリム同胞団は、今なお無視することのできない確かな歴史的意味を持っていたのである。

注

(1) ムスリム同胞団と同様の傾向と機能を持つ大衆イスラーム主義運動は、同胞団成立以降イスラーム圏各地で誕生したが、なかでも一九四一年にインドでアブル・アアラー・マウドゥーディー（Abū al-Aʿlā Mawdūdī、一九七九年没）が創設したジャマーアテ・イスラーミー Jamāʿat-i Islāmī の広範な影響力は注目される。彼らは一貫してイギリスによる南アジア支配に反対する一方、パキスタンが建国されると建国の父ムハンマド・アリー・ジンナー（Muḥammad ʿAlī Jinnā、一九四八年没）の掲げた議会制民主主義に基づく世俗国家の建設を厳しく批判し、シャリーアを施行する「イスラーム国家」の建設を追求した。

(2) 当時のイスラーム世界では、一五一七年にオスマン朝のセリム一世がエジプトを征服した際に、カイロにいたアッバース朝カリフからカリフ位を禅譲されて以来、オスマン朝君主が帝国内最高の政治権力者であるスルタンとカリフを兼ねることになったと広く信じられており、一般にこれを「スルタン・カリフ制」と呼ぶ。しかしながら今日では、アッバース朝からオスマン朝へのカリフ位の禅譲自体、一七八三年にロシアにクリミアを奪われた危機感から、オスマン朝が流布した「伝説」と考えられており、「スルタン・カリフ制」は後代の発明と見なされている。

参考文献

飯塚正人（二〇〇八）『現代イスラーム思想の源流』山川出版社。

横田貴之（二〇〇六）『現代エジプトにおけるイスラームと大衆運動』ナカニシヤ出版。

横田貴之（二〇〇九）『原理主義の潮流――ムスリム同胞団』山川出版社。

Al-Bannā', Ḥasan (1978), *Five Tracts of Ḥasan Al-Bannā' (1906-1949): A Selection from the Majmūʿat Rasā'il al-Imām al-Shahīd Ḥasan al-Bannā'*, trans. Charles Wendell, Berkeley, University of California Press.

al-Bannā, Ḥasan (2011), *Mudhakkirāt al-Daʿwa wa al-Dāʿiya*, Cairo, Mu'assat Iqrā.

al-Bannā, Ḥasan (2012), *Majmūʿat al-Rasā'il*, Cairo, Dār al-Suḥūḥ.

Baron, Beth (2014), *The Orphan Scandal: Christian Missionaries and the Rise of the Muslim Brotherhood*, Stanford, CA, Stanford University Press.

Center for Strategic Studies, University of Jordan, *Revisiting the Arab Street Research from Within* (http://www.mafhoum.com/press7/revisit1.pdf, http://www.mafhoum.com/press7/revisit-2.pdf)最終閲覧日二〇二二年一一月二七日。

Frampton, Martyn (2018), *The Muslim Brotherhood and the West: A History of Enmity and Engagement*, Cambridge, Massachusetts, The Belknap Press of Harvard University Press.

Gershoni, Israel (1986), "The Muslim Brothers and the Arab Revolt in Palestine 1936-1939", *Middle Eastern Studies*, 22.

Lia, Brynjar (1998), *The Society of the Muslim Brothers in Egypt: The Rise of an Islamic Movement 1928-1942*, Reading, UK, Ithaca Press.

Mitchell, Richard P. (1993), *The Society of the Muslim Brothers*, Oxford, Oxford University Press.

Rashīd Riḍā, Muḥammad (1931), *Ta'rīkh al-Ustādh al-Imām al-Shaykh Muḥammad ʿAbduh*, 3 vols, Cairo, Maṭbaʿa al-Manār.

Wickham, Carrie Rosefsky (2013), *The Muslim Brotherhood: Evolution of an Islamist Movement*, Princeton, NJ, Princeton University Press.

コラム｜*Column*

近現代のイスラームと家族

小野仁美

ムスリム（イスラーム教徒）の家族をめぐる法は、一九世紀末から二〇世紀前半にかけて大きく変容した。西洋の影響を受け、近代法の制定が進むなかで、家族法についても各国／地域ごとにイスラーム法の法典化が進められるようになったのである。それは、学説の集成として発展したイスラーム法学の変容をもたらしただけでなく、近代的な意味での「家族」が制度化されていく過程でもあった。

イスラーム法とは、聖典クルアーンに由来して形成され、一〇世紀頃までに整えられた規範体系で、複数の法学派ごとに儀礼行為や商取引、婚姻、刑罰、訴訟など幅広い分野を対象として、ムスリムの行動指針を示している。なかでも、結婚や離婚、扶養などの家族関連の規定は、古い時代の裁判記録が残されている地域もあり、実定法としても機能していたことがわかっている。イスラーム法において、結婚は契約であり、夫が妻に婚資や扶養料を支払う対価として、妻は夫の用意した住居で夫に従うことが求められる。女性にも財産権が認められたが、相続は同じ親等であれば男性の半分の配分とされた。ただし、妻が婚資や相続などで得た財産は、彼女自身のもので処分権もあり、女性自らが財産をめぐる訴訟を起こした事例も珍しくない。子は実子のみで養子は認められず、子の後見は父の義務であったが、離別や死別の際には母が監護権を優先するとされた。

それぞれの法規定は、法学派ごとに少しずつ異なる学説を伴った。スンナ派では四つの法学派が併存し、シーア派にも複数の法学派がある。たとえば、離婚の要件や監護者の条件などに、多くの細かい相違がみられる。法的な規範だけでなく、その実践の形態や内容も、時代や地域によって一様ではなかった。オスマン朝（一二九九－一九二二年）においては、スンナ派のハナフィー学派が公式学派として採用されたが、その時代の慣行や慣習を取り込み柔軟に運用されていた。

二〇世紀初頭、ムスリム諸国の家族法は、イスラーム法の規定を取捨選択して法典化された。一九一七年の「オスマン家族権利法」がその嚆矢であり、ハナフィー学派の規定を採用しつつも、イスラーム法で許容されていた一夫多妻を制限するなど、近代的な改革を施した。同法は、スイス民法由来のトルコ民法（二〇〇六年）によってトルコでは姿を消したが、シリアやレバノン、イスラエルなどの旧オスマン朝の領土ではその後も存続した。また、エジプトでは一九二〇年を皮切りに、複数の家族関連法が制定された。ハナフィー派法学を継承しつつ、一部にマーリク学派など他学派の学説を混在させ、女性の離婚権を改善するなどの試みがなされた。長らく法学派ごとに継承されてきたイスラーム法は、その性質を大きく変化させたといえる。

では、家族法の法典化は、ムスリム社会の家族にいかなる影響を与えたのだろうか。そもそも当時はまだ、家族というまとまりが意識されるようになって日が浅かった。文化人類学者のタラル・アサドは、ムスリム社会における「家族family」という概念が、近代の産物であることを論じている。アサドは、一九世紀末に活動したエジプトのムハンマド・アブドゥによるイスラーム法廷の改革や、カースィム・アミーンの著作『女性の解放』(一八九九年)に示された「単婚の核家族」という理想の家族像を例に、新しい時代の要請への呼応としての家族概念を説明した(『世俗の形成――キリスト教、イスラム、近代』みすず書房、二〇〇六年)。

しかも、人々が家族を示す言葉から想起するのは、核家族や拡大家族、あるいはより広く血縁を有する一族などさまざまであった。近代エジプトの社会経済史を研究する長沢栄治が示すように、アラビア語で家族を示す言葉は、アーイラ、ウスラ、アフル、アールなど複数あるが、それぞれに厳密な定義や固定的な用法はない。ウスラの語が核家族や世帯を示すようになり、アーイラの語がより広い家族・親族をも示す傾向をもつようになったが、それらは互換的に使用されることもある。家族とは、伸縮自在な概念であり、その実態も多様であった(『近代エジプト家族の社会史』東京大学出版会、二〇一九年)。

家族法の法典化によって、国家が家族に介入しうるようになった。このことが、家族に現代的な意義をもたらすと同時に、新たな問題を作り出すことにもつながったのではないだろうか。元来のイスラーム法は、夫と妻、父と子、母と子など個人それぞれの間の権利義務を規定するものであって、家族という単位は明示されず、特定の家族形態が議論されることもなかった。家族法の法典化によって、家族は国家を構成する最小単位となり、婚姻や出生を登録することで国家に把握され、管理される存在となったのである。

チュニジアでは、国家主導の立法による「身分関係法」が独立直後の一九五六年に成立し、そこでは男性父系血族の絆の解体と核家族化が目指された。同法は主にマーリク学派に依拠しつつも、一夫多妻や男性からの一方的離婚を禁止し、女性の権利を拡大したことで有名である。しかし一方で、そこで示された新しい家族像は、夫を「家長」とする核家族であり、それは国家によって把握されるべきものとなった。

なお、ムスリム諸国といっても多様であり、宗教ごとに異なる家族法が制定され、ムスリムにのみイスラーム法由来の家族法が法典化された国もある。各国の家族法の歴史と現代における展開については、森田豊子・小野仁美編『結婚と離婚』〈イスラーム・ジェンダー・スタディーズ一〉(明石書店、二〇一九年)に詳しい紹介があるので、参照してほしい。

焦　点　Focus

集点｜*Focus*

労働とジェンダー
——交差する分業体制

石井香江

はじめに

一九世紀後半から二〇世紀前半の世界は、農村社会から産業社会への転換、帝国主義・植民地主義、大衆消費社会の進展、二度の世界大戦に特徴付けられる。成長分野が化学・電機産業、貿易・商業、交通に移行し、産業の中心地が生まれ、都市が急速に発展した。この過程において、男女はますます非対称的で、異なる扱いを受けるようになった。この傾向が顕著に見られたのが労働市場である。この時期になると、男女の就労可能な領域は、国家、雇用主、組合により定義され、労働者もこの過程に——期待された役割を内面化したり、あるいはそれに抵抗することで——関わるようになった。西欧の市民的な価値観と医学・生物学など新しい科学の〈知〉が、男女の特性、男女に適した職業についての判断基準となっていた。そしてこの世界観が、欧米列強の膨張と共にアジア・アフリカ地域にも伝播し、在来のそれと軋轢を生んだり、結びついたりした。(1) さらに、この世界観に階級や「人種」という要素も交差していた点に注意しなければならない。(2) 同じ階級でもジェンダーや人種が異なる場合、また、同じジェンダーでも階級や人種が異なる場合、期待される役割や適するとされた職業、労働の形態は異なっていたからである。

アリス・ケスラー＝ハリスは、名著『女はいつも働いていた』第二版の謝辞で「私たちは女性と男性を固定的で、相互に接点のない別個のカテゴリーともはや考えないし、従来のように、労働過程の有償の側面だけを「労働」として理解はしない。人種、ジェンダー、階級は個別に経済や社会を変化させることはない。今やこの三つの要素は、歴史のナラティヴにおいて切り離して考えることはできない」と記している(Kessler-Harris 2018: ix)。ここでは、人種・階級・ジェンダーが不可分であること、「労働」の範囲や種類、幅の広さに目が向けられている。事実、歴史を振り返れば、人は有償であるか否かを問わず何らかの活動を行い、女の仕事／男の仕事、ホワイトカラー／ブルーカラー、3K労働という線引きが行われてきた。この過程は「女」と「男」、そこに階級と人種も交差する関係史であり、多くの場合、不平等を内包する分業体制を生み出してきた。例えば現在、グローバル化の進展により、家庭内での無償のケア労働(介護・家事・育児など)を家族の誰かが担うだけでなく、先進諸国の子どもや高齢者のケアを非欧米諸地域の人たちが担う複合的な問題へと発展している。

有償・無償、時には強制的な形態をとる労働と、その担い手のジェンダー・階級・人種が交錯する平時の状況は、戦時下でより明確なものとなったといえる。戦時の活動は大抵、「国民」としての義務、戦時捕虜への懲罰などとして認識され、無償労働と同様に労働として意識化されないが、女性の無償労働が近代社会の経済システムを下支えしているように、軍隊や「銃後」での活動も戦争継続に不可欠な分業体制として捉えることができる。

本稿では、この分業体制のトランスナショナルな移転ではなく、欧米における展開過程に注目し、時期としては二つの世界大戦期と戦間期(一九二〇年代)に目を向ける。地域としてはヨーロッパ、特に労働とジェンダー・階級・人種の交差性を明確に確認できるドイツを中心に検討したい。

一、第一次世界大戦期の労働とジェンダー

軍隊とジェンダー

現在でこそ女性兵士の存在は珍しくはないが、近世において兵士はもっぱら男性であり、女性は前線と銃後の双方で兵士の日常を支える労働(食事の用意、看護など身の回りの世話、「性的サービス」などを含む)を行っていた(Sjöberg 2011)。女性が男装をして自ら兵士となる例もあったが(van de Pol and Dekker 1989)、軍隊とは一般的に男性が経験を積み、収入を得ることができる場とされていた(Zürcher 2013)。ところが一八世紀末になると、兵士となることは国家に対する奉仕と見なされ、男性の「名誉」として位置付けられるようになる。男性を対象にした徴兵制の導入、兵士に対するシティズンシップの付与、他方で脱走兵、良心的兵役拒否者や戦争神経症を患った兵士の排除、女性による兵士慰問活動などの戦時福祉(Kundrus 1995; Hagemann 2002; 小関 二〇一〇、林田 二〇一三、北村 二〇二一)に着目すると、以前はそれほど明確でなかったジェンダーを、戦争と軍隊が二極化したことが分かる。

本節では第一次世界大戦期のヨーロッパに主に焦点を当てて、労働とジェンダーの関係が戦前と比べてどのように変化し、あるいは、変化していないかについてみていきたい。

総力戦と労働力の動員

ドイツの軍人であったエーリッヒ・ルーデンドルフは、国家と国民の物質的・精神的能力の全面的な動員を要する戦争を「総力戦」と定義した(Ludendorff 1935)。兵士は前線で戦闘を継続し、残された家族は生きるために、戦車や大砲などの軍需物資に加え、生活物資の供給を絶えず迫られた第一次世界大戦は、まさに総力戦であった。戦争が継

続し、犠牲者の数が増え、男性の熟練労働者の確保が困難となると、男女の未熟練労働者が国内外から動員され、英仏独の植民地・占領地の住民には労働が強制されることもあった(Proctor 2010; Thiel 2013; Westerhoff 2013)。また、軍需産業を中心とする産業構造への転換で、他の産業の労働者の需要が著しく減少し、繊維産業に従事する女性を直撃した。このためドイツでは、行政府が繊維産業の生産量と労働時間を調整し、失業手当を支給することで、軍需産業における戦時動員を推進したのであった(Wall and Winter 2010: 281)。

戦時中に砲弾工場で働く女性労働者の存在は写真を通してよく知られているが、軍需産業で働く女性の増加は確かに各国で確認できる。例えばロシアでは一九一三－一六年に冶金や機械製造に携わった全労働者に占める女性の割合は六%から一八%に、土木工事や化学工業でも全体として三〇%から四〇%に増加している(Gatrell 2005: 67-68)。フランスでも一九一四－一七年に自動車メーカーのルノーで働いていた女性の割合は四%から三〇%に増えている(Wrigley 1993: 129)。イギリスでは一九一六年七月から翌年六月まで、労働力人口の半数を女性が占めるほどであった(Culleton 2000: 1)。他方ドイツでは未就労の女性を動員することは困難だった。その背景にはインフレによる貨幣価値の低下、労働保護規定の停止による労働時間の増大、弾薬を製造する際の爆発、さらに皮膚や髪が緑色に変色するトリニトロトルエン中毒などの労働災害の増加(Daniel 1989: 72)に加え、イギリスと同様に兵士の妻に支給された家族手当の存在があり、有償労働のメリットは少なかった。さらに、親族の男性が不在という状況で軍需工場や軍隊で時に男性と共に働く女性の性道徳を疑うような風潮(Darrow 2000)も、ミドルクラスの女性の選択に影響を与えていたかもしれない。それでも戦時中に軍需産業で働いていた女性の多くが、ドイツでは戦前にも就労経験のある労働者階級の出身であり、以前の仕事(例えば家事奉公人)と比べて労働条件が相対的に良い軍需産業に移動してくる傾向があった。戦時中に初めて就労することになった女性の多くは、小さな子どもの世話や家事をしながらでもできる家内労働に従事し、兵士用の制服や靴、ガスマスク、毛皮のコートや砲弾を入れる籠などを製作していたという(Daniel

1989: 65)。

福祉的配慮と新たな問題

女性、若者、農業労働者など未熟練労働者が多いことに配慮し、また生産効率を上げるために、戦時中にはイギリスでも戦時福祉(「工場管理」に「福祉管理」を連結させる)が行われ(武田 二〇一九)、フランスでも労働過程を機械化して作業を容易にする工夫がなされた。しかしこれが、未熟練労働者は戦時中に限定的な「代替労働力」であるという印象を強めた(Darrow 2000: 187)。熟練労働者を中心とする組合はこれを「労働希釈」として批判した。

また、ドイツでは従来、重労働であるという理由から、女性が働くことが前提とされていなかった郵便・小包の仕分けや郵便配達などを担当する下級官吏の業務にも、女性が大量に導入され、福祉的配慮が進んだ。例えば、戦時中エアフルトの郵便局では官業の郵便・電信局よりも賃金水準の高い軍需工場や民間企業に移動する局員が多くいたのに加え、それまで配達業務で補助的労働力であった年配の男性たちが召集され、深刻な労働力不足に悩まされていた。そこで、それまで男性だけが担当していた配達業務にも、女性を大量に導入することになる。計一二五人の補助労働力が、平均してわずか一日の内に養成され、非常に安い日給で、先ずは週六一時間勤務させられることになった。郵便監督局の史料によれば、「常勤という労働形態が家事と子どもの世話をする上で最も大きな障害となっている」ことが判明し、子どもを持ち、家庭責任のある母親の生産性がおもわしくない場合、二人の女性を半日交代で勤務させるなどの工夫がなされたという(石井 二〇一八:一七四―一七六頁)。

他方で、戦時中に低下した実質賃金、安全性、食糧事情の悪化に対し、労働者は猛然と抗議を始め、開戦当初は減少したストライキの数は、一九一六―一七年には増加した。ドイツでは「カブラの冬」と呼ばれるヨーロッパの食糧危機の時期(一九一六―一七年の冬)に、食糧価格が高騰し、女性は食糧を手に入れるために長蛇の列に並び、闇市などでも調達を迫られる中、社会的抗議として食糧デモに参加した(Wall and Winter 2010: 125, 267-296)。また、労働時間の延長が労働者の不満を大きくし、テイラー主義が職場に取り入れられ、労働生産性が管理されるようになったこと、ルノーでは工場への通勤時間の長さによる疲労も労働災害が増加した要因として挙げられている(Wrigley 1993: 129)。

新しい分業体制のその後

塹壕戦と戦線の膠着化で四年にもわたった大戦終結の二日後、一九一八年一一月一三日に、フランスの軍需大臣ルイ・ルシェールが、「女性が爆発物を製造する必要はもうない。〔中略〕今や女性はかつての役割に戻り、平時の活動にエネルギーを投じることで、国家に奉仕できるのである」と発言している。この発言に代表されるように、戦後には平時へと戻る圧力と期待の中で、軍需産業で働いていた女性は失業するか、元々従事していた「女の仕事」へと戻って行った。例えばフランスの自動車メーカーであるシトロエンでは、一九一九年二月までに六〇〇〇人近い女性が全て解雇されたという(Darrow 2000: 214-215)。

ドイツでも予想されたよりも多くの女性が、戦後には主婦となっていったという(Wall and Winter 2010: 61)。戦時中には女性を事務系下士官、看護兵のみならず軍医や「ハローガール」という通信兵として軍隊に導入したアメリカでも(Cobbs 2017)、一九二〇年における女性の労働力人口は一九一〇年のそれよりも低かった。しかしそこには女性自身というよりも、男性労働者の利害を代表する組合と国家の意向が強く働いていた(Kennedy 2004: 285)。社会構造にのみ着目すれば、戦時中の変化というのは、総力戦の要求に応じて女性を労働動員するための一過性の現象であり、戦間期のジェンダー秩序を本質的に変化させることはなかったということになるだろう。ジェンダー秩序とは、性別分業のように、歴史的に構築された男女間の権力関係のパターンを意味している(Connell 1987: 160-166)。

二、戦間期の労働とジェンダー

新しい時代の幕開け?

第一次世界大戦中、兵士として召集された男性に代わり、女性が職場に戦時動員され、軍隊の補助員、軍需工場の労働者、バスや貨物輸送車の運転手、電話交換手や電信技手、郵便配達人などとして前線と銃後の双方を支えることになった。戦後、こうした戦時貢献の見返りとして、欧米の多くの国々で女性参政権が実現したとされる。また、戦間期には世界中の国々で、長い髪を短くして流行のスタイルに身を包む働く未婚女性が、「新しい女」としてメディアを賑わし、女性の「解放」は進んだかのように見えた。しかし、就労経験のなかった女性が戦時中に労働市場に参入するのは稀であったことに加え、女性には男性と異なる「特性」があるという考え方の影響で、職場や家庭での平等の実現は阻まれていた。戦間期(一九二〇年代)には第三次産業の拡大で女性の事務系職員や官吏、販売員の数が著しく増えたものの、女性の就労活動は、母・妻という当時支配的な女性像と折り合う「女の仕事」に限定されていたからである。戦間期の女性をめぐる解放的で華やかな像とは裏腹に、電話交換手のように女性職として定着していた職種を除けば、女性は復員した男性に仕事を明け渡さねばならず、共稼ぎ夫婦に対する風当たりも強かった(石井 二〇一八:一七八―一八一頁)。

「新しい女」という現実と虚像

戦間期には都市部を中心に、当時まだ支配的な女性像であった母・妻とは無縁の「新しい女」像が花開いた。「新しい女」としてメディアに登場した女性の職業で特徴的なのは、パイロットや作家・芸術家など少数の前衛を除けば、タイピスト、店員、電話交換手など、若年層が多く、ある種の熟練を要する仕事でありながら低賃金で、将来の展望のない「女の仕事」に集中していた点だ。このため、働いて自立する「新しい女」は虚像であり、実際は消費志向の強い、非政治的で無自覚な存在であったとする見方が日本にも存在したが、[3]社会構造だけではなく主体の意識も重視する近年の研究では、前線と銃後で積んだ経験と自信、さらに、法的には参政権の付与が女性の中に両性は平等であるという自覚を生み出したこと、それが戦間期のジェンダー秩序を動揺させていた影響力に着目する(Canning 2006: 233)。事実、サービス産業化の中で生まれた働く若い女性像は、近代社会のシンボルとなり、欧米をはじめアジア諸地域でも注目を集め(Sato 2003; 早川 二〇〇七)、「精神的母性」を掲げて兵士に慰問袋を送るなどの戦時福祉に邁進した女性活動家や、「母性」に個人的・政治的思いを込めていた人びと(姫岡 一九九三)の女性像を撹乱させることにも繋がった。例えば「母性」が戦後のナショナリズムの装いを帯びた人口政策の追い風ともなった一方で、「新しい女」が実践する中絶やコンドームの使用などの産児制限は処罰の対象ともなった(Wall and Winter 2010: 389-416)。その後ナチスはこの流れの延長線上で、結婚資金貸付制度や家族援助金制度を通して家族形成を後押しし、多子家庭の母親にはドイツ母親名誉十字章を与え、母の日を祝日とすることで、ナチスが理想とするジェンダーや家族像を喧伝した。「アーリア人種」を増やす異性愛は奨励する一方で、異人種間の性行為、つまり人種の混交、中絶や生殖を目的としない同性間の性行為は取締りの対象としたのである(田野 二〇一二：六九—一六六頁)。

職場におけるジェンダー秩序

ナチスをはじめファシズムを明確に定義するのは困難だが、共通するのは、ネイションや人種の共同体を分裂させうると考えられていた社会主義やフェミニズム、ユダヤ人を嫌悪し、男性は公的領域で活動し、女性は私的領域で家事・育児に専念するというように、男女の役割を二分した点と言える。戦間期、特に合理化の時期において、極右やファシスト政党の間で、生物学的に女性は男性とは全く異なるとするイデオロギーが強まった。男女間の分業を支持し、女性の就労に異議を唱えることとさえあったが、ファシズムのイデオロギーと戦時期の労働市場における現実は矛盾を孕んでもいた。生産性やサービスの向上という経済的観点からすれば、女性を労働市場から完全に排除することはできなかったのが事実である。しかし戦間期と同様、女性には、男性のように長期勤続し、管理職に昇進することは期待されていなかった。日本では「オフィスガール」や「職業婦人」、欧米では「新しい女」とも呼ばれ、働く若い女性は脚光を浴びたが、結婚すれば仕事を辞めるものとされていた。この、性別によって異なる職務や職位を割り当てる慣行・仕組みは、戦前から続く産業化・資本主義化のプロセスに伴ってグローバルに伝播した。欧米やファシズム国家に限られた現象ではなかったのである(Frevert 1986; 佐藤 二〇〇三、姫岡 二〇〇四、石井 二〇一八)。確かに、第一次世界大戦後には、ソ連、イギリス、ドイツ、アメリカなど多くの欧米の国々で形式的には女性に参政権が認められた。これは、日本や中国、韓国・朝鮮では一九四五年以降に認められているのに比して早いものの、職場での性別分業という現実的問題は第二次世界大戦後も続いていた。

職場での性別分業の問題について、一八七一年にドイツ帝国が成立したのを機に設立されたドイツ帝国郵便を例に考えてみたい。ドイツ帝国郵便は第二次世界大戦が終結するまで、郵便・貯金・電信・電話事業などを担い、女性を含む多数の労働力を抱えた公企業である。ほぼ同じ時期に欧米で、日本を含むアジア諸地域ではこれに遅れて、相互の経験を参照し合いながら、電信・電話という新しい技術を扱う通信事業にいち早く女性が採用された。多くの国で電話交換業務は元々男性が担っていたが、電話技術の改良を機に男性から女性に切り替わった。表向きは受話器越しに聞き取りやすい女性の声の高さ、機転や配慮、利用者の苦情への対応の仕方が、男性にはない女性の「適性」として評価されたためである(石井 二〇一八：七七、一七七、一八一―一八二頁)。こうした男女の「適性」を定める考え方の雛形を作り出したのは、市民的な価値観と社会ダーウィン主義であった。社会ダーウィン主義は、「文明化」の過程で男女の違いは大きくなるとし、これは階級や人種によっても異なっていた(Russett 1989)。「科学」の装いゆえ影響力を持った特性論は、女性の中にも支持者を見出した。「母性」をはじめとする女性の「適性」を生かした職域の創出は、女性の社会参画の後押しもしたからである。

ドイツ帝国郵便で働く女性の数が劇的に増加したのは戦間期である。しかし、女性は一定の勤続年数を経て正規の官吏として任用される者もいれば、出勤した日数に応じて賃金が支給される不安定な臨時職員として任用されるなど、男性とは異なる条件で雇用される者もいた。女性は正規の官吏になったとしても、独身義務条項が課され、結婚をすれば退職が義務付けられていたように、家族を養う男性とは異なる処遇を受けて当然だとされた。それでも、民間企業に選択肢の幅が広がるまでは、社会的威信が高く、「結婚市場」としても魅力的な公企業は、女性に人気が高く、内部からの批判は低調だったとされる。しかし、女性官吏の一部は女性特有の状況を変えようと職能組織を設立し、機関誌も発行するなど、組合にも似た活動を行っていたことは特筆すべきである(石井 二〇一八：一三七―一五六頁)。

一九一八年初頭までに、ドイツ帝国郵便の男性官吏・職員のほぼ半数が戦争に動員され、多くが戦死した。この欠員を埋めた女性の「補助労働力」の戦時貢献は、社会的にも評価されたが、戦後、経営側も復員兵も、女性は短期間で養成された「未熟練」の労働力であるという理由で、女性の就労継続に反対した。他方、各地域の郵便・電信局はこの動きに強い困惑を示している。利用者に質の高いサービスを提供しなければならない末端の局にとって、熟練者を手放すことは大きな痛手となったからだ。そこで、電話交換業務に限っては、引き続き女性を使用することが明確化されたのだった(同：一七〇―一八二頁)。

続いてナチ期の労働とジェンダーに焦点を当てる。これはナチスを唯一無二の体制としてではなく、他の国々にも共通する特徴を持つが、分業体制の交差性が明確な事例として採り上げている。

三、ナチ期の労働とジェンダー

ナチス・ドイツの女性の労働動員

ナチス・ドイツは女性を労働動員せずに、労働から排除していたという見方が一般的である。実態としては、ナチスは労働者階級や下層中間層の女性については労働動員したが、彼女たちの不満を解消するために中・上層階級の女性の労働動員を行うことはなかった。それは、中・上層階級の女性の社会的統合を阻むことになりえたし、企業側も工場労働の経験のない専業主婦の「身体的・専門的」適性に疑いを持っており、低賃金だが、「働く意欲も能力も高く」、「要求の少ない」外国人を調達しようとしたからだ(矢野 一九九一：一九八頁、矢野 二〇〇四)。

とはいえ、中・上層階級の女性が必ずしも暇を持て余していたわけではなかった。近年では、ナチス・ドイツの戦時経済を特徴づけ、不可欠なものとなっていた「未就労女性」の無償労働、主戦場としての台所に目が向けられている(Buggeln and Wildt 2014: 33-51; 藤原 二〇一六)。ナチ期に刊行された官製女性雑誌には、肉を使わない週間献立の提案、代用品を使う工夫の数々、食料切符の不足を補う菜園作り、石鹸を使わない洗濯方法や石炭の節約方法など、物不足の戦時期を乗り切るための家庭の知恵が満載で、ナチスが主婦に無駄を排することを期待していたことが分かる。また、召集された男性に代わり耕地を耕す他、家禽の世話、特設幼稚園での子どもの世話、農村女性の留守の間の家事仕事を引き受ける全国女子労働奉仕団員の活動もそこで紹介されている。さらに、工場労働に動員された労働者階級の女性たちの子どもたちを、未就労の中流階級の女性たちが世話していたとされる写真や、国防軍補助員として高射砲の操作を学ぶ写真も掲載されている(桑原 二〇二〇：二七一－二八〇頁)。これらはプロパガンダである疑いも拭いきれないが、女性の動員に失敗したとも言える第一次世界大戦時と比べ、国防軍女性補助員、親衛隊員の妻、ソーシャルワーカーなどとして、国境を越えた活動の場が女性に用意されていた第二次世界大戦時は、女性の「自発的」志願が増えたという指摘もある(Kramer 2011)。

ナチ期の女性の活躍の場

ナチスの女性像を象徴するものとして、一九三四年九月八日の党大会におけるヒトラーの演説がよく引き合いに出される。男女にはそれぞれ異なる適性があるという非対称的で相補的なジェンダー観である。男性は国家と共同体のために奉仕し、女性は家族、子ども、家庭に義務を負うというものである。ヒトラーは女性解放をユダヤの思想として退けた一方で、「ナチス女性運動」の功績、ナチスの組織で活動する主婦・母親たちの社会的貢献を称えた。

こうしたイデオロギーを反映するかのように、確かに既婚女性の官吏など専門職の女性に対する共稼ぎ反対キャンペーンが展開され、女性の就業放棄を条件に、一定額を限度に男性工業労働者の月収の四―五倍の額を貸し付け、子どもが生まれるとその債務を削減する結婚資金貸付制度や、召集兵士の家族のための家族援助金制度が存在した。確かにこれらの制度が女性を就労から遠ざけることになってはいたが、ナチスの有力者たちの女性労働に対する見解は一枚岩ではなかった。女性の就労を阻むことが、ナチスの労働政策の核心をなしていたわけではなく、一貫した目標でもなかった。女性の労働はナチスの基本綱領に従うもので、矛盾するものではなかったのだ。ドイツ労働戦線女性局、ナチ女性団の指導者として知られるショルツ゠クリンクも働く女性だった。しかも、ヒトラーのイデオロギーでもあり、ナチ期に支配的であった男女は異なるニーズを持つという考え方は、女性に新たな仕事とキャリアの可能性を切り拓いた。女性の容疑者や受刑者を扱う警察官や強制収容所の看守もその例である。他方で、ヒトラーは一九三六年九月に女性が判事や弁護士になるのを許可しないように指示したため、威信の高い職業に進出する女性は少なかった。

つまりナチ期の女性は一律に労働市場から排除されたというのではなかった。戦間期に見られた性別分業の傾向が、この時期、結婚資金貸付制度や家族援助金制度などの支えを得て顕著になったのである。労働者階級や下層中間層の女性が未熟練労働を担う一方、中・上層階級の女性は一方で女性職に就き、他方でナチ期に一層高い価値を与えられる家事・育児に注力した。家事・育児は無償労働ではあったが、一九三八年一二月にドイツ母親名誉十字章を通じて顕彰されることになり、一九四二年五月には働く母親のための母性保護法が公布され、家事手伝いや家内労働者、農業労働者の女性も適用対象となった(Buggeln and Wildt 2014: 41-45)。

ナチ期のドイツ帝国郵便と労働力の再編

一九三九年の職業統計によれば、公企業や民間のサービス産業で働く事務職員と官吏の数は一九二五―三九年に男性は五二・五%、女性は六八・三%、労働者に至っては一四九%増加している。この多くを吸収していたのが、国内で最大規模の公企業である帝国郵便であった。女性の雇用主としての帝国郵便の存在感は、戦時期も依然として大きかった。

一九三四年一二月二一日、逓信省は再軍備を前にして、帝国郵便内の多数の男性が召集されるのを見据え、郵便補助手として勤務していた女性職員を官吏にする措置に同意した。一人の例外を除けばこの女性たちの全員がナチ党員で、独身、二四―三三歳で、五―一七年間帝国郵便に勤務していた。しかし、宣伝省や航空省、ルフトハンザなど労働条件のより良い職場は存在し、帝国郵便における労働力不足が問題化していた。帝国郵便は多くの女性労働力を募集するために、既婚女性の再雇用、学歴・年齢などの入職条件を緩和した。当局のこうした現実的な措置はしかし、ナチスの労働市場政策とも、逓信大臣ヴィルヘルム・オーネゾルゲの意向とも一致するものではなかった。オーネゾルゲは、女性がなるべく多くの仕事を男性失業者に明け渡すよう望んでいた。また、入職条件の緩和により就業者の低年齢化が進んだが、これはヒトラーユーゲントへの所属を入職の条件に望むナチスの意向とは噛み合わず、現場の側も経験があり熟練した女性局員のポストを男性に明け渡すことに抵抗した。その結果、一九三七年一二月二一日の逓信省の指令で、電話交換業務をはじめ事務や経理など典型的な女性の仕事については就労の継続が可能となった。さらに、将来的には官吏に任用され、女性の郵便書記官のポストが増え、昇進過程も女性に有利なように整備される見通しが伝えられた。一九三八年には、採用者の年齢の上限が引き上げられた。

一九三九年一月に帝国郵便で働く女性の数は四万五五六六人、その内の三万五七一人が官吏だった。女性の官吏の数は確かに増加したが、経済相が官吏の昇給を拒んだこともあり、労働力不足が慢性化した。その結果、ナチ党員でなくとも官吏とし、昇格させるのを許可することになった。また、同年春にヒトラーがドイツ・ポーランド不可侵条約とイギリス・ドイツ海軍協定を一方的に破棄し、開戦を間近に控えたこの時期、兵役召集される男性に代わり、募集・採用年齢の上限である二五歳を超えた女性の採用件数も増え、国民学校の生徒の応募さえ許可された。さらに、一九四〇年から女性局員はドイツ女性事業団の提供する家政学の授業を無料で受講できるようになり、翌年からは中級業務向けの講習が提供される合宿への参加も可能となり、電信局でも女性の短時間労働の可能性が広がった。召集された男性を代替するため、次々と女性の応募を促す配慮や工夫がなされたものの、それでも解消されない労働力不足を埋め合わせるために、強制労働のためにドイツに連れてこられたポーランド人、さらにロシア人の「東部の女性労働者」が郵便業務にも動員され、劣悪な条件で働かされることにもなった(4)(Woniak 2020; 石井 二〇二二：二二一頁)。

おわりに

産業化とその暴力的な膨張でもある戦争は、多くの国々で女性をはじめ労働市場で周縁化されていた人びとに可能性を切り拓くかに見えたが、それは多くの場合、彼・彼女らを不平等を内包する分業体制に組み込むことを意味していた。例えばドイツ帝国郵便の事例では、女性は「適性」のあるとされた低賃金で頭打ち感のある女性職に集中し、昇進の可能性も限定的であった。労働力不足という事態になってようやく労働条件の見直しもされ、従来は男性専科であった職場にも女性が進出しているが、第一次・第二次世界大戦期ともにそれは非常時の例外とされた。このため、帝国郵便よりも良い労働条件の職場に移動するという労働者の行動も、労働力不足を加速化させた。その穴埋めが、同じ女性ではあるが外国人労働者に強制されたという事実は、この分業体制による解放の射程が「民族共同体」内部に閉じられ、他の地域や「人種」の人びとの犠牲の上に成り立っていたことを示している。

本稿で見てきたように、戦時中の変化というのは、総力戦の要求に応じて多くの人間、特に生産・再生産労働に不可欠な女性を動員するために一時的に必要であったに過ぎず、戦後のジェンダー秩序を本質的に変化させることはなかったかもしれない。しかし、社会構造に加えて主体の意識を重視するのであれば、戦時中の経験がその後、ジェンダー秩序を動揺させるポテンシャルともなりえることは、戦間期の事例からも窺える。これが各地域の戦後の変化に繋がっていく起爆剤となるかどうかは、今後の実証研究が俟たれるところだ。

労働とジェンダーに着目すると、本稿で検討した二〇世紀前半と比べて、後半には国家の役割、国家と人びとの関係が変化していることが分かる。戦前には母性保護法などのように、社会政策を通じてジェンダーに起因する問題を是正する可能性もないわけではなかったが、国家はその時々の経済体制・政治形態にも影響され、必ずしも信頼に足るパートナーではなかった。今後、社会のグローバル化、デジタル化、AI化が一層進展する中、国家の役割、国家と人びとの関係、そして人びとの意識はどのように変化し、それが、ジェンダー・階級・人種の織りなす分業体制に、どのような影響を与えるのか。引き続き動向を見守りたい。

注

（1）「文明化」の尖兵として宣教師やその家族らが果たした役割も無視できない。南洋諸島に関してはLoosen(2014)、アフリカ地域に関しては富永・永原(二〇〇六)、上記地域を含む近年の世界的な研究動向に関しては浅田・榎・竹田(二〇二〇)に詳しい。

（2）現在、社会学・ジェンダー研究では、「インターセクショナリティ(交差性)」(Crenshaw 2017)という概念のもとで、ジェンダー、階級、人種に加えて、宗教、障がいの有無、セクシュアリティという諸要素の重なりも、一層意識されるようになっている。

（3）一九七〇年代には、体制に順応した無名の女性たちの生活史に目を向けた村上信彦と、女性解放史を重視した井上清らの間で女性史論争が展開された(古庄 一九八七)。

（4）強制労働とジェンダーというテーマと関連して、第二次世界大戦中にナチス・ドイツに徴集されたアルザス人・モーゼル人の男性(マルグレ＝ヌー)に遅れ、女性(マルグレ＝エル)の研究はようやく近年始まっている。「歴史から消去されてきた」と表現されてもいるが(Anstett 2015)、労働は強制か自由意思だったのかが戦後に鋭く問われた地域では特にこの傾向が見られる。

参考文献

浅田進史・榎一江・竹田泉編(二〇二〇)『グローバル経済史にジェンダー視点を接続する』日本経済評論社。

石井香江(二〇一八)『電話交換手はなぜ「女の仕事」になったのか——技術とジェンダーの日独比較社会史』ミネルヴァ書房。

石井香江(二〇二一)「女の仕事／男の仕事のポリティクス——ドイツ帝国郵便における性別職務分離の見取り図と展望」『史林』第一〇四巻・第一号。

北村陽子(二〇二一)『戦争障害者の社会史——二〇世紀ドイツの経験と福祉国家』名古屋大学出版会。

桑原ヒサ子(二〇二〇)『ナチス機関誌「女性展望」を読む——女性表象、日常生活、戦時動員』青弓社。

古庄ゆき子編集・解説(一九八七)『資料女性史論争』ドメス出版。

小関隆(二〇一〇)『徴兵制と良心的兵役拒否——イギリスの第一次世界大戦経験』人文書院。

佐藤千登勢(二〇〇三)『軍需産業と女性労働——第二次世界大戦下の日米比較』彩流社。

武田尚子(二〇一九)『戦争と福祉——第一次大戦期のイギリス軍需工場と女性労働』晃洋書房。

田野大輔(二〇一二)『愛と欲望のナチズム』講談社。

富永智津子・永原陽子編（二〇〇六）『新しいアフリカ史像を求めて――女性・ジェンダー・フェミニズム』御茶の水書房。
早川紀代編（二〇〇七）『東アジアの国民国家形成とジェンダー――女性像をめぐって』青木書店。
林田敏子（二〇一三）『戦う女、戦えない女――第一次世界大戦期のジェンダーとセクシュアリティ』人文書院。
姫岡とし子（一九九三）『近代ドイツの母性主義フェミニズム』勁草書房。
姫岡とし子（二〇〇四）『ジェンダー化する社会――労働とアイデンティティの日独比較史』岩波書店。
藤原辰史（二〇一六）『決定版　ナチスのキッチン――「食べること」の環境史』共和国。
矢野久（一九九一）「大戦期ナチス・ドイツにおける女性労働動員（下）」『三田学会雑誌』八三巻四号。
矢野久（二〇〇四）『ナチス・ドイツの外国人――強制労働の社会史』現代書館。
Anstett, Marlène（2015）, *Gommées de l'histoire: des Françaises incorporées de force dans le Service du travail féminin du IIIe Reich*, Strasbourg, Éditions du Signe.
Buggeln, Marc and Michael Wildt（2014）, *Arbeit im Nationalsozialismus*, München, Oldenbourg Verlag.
Canning, Kathleen（2006）, *Gender history in practice: historical perspectives on bodies, class and citizenship*, Ithaca, N. Y., Cornell University Press.
Cobbs, Elizabeth（2017）, *The Hello Girls: America's First Women Soldiers*, Cambridge, Mass., Harvard University Press.
Connell, R. W.（1987）, *Gender and Power: Society, the Person and Sexual Politics*, Cambridge, England, Polity Press.（ロバート・W・コンネル『ジェンダーと権力――セクシュアリティの社会学』森重雄他訳、三交社、一九九三年）
Crenshaw, Kimberlé（2017）, *On Intersectionality: Essential Writings*, New York, The New Press.
Culleton, Claire A.（2000）, *Working class culture, women, and Britain, 1914-1921*, New York, St. Martin's Press.
Daniel, Ute（1989）, *Arbeiterfrauen in der Kriegsgesellschaft: Beruf, Familie und Politik im Ersten Weltkrieg*, Göttingen, Vandenhoeck & Ruprecht.
Darrow, Margaret H.（2000）, *French women and the First World War: War stories of the home front*, Oxford, New York, Berg.
Frevert, Ute（1986）, *Frauen-Geschichte: zwischen bürgerlicher Verbesserung und neuer Weiblichkeit*, Frankfurt am Main, Suhrkamp.（ウーテ・フレーフェルト『ドイツ女性の社会史――二〇〇年の歩み』若尾祐司・原田一美・姫岡とし子・山本秀行・坪郷實訳、晃洋書房、一九九〇年）
Gatrell, Peter（2005）, *Russia's First World War: A social and economic history*, Harlow, Pearson/Longman.
Hagemann, Karen（2002）, *'Mannlicher Muth und Teutsche Ehre': Nation, Militär und Geschlecht zur Zeit der Antinapoleonischen Kriege Preussens,*

Paderborn, Ferdinand Schöningh.
Kennedy, David M. (2004), *Over here: The First World War and American society*, New York, Oxford University Press.
Kessler-Harris, Alice (2018), *Women Have Always Worked: A Concise History*, Chicago, University of Illinois Press.
Kramer, Nicole (2011), *Volksgenossinnen an der Heimatfront: Mobilisierung, Verhalten, Erinnerung*, Göttingen, Vandenhoeck & Ruprecht.
Kundrus, Birthe (1995), *Kriegerfrauen: Familienpolitik und Geschlechterverhältnisse im Ersten und Zweiten Weltkrieg*, Hamburg, Christians.
Loosen, Livia (2014), *Deutsche Frauen in den Südsee-Kolonien des Kaiserreichs: Alltag und Beziehungen zur indigenen Bevölkerung, 1884-1919*, Bielefeld, Transcript.
Ludendorff, Erich (1935), *Der totale Krieg*, München, Ludendorffs Verlag.
Proctor, Tammy M. (2010), *Civilians in a world at war, 1914-1918*, New York, New York University Press.
Rouette, Susanne (1993), *Sozialpolitik als Geschlechterpolitik: die Regulierung der Frauenarbeit nach dem Ersten Weltkrieg*, Frankfurt am Main, Campus Verlag.
Russett, Cynthia (1989), *Sexual science: the Victorian construction of womanhood*, Cambridge, Mass., Harvard University Press.(シンシア・イーグル・ラセット『女性を捏造した男たち――ヴィクトリア時代の性差の科学』上野直子訳、工作舎、一九九四年)
Sato, Barbara (2003), *The new Japanese woman: modernity, media, and women in interwar Japan*, Durham, Duke University Press.
Sjöberg, Maria (2011), "Women in campaigns 1550-1850: Household and homosociality in the Swedish army", *The History of the Family*, 16-3.
Thiel, Jens (2013), "Between recruitment and forced labour: The radicalization of German labour policy in occupied Belgium and northern France", *First World War Studies*, 4-1.
van de Pol, Lotte C. and Rudolf M. Dekker (1989), *The tradition of female transvestism in early modern Europe*, Basingstoke, Palgrave Macmillan.(ルドルフ・M・デッカー、ロッテ・C・ファン・ドゥ・ポル『兵士になった女性たち――近世ヨーロッパにおける異性装の伝統』大木昌訳、法政大学出版局、二〇〇七年)
Wall, Richard and Jay Winter (2010), *The upheaval of war: Family, work, and welfare in Europe, 1914-1918*, Cambridge; New York, Cambridge University Press.
Westerhoff, Christian (2013), "'A kind of Siberia': German labour and occupation policies in Poland and Lithuania during the First World

War", *First World War Studies*, 4-1.
Woniak, Katarzyna (2020), *Zwangswelten: Emotions- und Alltagsgeschichte polnischer 'Zivilarbeiter' in Berlin 1939-1945*, Paderborn, Ferdinand Schöningh.
Wrigley, Chris (1993), *Challenges of labour: Central and western Europe, 1917-1920*, London, Routledge.
Zürcher, Erik-Jan (2013), *Fighting for a living: A comparative history of military labour 1500-2000*, Amsterdam, Amsterdam University Press.

コラム｜*Column*

二つの大戦とフランス共和政の表象

長井伸仁

フランスでは官庁のロゴマークや郵便切手の図案などに女性の姿が描かれている。この女性はフランス共和政を表わし、名前の由来は不明であるがマリアンヌと呼ばれている。

女性の姿が政治概念を表わす例としては、ドラクロワ画「民衆を導く自由の女神」(一八三〇年)やニューヨークの「自由の女神」像(一八八六年)など自由を擬人化したものが有名であるが、フランス共和政の表象も起源は同じである。

近世ヨーロッパの図像学では自由は女性の姿で描かれるのが一般的であった。フランス革命が始まると自由像は多くの寓意画に描かれ胸像に形づくられたが、革命が急進化し王政廃止を求める声が強まるなかで、自由像は共和政をも表わしているとみなされるようになったのである。

たしかに自由と共和政は異なる概念である。共和政に懐疑的であったドラクロワが描いたのは、あくまで「自由の女神」であった。しかし一八七〇年に第三共和政が成立し、共和政がフランスの政体として確立するにつれ、女性が表わすのが自由なのか共和政なのかという問題はしだいに重要性を失う。市町村役場にマリアンヌの胸像が飾られ、広場など公共空間にも立像が設置されてゆくことで、この女性像は共和政だけでなくフランス全体を象徴するようになる。

第一次世界大戦は、このような象徴の変容の過程で勃発し、それを決定的にした。

総力戦は国家の表象を大量に生み出すものであり、フランスでもマリアンヌが戦意高揚に用いられた。次頁の写真は、大戦中に創刊された風刺週刊誌『銃剣』の一九一八年四月一八日号の表紙である。二人の女性のうち左側はフランス、右側はドイツを表わしている。下部には当該号の題として「マリアンヌとゲルマニア——帽子と兜の物語」とあり、誌面では二国それぞれを擬人化した女性の生い立ちや性格が対照的に描写される。そのことは帽子と兜に集約されている。

近世の図像学では帽子は自由像を識別するアトリビュート(持物)であり、フランス革命以降の共和政像においては積極性や急進性の徴であった。数多ある共和政像のなかには帽子ではなく兜を被った戦士の姿をとるものもあったが、『銃剣』の同号ではそのような戦闘性はゲルマニアすなわちドイツに割り当てられており、マリアンヌすなわちフランスは安寧と文化的繁栄のなかで育った、誰からも愛される女性として描かれている。物語の最後では、マリアンヌがゲルマニアの侵入を受けて戦いを余儀なくされるが、最終的にはゲルマニアを討ち取ってその兜を高く掲げる絵で締めくくられる。

もともとマリアンヌの描かれ方には、国内情勢の文脈で、君主・聖職者・軍人など王政や帝政を代表する存在に対抗する、というものが多かった。しかしフランスは、第一次世界大戦を共和政のもとで戦い勝利した。これと軌を一にして象徴の次元においても、マリアンヌが国内の諸勢力と対峙する図像は影をひそめ、共和政を超えてフランスの象徴として描かれるようになる。ここに紹介する写真もその一例である。

　このような象徴としての地位が一時的に揺らいだのが第二次世界大戦期であった。緒戦でドイツに敗れ親ドイツ的な「ヴィシー政権」を発足させたフランスでは、国家元首に担ぎ上げられたフィリップ・ペタン元帥みずからが体制の象徴になった。同政権は、フランス革命以来の「自由・平等・友愛」に代わり「労働・家族・祖国」を標語とするなど、革命を出発点とする共和政とは一線を画する体制であろうとした。このことは象徴の次元にも及んだ。マリアンヌは、政権側の出版物ではユダヤ人やフリーメイソンと並び体制の敵として描かれた。いっぽうレジスタンスなど反政権側は自分たちの象徴として活用し、街中のマリアンヌ像の周囲で示威行動を展開するなどした。ヴィシー政権が倒れると、マリアンヌはふたたび公式・公的なフランス共和政の表象としての地位を取り戻し、現在に至っている。

　ところで、フランス共和政が男性ではなく女性の姿で表わされるのはなぜだろうか。これについては、「自由」や「共和政」がラテン語でもイタリア語・フランス語でも女性名詞であるという言語規則上の理由が挙げられることが多い。たしかに図像学においては適切な説明であろう。しかし歴史研究としては、これとは異なる角度からも考えてみたい。すなわち、カトリシズムの聖母崇敬が女性像を受容する素地になりえたこと、フランスでは歴代の王はすべて男性であり、王政に対抗するためには女性のほうが象徴として明確であったこと、男性優位の公共空間では女性の存在はそれだけで際立ち、さらには男性に対する訴求力が強かったことなどは、女性の姿で表わされる理由ではないにしても、それが多用された事実と無関係ではないであろう。兵士がほぼ男性に限られていた二度の世界大戦においても、女性は前線と銃後のいずれにおいても統合力を持つ存在であったといえるのかもしれない。

風刺誌に描かれたフランス(左)とドイツ(右)，1918年(フランス国立図書館デジタルコレクションGallica)

焦点 | *Focus*

中央ヨーロッパが経験した二つの世界戦争

篠原　琢

一、歴史の断絶

本稿では二つの世界戦争が中央ヨーロッパにおいて国家と社会との関係をどのように変容させたのかを考察する。二つの世界戦争は圧倒的な破壊をもたらし、総力戦体制の構築を迫られた参戦各国の社会は不可逆的に変化した。とりわけ中央ヨーロッパの変容は極端であった。第一次世界大戦では全面的な国家秩序の再編の中で、諸帝国の周縁に位置した中央ヨーロッパは極端な暴力が発動される場となった。帝国秩序の崩壊、国民国家の建設の途上で、大量の難民、無国籍者の群れが生み出された。第二次世界大戦では中央ヨーロッパはナチス・ドイツ、ソ連占領下でのそれぞれの社会改造の実験場となり、独ソ戦の開戦後は絶滅戦争、大量殺戮、ホロコーストが展開する中心となった。いずれの場合も世界戦争はそれぞれの地域社会に蓄積した住民間の緊張関係を極度に高め、在地の人々の間でも暴力は過激化した。第二次世界大戦末期から戦後直後には連合国の承認の下にさまざまな方向に向かって住民の強制追放が行われ、中央ヨーロッパ諸地域の住民構成は激変した。かつていくつもの言語が話され、複数の宗派集団が居住していた中央ヨーロッパの諸都市の住民構成は単純化され、都市景観にはかつてそこに存在した人々の痕跡が「忘却の穴」として残されるだけとなった。数世紀にわたって形成されてきた地域の歴史は大量殺戮と住民追放の結果、物理的な断絶を見ることになったのである。

ここで「中央ヨーロッパ」と名指すのは第一次世界大戦で消滅した大陸諸帝国の境界地域、および全面的に解体したオーストリア＝ハンガリー帝国の版図だった地域である。かつてチェコの作家ミラン・クンデラは「誘拐された西欧、あるいは中央ヨーロッパの悲劇」で、ヨーロッパを「最小限の空間に最大限の多様性が集約された」場とし、中央ヨーロッパを「最も凝縮されたヨーロッパ」と呼んだ。しかし世界史の中で中央ヨーロッパの固有性を論じるなら、それはむしろ二度の世界戦争でその「多様性」が徹底的・計画的に破壊された経験にある(Kundera 1983)。

第二次世界大戦後の住民追放の研究が進展すると、中央ヨーロッパの破壊の背景として国民国家の暴力性に焦点があてられた。一九四六年一〇月二八日(第一次世界大戦末期のチェコスロヴァキア独立宣言の日)、チェコスロヴァキア・ドイツ人三〇〇万人の追放の「完了式典」で大統領ベネシュが述べた台詞はその暴力性の端的な肯定であった。「今日より、法的にばかりでなく現実にもわが国は国民国家に、チェコ人とスロヴァキア人だけの国家になった」。フィリップ・テアは二〇世紀の東欧における「民族浄化」を、社会構成を均質化しようとする国民国家の暴力性のあらわれとして論じている。彼はジグムント・バウマンの議論を援用しながら「相互に排他的で一見客観的なネイションというカテゴリー」が「ヨーロッパ近代」の礎石の一つであると指摘し、暴力の根源を統治の合理性を追求する近代国家のあり方に求めている(Ther 2011)。彼はナチ占領下の住民追放・絶滅政策も同じ文脈で叙述しているが、ナチの「民族共同体」と国民国家、人種的「ヨーロッパ新秩序」と「国民国家体制」を同じ視角から論じられるかは疑問が残る。

近年のハプスブルク帝国史研究では、帝国の統治構造・実践と第一次世界大戦後の継承諸国のそれとの連続性が強調されるが、それでも第二次世界大戦後までの歴史を見通す場合、継承諸国の「国民国家」的性格は帝国からの跳躍とみなされる。ピーター・ジャドソンは通史『ハプスブルク帝国』を次の不吉な文で結んでいる。「第一次世界大戦後、政治的ナショナリズムは一九一四年以前とは何かおそるべく異質なものになった」(Judson 2016)。

国民国家に対する黙示録的なイメージはすでにハンナ・アーレントが二次大戦後間もなく発表した『全体主義の起原』で示している。一次大戦後の国民国家の形成と少数民族保護条約の制定によって、「国家の市民であることとナショナルな帰属とは不可分であること、ナショナルな起源のみが法律の保護を真に保証されていること、他民族のグループは完全に同化され民族的起源が忘れられるようにならないうちは例外法規によって保護されるしかない」ことが明らかになった。こうして「法的制度としての国家からナショナルな制度としての国家への変質は既成の事実」となり、「ネイションが国家を征服してしまった」というのである。国民国家内の「少数民族」は例外規定によって保護されるだけで、その保護を失えば彼らは理由なく無国籍者と同じく絶対的な無権利者として法の保護の外に放逐される。アーレントはそう論じて、無国籍者に絶滅政策の犠牲となるユダヤ人の原像を見出した(アーレント 二〇一七)。

帝国崩壊後の中央ヨーロッパを舞台とするこれらの国民国家論の基本的な妥当性は認めるにしても、第一次世界大戦から第二次世界大戦期までの国家と社会、住民との関係をこのように直線的に捉えるとすれば、それは先にあげたベネシュの式典演説を否定的に裏書きするものとなろう。本稿では、帝国から国民国家へ、という発展の図式を再検討しながら、二つの世界戦争が中央ヨーロッパの社会にもたらした破局をより跛行的なものと考えることを目的として、主にボヘミア諸邦の経験を論じる。

二、第一次世界大戦期の帝国

諸ネイションと帝国

一九一四年七月二八日、皇帝フランツ＝ヨーゼフの布告「わが諸民族へ」がハプスブルク帝国の町々に貼り出され、セルビアに対する開戦を告げていた。サライェヴォ事件が起こったのは六月二八日、それでも七月は帝国市民にとってふつうの夏だった。老皇帝は平和と安定の象徴であり、皇位継承者暗殺の危機も乗り切るだろうと期待されていた。開戦と動員に対して、帝国内の諸ネイションは異なる反応を示したとされてきた。しかし帝国の軍隊に従軍した兵士たちの戦意や動員された労働者たちの労働モラル、戦時公債への協力などは階級、ジェンダー、そして時々の戦況に強く左右されるのであって、ネイションの問題には収斂しない。ネイションはむしろ戦中、特に戦後継承諸国における帝国の戦争を語る解釈枠組みとして機能したのだった。

ネイションという枠組みは軍部独裁下での統制・動員政策、特に治安対策において重要な機能を果たした。開戦後、二重帝国の西側(「帝国議会に代表を送る諸王国・諸領邦」、以下、オーストリア)では帝国議会をはじめほとんどの代議機関は閉鎖され、政府・官僚組織は最高司令部の統制に服した。帝国基本法に定められた市民的権利は停止され、文民も軍事法廷で裁かれた。さらに戦時監視局が厳しい戦時検閲を行った。産業の軍事化も進んだ。オーストリアにおける政治と社会の軍事化、軍部独裁は他の交戦諸国に比べても極端であった。なお二重帝国の東側(ハンガリー王国)では議会も文民政府も機能を続けた。

軍指導部にとって戦争は国家刷新の機会であった。市民社会の統制あるいは破壊にあたって軍当局が依拠したのがネイションというカテゴリーである。帝国が二重制となった時(一八六七年)、オーストリアでは市民的権利を保障する一連の基本法が制定され、自由主義的な政府の下に市民的結社は議会・政党政治、地方政治、経済組織、さらに社会福祉、教育・文化活動にいたる広範な分野を担い、一八八〇年代には農民運動、社会主義運動・労働運動も広く展開する。こうした結社活動はネイションを軸に編成された。市民社会は諸ネイションの社会(国民社会)として誕生したのである。軍指導部にとって、市民層の政治参加はもちろん、このように複数形で構築された「市民社会」は帝国の一体性を脅かすものであった。市民社会の破壊にあたって軍指導部はネイションの社会に対して選択的に圧力を加え、国内の「対敵協力者」として「スラヴ人」に敵意を向けた。最高司令部のフリードリヒ大公はボヘミア諸邦に軍事裁判所を導入することを求めて次のように述べている。「ボヘミア、モラヴィアのチェコ系住民全体はこの非常時に犠牲を払う忠誠心、愛国的決意があるかどうか疑わしく、親ロシア的気分が蔓延している」。

一九一六年末までにボヘミアで「政治的理由」で逮捕された者は四五九八人に上ったが有罪となった者は九七九人、そのうちチェコ人は七九八人を占めていた。有罪率が極端に低いのは、逮捕の多くが密告や噂によるものだったからである。重要なことは、社会と国家暴力との臨界面が急進的に変化を遂げ、ネイションというカテゴリーによって活性化した点にある。これはスロヴェニア国民社会が展開するシュタイアーマルクやケルンテン、強力なイタリア社会の根づくティロールやダルマツィア、そして前線となったガリツィアでも同様である。国家がネイションを援用して選択的に暴力を行使したのは新しい現象であった。軍部のこうした認識に対して、ボヘミア総督フランツ・トゥン＝ホーエンシュタインは「チェコ人の戦時非協力の噂」を抑え「ネイション間の紛争」を避けるべきだと訴えたが、これは文民官僚に共有された危機感だった。軍部の情勢認識は特異だったのである。しかしこの認識は戦後成立した諸国民国家に反転して引き継がれて、厭戦傾向は帝国の戦争に対する「英雄的」な抵抗運動の物語に連ねられた。

日常生活への介入

世界大戦下で帝国権力はますます社会への介入を深め、国家と社会との界面はいっそう拡大した。深刻な食糧不足のため、帝国は、一九一五年二月には戦時穀物局を設置して穀物・小麦粉などの流通を統制し、三月には食糧の配給制度を導入した。オーストリア＝ハンガリーは交戦国の中で最も早く配給制度を導入した国家である。しかし穀物価格は高騰を続けるばかりで、配給券に見合った食糧が必ずしも供給されるわけでもなかった。特に打撃を受けたのは都市・工業地域の労働者たちである。

食糧の配給制度や公共食堂の開設は、従来、私的領域に配置された食生活の問題が公的領域に移り、帝国政治の対象となったことを示している。一九世紀末以来、栄養学・生理学の知見から労働者の栄養補給を管理することが論じられ、食生活はすでに公論のテーマであった。人体を「モーター」に準えて、日々の生活のエネルギー出力から栄養補給の必要量や、タンパク質・脂質・炭水化物の摂取のバランスを考え、食事を「合理化」する議論である。戦時の食糧配給はそうした科学的知見を即座に制度化する転機となった。他方、食糧不足は熟練労働者を中核に形成されてきた労働者文化、労働運動に深刻な打撃を与えた。熟練労働者たちは労働現場での位階、経験、賃金に応じて社会的威信を保持し、家族に対しては家父長的な自負心を育んできたが、いまや労働者の自己認識や社会性は食糧へのアクセスに左右された。こうして帝国は労働者の日常を作り変えたのである。配給制に不満を表明することは「科学」に基づく帝国の政治に反対することを意味した。一九一六年夏、帝国は食肉の販売・消費を厳しく規制したが、いずれにしても年の末には都市では肉類はほとんど手に入らなくなっていた。問題は食糧や栄養の確保にとどまらない。戦時体制下で帝国が人々の日常に規律を与えることが重要だったのである。

いかに栄養学に訴えて少ない配給量を正当化したところで、一九一六年の冬から年を越すころには、帝国は自ら唱える必要最低限の「栄養」すら人々に供給できなくなっていた。一九一七年春には都市・工業地域で「飢餓暴動」が頻発した。一九一七年六月から七月にかけて起こったプルゼンでのストライキはシュコダ社兵器廠の生産を完全に停止させ、八月に続いた飢餓暴動は市域全体に拡大した。プルゼンの事件は帝国全体に広がる抗議行動の大規模化を告げるものとなった。いまや日常生活に直接介入することになった帝国権力は、まさにその介入の使命を果たせないままに支配の正当性を失っていったのである。

帝国の随伴者としてのナショナリスト組織

帝国支配の正当性が戦時体制で危機を迎えたことは帝国崩壊の前提ではあっても、「国民国家」への移行を説明しない。ナショナリストたちはそれぞれの陣営間で「帝国愛国主義」を競っていたし、何よりも戦時下に帝国政治と人々の日常生活の界面が拡大する過程で、ナショナリストの結社活動はその接合に触媒の役割を果たしていた。二重帝国の行政は、戦時期まで家族・健康・福祉問題に積極的に関与しなかった。その責務は都市・農村自治体が負ったが、やがてそれを実質的に担うようになったのはさまざまな市民結社である。ネイションごとに編成された結社のネットワークは保護と救援の対象者をめぐって競合的に活動した。例えばボヘミアでは、孤児救済、児童・青年援助のための中央組織「児童保護・青少年援助会議」はドイツ系とチェコ系にわかれて組織が併存していた。

大戦期に社会問題が深刻化すると帝国と市民社会との接触面は広く深くなっていったが、帝国は社会問題への対応をめぐってネイション別に編成された市民的結社の経験の蓄積に依拠せざるをえなかった。一九一七年に新たに設置された社会福祉省はボヘミアでの孤児・青少年福祉問題への対応を児童保護・青少年援助会議の組織ネットワークに委ねることになった。ナショナリストの組織は戦時期に帝国に対抗的だったというより、こうして新しい帝国的福祉国家建設の積極的な随伴者になった。

総力戦下で国家が社会に介入する界面が広く深くなり、人々の社会参加が拡大する中で、国制改革問題は、公共資源の配分と政治参加の圏域をいかに再編し、ナショナリストたちの政治実践の回路をいかに組み込むか、という課題に直面せざるをえなかった。一九一七年夏にはすでに社会問題は危機的な状況を迎えていた。ロシアでのボリシェヴィキ革命は、国家の崩壊、社会革命を回避するためには、市民社会との合意の上に帝国の国制改革を断行し、公共資源をより有効に配分しなければならないことを示していた。

三、帝国の解体と「リベラルな帝国」の再建

国制改革の破綻

国制改革をめぐる政治闘争は戦前からの連続性を保ちながら先鋭化した。ドイツ・ナショナリストの連合組織、ボヘミア・ドイツ国民評議会は一九一五年三月、帝国のオーストリア側からガリツィア、ブコヴィナ、ダルマツィアを排除し、オーストリア諸邦とボヘミア諸邦を一体化する国制改革案を発表した。これは帝国庇護下でロシア領ポーランドとガリツィアを併せてポーランド国家を樹立する計画と同調しながら、帝国の西半分を「ドイツ的国家」とする構想であった。帝国は一五年一〇月、帝国西側の呼称を「オーストリア諸邦」と変え、帝国大紋章をオーストリアとハンガリーとが左右対称に並ぶ意匠に作り直してオーストリア国制の複合性を象徴的に葬ったが、ここには軍部独裁の下にオーストリアの戦時行政が一元化しつつあった現実と同時に、ドイツ・ナショナリストたちの帝国改編構想が投影されていた。改革案は行政・裁判区、選挙区、学校行政区をドイツ語地域とドイツ語とチェコ語／スロヴェニア語併用地域に分割することを提案しているが、これはドイツ・ナショナリストのリンツ綱領(一八八二年)や失敗に終わった老チェコ派との合意(「諸条項」、一八九〇年)を引き継ぐものである。これらの構想は「ボヘミア王国の歴史的権利」を奉じるチェコ国民政治家たちにも、二重帝国全体の一体性と王朝の普遍的権威を何よりも擁護しようとする保守派貴族・宮廷にも受け入れられるものでなかった。

一九一六年一一月二一日、長らく帝国を統治してきたフランツ＝ヨーゼフ一世が死去した。新帝カールは総力戦に対して市民社会の同意と参加を確保するために軍部独裁を廃止し、一七年五月には帝国議会を招集して帝国国制の改編に取り組もうとした。しかしドイツ帝国に対する軍事的・政治的依存度は高く、帝国が取りうる選択肢は限定され

ていた。ハンガリー王国議会に蟠踞する貴族たちはハンガリー王国の歴史的権利を維持する点で少しも妥協することはなかった。国制改革の隘路と社会秩序の崩壊から逃れるために、カールは協商国側との単独講和によって戦争を離脱することを試みたがそれも一九一八年春には最終的に破綻した。協商国側が帝国崩壊を見込んで戦後秩序を構想し始めたのはようやくその夏のことである。帝国の統治エリートも市民的政治家たちも、戦時下での帝国の社会秩序の変容に応じた国制改革に合意することはできなかったのだった。

カール一世は、一九一八年一〇月一六日、「諸民族への宣言」と称される文書で帝国の連邦化案を発表した。これは帝国国制をめぐる長い議論を踏まえていた一方、その年の一月にアメリカ大統領ウィルソンが「一四か条」で示した帝国諸民族の「自治的発展」の要求に応じるものだった。しかし戦場でも国内でも帝国の崩壊はすでに押しとどめるべくもなく、各地には無数の国民委員会、行政委員会と称する組織が叢生していた。「宣言」はそのような組織が帝国行政を引き継ぐことを皇帝が容認したものと解釈された。ロシア帝国と同様、オーストリア＝ハンガリー帝国もまた戦うことのできなくなった戦争から離脱できないままに崩壊を迎えたのであった。

帝国の継承

帝国各地の「国民委員会」に明確な新国家の構想があったわけではない。亡命先で「チェコスロヴァキア国家」の建国を熱心に訴えていたマサリクとその周辺にしても戦争終結寸前まで新国家の姿を模索し続けていた。一〇月末、数々の「国民委員会」は帝国崩壊という事実の前に立たされたのであった。プラハの「チェコスロヴァキア国民委員会」は一九一八年一〇月二八日にチェコスロヴァキア共和国の独立を宣言し、発布した共和国法令第一号はその冒頭で「従来の法秩序と新しい秩序との連続性を保ち、混乱を回避し、新秩序への移行が障害なく保障されなければならない」と訴えている。国家の形はその後パリ講和会議で、そして何よりも一九一八年以後も続いた戦闘の帰趨によって輪郭を現していった。二重帝国の「オーストリア側」にあったボヘミア諸邦と「ハンガリー側」にあったスロヴァキア、ポトカルパツカー・ルス(カルパチア山麓地方)ではそれぞれ異なる法体系・行政制度がそのまま新国家に引き継がれたため、戦間期のチェコスロヴァキアは法制度上の一体性を欠いていた。帝国という身体は崩壊したが、帝国の組織・細胞はそのまま新国家に移行したのである。それだけに一層、継承諸国は表象のレベル(国家シンボル、国民的儀礼、記念碑、新国家建設の英雄譚など)で新たな支配秩序の正当性を強調しなければならなかった。

帝国継承諸国の市民権の決定にあたっては、サンジェルマン条約などによって帝国の「故地権」(Heimatrecht)が援用された。故地権とは一八一一年の「オーストリア一般民法典」に定められたもので、父祖が住んだ土地を「故地」として基本的に父系の血統で受け継がれた「権利」である。二重帝国下では、オーストリアまたはハンガリーの市民権を獲得するためには「故地権」を持つことが条件であった。「故地」は故地権を持つ人の居住地でも、「故地」「故郷」でさえもないことが多く、特に都市や工業地域では住民の六割以上の「故地」は居住地と異なっていた。自治体はそこに「故地権」を持つ人に対して救貧の義務があり、逆に経済上・治安上の問題がある場合、居住自治体はその人物を故地権のある場所に追放することができた。故地権は救貧・治安システムであり、広大な帝国空間を移動する人々をある特定の場所に結びつけて安定を図るものだったのである。

市民権の基礎に帝国時代の「故地権」が援用されたのは、徴兵、労働動員、難民化など、戦時中の人口移動が大規模だったからである。またヴェルサイユ体制は継承諸国に市民権の平等を求め、「少数民族」保護条約によって国内でネイションの集合的権利を保障させようとしたので、言語や宗教の違いに関係しない「故地権」は継承諸国の市民権の規定に有用であった。こうして継承諸国はその構成員の認定にあたって帝国の法的伝統に依拠した。

しかし居住地と「故地」とが異なるどころか「故地」を見も知らぬ人々には、住む場所とは違う国家になった「故地」で市民権を取得する理由はなかった。新国家は市民権の認定にあたって経済力や犯罪歴、あるいは「ネイションへの帰属」(「種族的」「人種的」属性と称された)を問うて選別を計ったが、ネイションへの帰属によって市民権の付与を判断する法的・実践的経験が存在しなかったためにその運用は恣意的であった。まさにここに国家権力と人々との間に「ネイションへの帰属」が交渉され、実質化される余地が生まれたのである。いずれにしても広大な帝国の空間が失われた後には「故地権」はその社会的意味も機能も喪失していた。ガリツィアに「故地権」を持つウィーンのユダヤ人たちはオーストリア市民権を拒絶されたところで、いまさら「故地」のあるポーランドの市民権を取得しようとも思わなかったし取得できるわけでもなかった。「少数民族保護」構想のきっかけとなったのはルヴフ(リヴィウ)をはじめポーランド各地で起こった凄惨なポグロムだったが、無国籍者となった七万人あまりのユダヤ人はその枠組みの外に弾き出されたのである。ここには第一次世界大戦で生じた国家と社会との新たな関係が、まだ周縁的でありながら端的に現れていた。オーストリア併合後、ナチス・ドイツが絶対的な無権利者として、ドイツ・ポーランド国境の無人地帯に放擲したのはこの人たちであった。

リベラルな小帝国

チェコスロヴァキアをはじめ継承諸国はどれも「多民族」国家であった。チェコスロヴァキアの国勢調査ではネイションとは「種族的帰属」で「その指標は母語」とされた。国勢調査は帝国時代、一八八一年以来一〇年ごとに実施されてきたが、ネイションの構成員の数を詳細に把握し、学校行政など住民に対する行政・公共資源を配分する基礎データとされたので、国勢調査はナショナリスト諸結社がネイションの構成員の数を競う闘技場となった。オーストリアの国勢調査では、母語ではなく日常的に使う言語がネイションの指標だったが、ドイツ語が優勢な社会では非ドイツ語家庭の出身者が教育や職業生活を通じてドイツ語を日常語にすることは普通だったから、チェコのナショナリストは統計の指標を「母語」とすることを訴え続けていた。チェコスロヴァキアの国勢調査はその議論を引き継いでいる。「回答が明らかに正しくない場合」には当局がそれを修正することができた。帝国時代にはこうした干渉は行われなかったから、これは国家による住民の社会工学的な分類に向けた控えめな一歩ではあった。

一方、母語にかかわらず「ユダヤ民族」という回答の選択が可能とされた。これはチェコのシオニスト組織の要求と少数民族保護条約の要請によるものである。ボヘミア諸邦のユダヤ人の場合、言語的にはチェコ語かドイツ語を「母語」としていたからであり、その場合、「ユダヤ民族」という回答は主観的帰属意識、あるいはシオニズムへの共鳴を示している。国勢調査の宗派調査に現れるユダヤ教徒の数と「ユダヤ民族」を選択した人々の数の関係は地域によって大きく異なっていた。ボヘミアではユダヤ教徒でも「ユダヤ民族」という帰属を選択した人は七分の一程度にすぎなかった一方、共和国最東部のポトカルパツカー・ルスの場合、正統派ユダヤ教徒の強固なコミュニティが存在してイディッシュが話されていたため「ユダヤ民族」を選択した人々は八割を優に超えていた。ここでは「母語」が回答に反映したのである。シオニストたちは「縮小した多民族国家」チェコスロヴァキアに「改良されたオーストリア」を見て、帝国時代には認められなかった「民族としてのユダヤ人」の存在を確立することを目指し、ポトカルパツカー・ルスの「東方ユダヤ人」に「新しい民族生活の源泉」を見出していた。しかし彼らのモダニズムはカルパチア山麓のユダヤ教徒の伝統的コミュニティに受けいれられるものではなかった。

ポトカルパツカー・ルスは「チェコスロヴァキア人の国民国家」とは異質な地域である。国勢調査ではこの地域について、母語の回答には「大ルーシ、ウクライナ、カルパチア・ルーシ」の選択肢が用意されており、住民の民族的輪郭は明瞭でないとされた。チェコスロヴァキアはパリ講和会議で将来、ポトカルパツカー・ルスに自治を実現することを約束したが、自治を担うべき「ポトカルパツカー・ルス・ネイション」の育成こそが共和国の任務であった。東西一五〇〇キロメートルに及ぶ広がりの中でチェコスロヴァキアは「東方の文明化」の使命を自らに任じたのである。帝国がボスニア＝ヘルツェゴヴィナで失敗した使命を果たせると新国家は自負していた。それはまた国際連盟体制下での「委任統治」と相似形をなしていた。ここは共和国の文明性を示威する実験場だった。

マサリクは第一次世界大戦を「神権的王朝国家」が解体し、民主的な諸「国民国家」が成立した「世界革命」と位置づけたが、それはある意味で第一次世界大戦がもたらした変化を言い当てている。総力戦が、総動員体制を可能にする同意を社会全体に迫るなら、底辺からの政治参加は不可欠であった。「神権的王朝国家」が、そのような体制を構築できずに崩壊したのは確かだったにせよ、しかしその廃墟から直ちに民主的な「国民国家」が生まれたわけではない。むしろ継承諸国は帝国の構成を引き継ぎ帝国統治の実践を継続しながら、多民族的構成に応じた新しい国家像を模索していた。帝国の法的伝統に則った普遍的市民権の規定、多様性の中の統一のヴィジョン、東方に対する「文明化の使命」、これらを負いながら新たな「帝国的秩序」としての国際連盟体制下で文明国としての地位を確保すること、それは戦時下で危機に陥り解体した「リベラルな帝国」を縮小して再建する試みともいえよう。しかし、第一次世界大戦後に「復興」した自由主義的な政治・経済体制が深刻な挑戦を受けたのと同じように、総力戦の下で国家と社会の関係が変容した後には、帝国統治の実践が各国の中で続きうるはずもなかった。一九三〇年代の危機と第二次世界大戦の破壊が帝国から継続した経験に断絶を画することになるだろう。

あるいは帝国の解体過程は継承国家の統治実験の中に続いていたのかもしれない。

四、第二次世界大戦と住民追放

転換点をどこに見るか

チェコスロヴァキアは第二次世界大戦の戦勝国として戦後復興し、戦前の共和国との法的連続性を強調した。しかし第一共和国の憲法体制が普遍的な市民権の構想に立脚していたのに対して、第二次世界大戦後の国家はネイションへの帰属を集合的に規定して市民権・法的秩序の基礎とした点で戦間期の国家とは根本的に異なっていた。大恐慌によって古典的な自由主義秩序は深刻な危機にさらされ、一九三〇年代のヨーロッパでは社会の組織化、社会工学的な社会・経済運営への期待が高まっていったが、チェコスロヴァキアもその例外ではなかった。「社会の組織化」はナチス・ドイツ占領下で急進的に暴力化していった。市民としての諸個人の権利は否定され、住民の集団的類別・組織の下に人種主義的な社会秩序が構想されたのである。そしてイデオロギー的な違いにもかかわらず、その経験の多くは戦後秩序の建設に受け継がれた。「社会の組織化」の核と想定されたナチス期の「人種」概念と同様、戦後のネイション概念も極めて恣意的に構築され、暴力的に実践された。

ナチス・ドイツ統治下のボヘミア諸邦

一九三八年九月三〇日にイギリス、フランス、ドイツ、イタリアの間で合意された「ミュンヘン協定」により、ドイツ人が集住するチェコスロヴァキア西部国境地域(「ズデーテン地方」と通称される)はドイツに併合された。翌年三月一四日、痩せほそったチェコ＝スロヴァキアからスロヴァキアが独立し、翌日にはドイツ軍がチェコを占領してボヘミア・モラヴィア保護領が設置された。ユダヤ人の「登録」は「ニュルンベルク法」に基づいて行われたが(祖父母の三人以上がユダヤ教共同体に属していれば「完全」ユダヤ人)、一九四一年一〇月にはユダヤ教徒共同体が「ユダヤ人」の登録を義務付けられた。保護領ユダヤ人のうち七万三〇〇〇人あまりが一九四一年一一月から四四年末にかけてテレジーン(テレージエンシュタット)のゲットーに収容され、後にトレブリンカやアウシュヴィッツの絶滅収容所に送られた。こうしてボヘミア、モラヴィアの都市文化に豊かな陰翳を与えてきたユダヤ人コミュニティは破壊された。

保護領の「ドイツ化」政策は、こうした過激な人種主義と一九世紀以来のネイション間の闘争の「伝統」との奇妙な混淆であった。ボヘミア諸邦のドイツ・ナショナリストたちは保護領下で「チェコ人との闘争」の最前線に立つと考え、行政のドイツ語化やドイツ語による学校教育の拡大といった極めて伝統的な政策目標を掲げていた。他方、一九四二年に保護領総督に就任したラインハルト・ハイドリヒはボヘミア諸邦の完全な「ドイツ化」を目指して「ユダヤ人問題」の最終的解決を求めるとともに、「同化可能」なチェコ人の選別を試みた。彼の配下にあった「人種科学」の専門家によればチェコ人は「別の言語を話し、誤った歴史意識を持っているドイツ人」に過ぎず、場合によっては「チェコ人はズデーテン・ドイツ人よりドイツ的血を維持している」というのであった。

「人種」が存在しない以上、そもそも「選別」は不可能であった。保護領ではドイツ人、ドイツ化可能な者にはライヒ(ドイツ本国)の市民権が認められたが、その際には言語使用、生活態度・モラル、ナチス・イデオロギーの信奉度、教育歴、結社への所属、交際範囲・親族関係などあらゆる生活歴が調査された。共和国時代の国勢調査で「チェコスロヴァキア人」と回答した人であっても、ライヒ市民権を獲得するために「ドイツ人」であることを証明しようとする人々も少なくなかった。それでもハイドリヒの人種政策は、統治権力によって人々を集合的に分類し、それによって市民的権利・人権に序列をつけうるという実践を示した点で大きな転換点となった。そしてその著しい恣意性によって、権力に対して人々の法的・社会的存在を本質から不安定にしたのである。その極北には人の法的・社会的存在を全面的に否定する「ユダヤ人」政策があった。ポーランドではゲットーが廃止された後、絶滅収容所への移送を逃れた人々が絶対的無権利状態のまま地域社会を彷徨うことになった。

ドイツ人の追放

チェコスロヴァキアからのドイツ人の大規模追放はすでに一九四〇年末には国内の抵抗運動が要求している。一九四二年にハイドリヒが保護領総督に就任して占領政策が過激化するに従い、この構想はチェコスロヴァキア・ロンドン亡命政府のみならずイギリス政府にも広く共有されるようになり、やがてドイツ人の「集団的罪科」論、包括的追放論が主流になった。ただし戦争終結まで、追放の規模や方法について亡命政権内でも連合国政府の間でも具体的な合意があったわけではない。一九四五年五月、亡命政府の帰還とともにドイツ人の追放、財産の略奪が始まった。ポツダム協定一三条(「ポーランド、チェコスロヴァキア、ハンガリーからのドイツ系住民の組織的・人道的移送」)に基づいて一九四六年に開始された「組織的追放」に対して、終戦直後の追放を「野蛮な追放」と呼ぶが、現実には「野蛮な追放」も国防軍や治安組織、準軍事団体が「組織的」に遂行している。チェコスロヴァキア政府は連合国の承認の前に「追放」をできるだけ既成事実化し、またドイツ人財産を企業や農地の国営化、社会革命の原資にすることを意図していた。一九四五年八月迄に連合軍占領地域に追放された人々は約七〇万人、四六年以降では二五〇万人とされているが、追放による死者(二万人から四万人と見積もられる)の多くは「野蛮な追放」の犠牲者だった。

追放の対象者は法的には占領期のドイツ、またはハンガリー国籍の取得によって判断された。戦後チェコスロヴァキアはナチス・ドイツの人種主義をイデオロギー的に拒絶しながら、市民権の附与・剝奪にあたりその実践を継承したのである。占領下での「人種的選別」と同様、戦後チェコスロヴァキアの国籍の認定も恣意的だった。個人・家族史、交際範囲、「ネイションの観点から信頼できるか」、「チェコ的価値」に忠実かが問われたが、もちろん「チェコ的価値」が積極的に定められるはずもなかった。

ホロコーストを生き残ったユダヤ人帰還者に対する対応には市民権回復の矛盾が端的に示されている。ポーランドでは戦後も続いた激しい反ユダヤ的暴力にもかかわらず、「本人および配偶者の民族性を理由に迫害された者」にはポーランドの市民権が認められた。しかしチェコスロヴァキアでは、一九三〇年の国勢調査でネイションへの帰属を「ドイツ人、またはハンガリー人」とした者については、「(占領下の)人種的迫害はチェコスロヴァキア市民権の獲得に十分な理由」にならなかった。そのようなユダヤ人はドイツ人と同様、チェコスロヴァキアの市民権を獲得するためには、占領中の「反ファシスト」活動を証明しなければならなかったが、ゲットー、強制収容所に幽閉されたユダヤ人の多くにそのような活動が証明できるはずもなかった。結局、帰還ユダヤ人でドイツ人とされた七五〇〇人のうち、チェコスロヴァキアに残ったのは五〇〇人程度とされる。

新しいチェコ人

三〇〇万人に近い人々を追放した国境地域は、戦後チェコスロヴァキアの「野蛮な西方」となった。「西方」の「文明化」はかつてチェコスロヴァキアが使命とした「東方」のそれとは極端に隔たった巨大な社会工学的実験である。有力な共産党幹部で戦後情報相となったヴァーツラフ・コペツキーは次のように述べている。「共和国を新しく建国しなければならない。新しい文化を作り、新しいチェコ性を作り、新しいチェコ的人間を養成しなければならない。国境地域こそがその共同作業の場所である」。

国境地域は新生チェコスロヴァキアの前衛であった。没収した土地・財産から新しい生産・所有形態を実現して、ドイツ的景観を過去に葬り、未来に向けた「チェコ的・スラヴ的」景観をつくりあげる。この「共同作業」には理想的な集団主義のヴィジョンが働いていたが、現実には「新しいチェコ人」となるはずの人々の出自は非常に多様であった。追放の「完了」が宣言された翌年の一九四七年には戦前から定着していたチェコ人労働者・農民のほか、経済再建に必要な熟練労働者・専門家、混合家族などのドイツ人約二〇万人も残っていた。そこにチェコ内部からの移住者に加えて、スロヴァキアからの移住者一五―二〇万人、「南作戦」でスロヴァキア南部から西方に強制移住させられたハンガリー人数万人、一九世紀以来ヴォリーニ、ガリツィアやウィーンに移住したチェコ人コミュニティから来た「再移住者」およびソ連に編入されたポトカルパツカー・ルスから来た人々をあわせて二〇万人以上、東部スロヴァキアから送られたロマ(チェコのロマはほとんどがホロコーストの犠牲となった)数万人、そして内戦下のギリシャからも二万人前後の人々がやってきた。四七年の国境地域の人口は総計約二五〇万人と見積もられる。この未曽有の混淆は「新しいチェコ人」を生み出す坩堝というより、地域コミュニティの中に不断に差異をつくりだした。新しくやってきたチェコ人植民者には、古くからそこに住んでいる人々は排他的で「ドイツ的過去」と折り合っているようにみえた。ヴォリーニ出身の「再移住者」農民の労働モラルは農業の近代化が進んだボヘミアのそれとは著しく異なっていた。ポトカルパツカー・ルスから来た正統派ユダヤ教徒たちは常に不信と嫌疑の的だった。そしてロマはどの集団からも排除されながら独自のコミュニティをつくっていた。石炭鉱脈の上にあった中世都市モスト／ブリュックスはやがて石炭採掘のために歴史的な都市そのものが破壊・移転されたが、その最末期の一九七〇年代、荒廃した町にはロマの人々の姿しかなかった。国民国家は「新しいチェコ人」をつくる果てしない実験場であった。

おわりに

第一次世界大戦後、最初に行われたポーランドの国勢調査ではネイションへの帰属は主観的な意識を問うものだった。ところがその第二回目、一九三一年の調査ではチェコスロヴァキア同様「母語」がその指標とされた。「母語」調査の方が主観的意識より「客観的」であり、人口動態の観察に適しているからというのである。そこには何語でもない「その土地の言葉」というカテゴリーも加えられた。ポーランド東部ポレシェでは人口約一〇〇万人のうち、「その土地の言葉」を回答した人が七〇万人あまりもいたが、貧しく識字率の低い社会では当然予想されることであった。「客観的」調査によってそのような人々を「ネイション形成以前の段階」と判断し、ポーランド国家は彼らの文明化、すなわちポーランド・ネイションへの包摂を図ってポーランド人の東部地域への入植を奨励した。

第二次世界大戦後、ポーランドは新しい統治領域から九〇〇万人以上の「ドイツ人」を追放したが、ナチス・ドイツが占領中に作成した「民族リスト」で「消極的ながらドイツ語・ドイツ文化との絆を示せる者」あるいは「ドイツ・ポーランド文化の両方にまたがる者」と認定された多くの人々が、たとえドイツ国防軍への従軍経験があったとしても、戦後ポーランド市民権を獲得した。その総数は約七〇万人。シュレージエン、西プロイセンの熟練労働者の文化は敬虔なカトリック信仰に規定されていたので、カトリック的「人民ポーランド」は彼らの存在を必要としたのである。戦後ソ連領となった東部地域(クレスィ)から西部の「回復領」に追放されてきた人々には我慢のならないことだった。移入者は訴える。「例外なくポーランドの裏切り者だった連中が大挙して名誉回復されている」(Bjork 2022)。

二つの世界戦争を経て、国家と社会との関係は大きく変容した。第一次世界大戦が国家と社会との界面を極端に拡大、深化させたとするなら、その経験の上に第二次世界大戦は計画的な大量殺戮、強制移住を通した大規模な社会改造を実現したのである。住民の同質性は社会工学的実験によって初めて創造されるはずのものであった。帝国後に成立した中央ヨーロッパの諸国家は帝国の遺産を積極的に継承しながら、一九三〇年代の危機、そしてナチス・ドイツによる破壊的な社会改造を経験して、その遺産を放棄したのである。

一九七〇年代末から八〇年代にかけて中央ヨーロッパの異論派知識人たちはネイションの解放の歴史として構築された「国民史」を厳しく批判的に検討し始めた。ホロコーストに対するそれぞれの社会の関与の問題であり、戦後のドイツ人追放問題が中心である。それは、歴史を批判的に検討しながら第二次世界大戦の破局、そして「国民国家の時代」を過去に葬ろうとする知的挑戦であった。

参考文献

アーレント、ハンナ(一九七二・一九八一・二〇一七)『全体主義の起原2　帝国主義』大島通義・大島かおり訳、みすず書房。
池田嘉郎編(二〇一四)『第一次世界大戦と帝国の遺産』山川出版社。
大津留厚編(二〇二〇)『「民族自決」という幻影——ハプスブルク帝国の崩壊と新生諸国家の成立』昭和堂。

加藤有子編(二〇二一)『ホロコーストとヒロシマ――ポーランドと日本における第二次世界大戦の記憶』みすず書房。

中田瑞穂(二〇一二)『農民と労働者の民主主義――戦間期チェコスロヴァキア政治史』名古屋大学出版会。

野村真理(二〇〇八・二〇二二)『ガリツィアのユダヤ人――ポーランド人とウクライナ人のはざまで』人文書院。

林忠行(二〇二一)『チェコスロヴァキア軍団――ある義勇軍をめぐる世界史』岩波書店。

Bjork, James (2022), "Wartime Germans, Postwar Poles: Nation Switching and Nation Building after 1945", *Journal of Modern History*, Vol. 94, No. 3.

Brandes, Detlef (2001, 2005), *Der Weg zur Vertreibung 1938–1945: Pläne und Entscheidungen zum 'Transfer' der Deutschen aus der Tschechoslowakei und aus Polen*, München, Oldenburg.

Bryant, Chad (2007), *Prague in Black: Nazi Rule and Czech Nationalism*, Cambridge (MA)/London, Harvard University Press.

Čapková, Kateřina (2008), "Between Expulsion and Rescue: The Transports for German-speaking Jews of Czechoslovakia in 1946", *Holocaust and Genocide Studies*, 32, No. 1.

Čapková, Kateřina (2015), "Národně nespolehliví?! Německy hovořící Židé v Polsku a v Československu bezprostředně po druhé světové válce", *Soudobé Dějiny*, 1–2.

Ciancia, Kathryn (2020), *On Civilization's Edge: A Polish Borderland in the Interwar World*, Oxford/London, Oxford University Press.

Cooper, Frederick (2018), *Citizenship, Inequality, and Difference: Historical Perspectives*, Princeton/Oxford, Princeton University Press.

Engelking, Barbara, Dariusz Libionka & Jan Grabowski (2018), *Dalej jest noc*, 2 Vols., Warszawa, Centrum Badań nad Zagładą Żydów.

Gebhart, Jan & Jan Kuklík (2006, 2007), *Velké dějiny zemí koruny české*, XV. a/b (1938–1945), Praha/Litomyšl, Paseka.

Getachew, Adom (2019), *Worldmaking after Empire: The Rise and Fall of Self-determination*, Princeton, Princeton University Press.

Glassheim, Eagle (2016), *Cleansing the Czechoslovak Borderlands: Migration, Environment, and Health in the Former Sudetenland*, Pittsburgh, University of Pittsburgh Press.

Judson, Pieter M. (2016), *Habsburg Empire: A New History*, Cambridge (MA)/London, The Belknap Press of Harvard University Press.

Konrád, Ota & Rudolf Kučera (2018), *Cesty z apokalypsy: Fyzické násilí v pádu a obnověstřední Evropy 1914–1922*, Praha, Masarykův ústav a Archiv AV ČR. (*In the Shadow of the Great War: Physical violence in East-Central Europe, 1917–1923*, New York/Oxford Berghahn, 2021)

Kučera, Rudolf (2013), *Život na příděl: válečná každodennost a politiky dělnické třídy v českých zemích 1914–1918*, Praha, Nakladatelství Lidových Novin. (*Rationed Life: Science, Everyday Life, and Working-Class Politics in the Bohemian Lands, 1914–1918*, Cambridge (MA)/London, The Belknap Press of Harvard University Press, 2016)

Kundera, Milan (1983), "Un Occident kidnappé: Ou la tragédie de l'Europe centrale", *Le Débat*, Novembre. (ミラン・クンデラ「誘拐された西欧——あるいは中央ヨーロッパの悲劇」里見達郎訳『ユリイカ』二三号、一九九一年二月)

Lichtenstein, Tatjana (2016), *Zionists in Interwar Czechoslovakia: Minority Nationalism and the Politics of Belonging*, Bloomington/Indianapolis, Indiana University Press.

Mazower, Mark (1998), *Dark Continent: Europe's Twentieth Century*, London, Allen Lane, the Penguin Press. (マーク・マゾワー『暗黒の大陸——ヨーロッパの二〇世紀』中田瑞穂・網谷龍介訳、未来社、二〇一五年)

Miller, Paul & Claire Morelon (eds.) (2019), *Embers of Empire: Continuity and Rupture in the Habsburg Successor States after 1918*, New York/Oxford, Berghahn Books.

Moll, Martin (2007), *Kein Burgfrieden: Der deutsch-slowenische Nationalitätenkonflikt in der Steiermark 1900–1918*, Wien/Innsbruck, Studienverlag.

Osterkamp, Jana (2020), *Vielfalt ordnen: Das föderale Europa der Habsburgermonarchie (Vormärz bis 1918)*, Göttingen, Vandenhoeck & Ruprecht.

Rakosník, Jakub, Matěj Spurný & Jiří Štaif (2018), *Milníky moderních českých dějin: Krize konsenzu a legitimity v letech 1848–1989*, Praha, Argo.

Reill, Dominique K., Ivan Jeličić & Francesca Rolandi (2022), "Redefining Citizenship after Empire: The Rights to Welfare, to Work, and to Remain in a Post-Habsburg World", *Journal of Modern History*, Vol. 94, No. 2.

Rozenblit, Marsha L. (2001), *Reconstructing a National Identity: The Jews of Habsburg Austria during World War I*, Oxford/New York, Oxford University Press.

Rumpler, Helmut & Ulrike Harmat (eds.) (2018), *Die Habsburgermonarchie 1848–1918*, Bd. XII, *Bewältigte Vergangenheit? Die nationale und internationale Historiographie zum Untergang der Habsburgermonarchie als ideelle Grundlage für die Neuordnung Europas*, Wien, Verlag der österreichischen Akademie der Wissenschaften.

Rumpler, Helmut (ed.) (2016), *Die Habsburgermonarchie 1848–1918*, Bd. XI, 1, *Teilband: Die Habsburgermonarchie und der erste Weltkrieg*,

Wien, Verlag der österreichischen Akademie der Wissenschaften.

Rychlík, Jan (2018, 2022), *1918: Rozpad Rakouska-Uherska a vznik Československa*, Praha, Vyšehrad.

Šedivý, Ivan (2001, 2014), *Češi, české země a Velká válka 1914-1918*, Praha, Nakladatelství Lidových novin.

Spurný, Matěj (2011), *Nejsou jako my: Česká společnost a menšiny v pohraničí (1945-1960)*, Praha, Antikomplex. (*Die lange Schatten der Vertreibung: Ethnizität und Aufbau des Sozialismus in tschechischen Grenzgebieten, 1945-1960*, Wiesbaden, Harrasowitz Verlag, 2019)

Spurný, Matěj (2016), *Most do budoucnosti: Laboratoř socialistické modernity na severu Čech*, Praha, Nakladatelství Karolinum. (*Making the Most of Tomorrow: A Laboratory of Socialist Modernity in Czechoslovakia*, Praha, Karolinum Press, 2019)

Staněk, Tomáš & Adrian von Arburg (eds.) (2010), *Vysídlení Němcůa proměny českého pohraničí 1945-1951: Dokumenty z českých archivů*, Díl I, II/1, II/3, Středokluky, Zdeněk Suša.

Staněk, Tomáš & Adrian von Arburg (2005), "Organizované divoké odsuny? Úloha ústředních státních orgánů při provádění 'evakuace' německého obyvatelstva (květen až září 1945)", *Soudobé Dějiny*, 3/4.

Staněk, Tomáš (1991), *Odsun Němců z Československa 1945-1947*, Praha, Academia.

Ther, Philipp (2011), *Die dunkle Seite der Nationalstaaten: "Ethnische Säuberungen" im modernen Europa*, Göttingen, Vandenhoeck & Ruprecht. (*The Dark Side of Nation-States: Ethnic Cleansing in Modern Europe*, New York/Oxford, Berghahn Books, 2014)

Urban, Otto (1982), *Česká společnost 1848-1918*, Praha, Svoboda. (*Die tschechische Gesellschaft 1848 bis 1918*, Wien, Böhlau, 1998)

Van Ginderachter, Maarten & Jon Fox (2019), *National Indifference and the History of Nationalism in Modern Europe*, New York, Routledge.

Weitz, Eric D. (2008), "From the Vienna to the Paris System: International Politics and the Entangled Histories of Human Rights, Forced Deportations, and Civilizing Missions", *American Historical Review*, December.

Wingfield, Nancy M. (2022), "Democracy's Violent Birth: The Czech Legionnaires and Statue Wars in the First Czechoslovak Republic", *Austrian History Yearbook*, 53.

Wolff, Larry (2020), *Woodrow Wilson and the Reimagining of Eastern Europe*, Stanford, Stanford University Press.

Zahra, Tara (2008), *Kidnapped Souls: National Indifference and the Battle for Children in the Bohemian Lands, 1900-1948*, Ithaca/London, Cornell University Press.

焦点 *Focus*

インドにおける工業化の進展

野村親義

一九九〇年代自由化経済政策を採用して以降、インド経済は基本的に順調な経済発展を遂げている。もっとも、この発展の原動力はサービス産業であり、昨今の東《ひがし》東南アジアの経済発展の原動力である近代的製造業は近年のインド経済発展の原動力とはなっていない(石上・佐藤 二〇一一)[1]。なぜ、近代的製造業はインド経済発展の原動力となりえないのか。この問いは、長く研究者を悩ませてきた。興味深いことに、インドにおける近代的製造業停滞の歴史は古く、インドがいまだ植民地支配下にあった一九世紀後半にまでさかのぼる(Broadberry and Gupta 2010)。さらに興味深いことに、一九世紀中葉本格的にイギリス経済秩序に組み込まれた植民地期インドは、長期にわたりイギリス主導のレッセフェール(自由放任)経済政策下におかれていた。つまり、インドは一九世紀中葉以降、二度の自由経済政策下、近代的製造業の停滞に苦しんできたのである。なぜ、自由化という点で現在と類似の経済政策下、植民地期インドの近代的製造業は停滞したのか。本稿は、昨今のインド史の研究成果に基づきこの問いに答えるものである。この試みは、現在のインドが直面する同様の問題の解明に歴史家の立場から貢献しようとするものでもある。

植民地期インドの近代的製造業停滞因に関する旧来の説は概ね次の二つに分類できる。一つは主にマルクス主義経済学者が採用する説である。彼らはまず政府の積極的な関与が近代的製造業一般の発展に大きく貢献すると仮定する。その上で、イギリス経済秩序に組み込まれる過程で、植民地支配下のインドに持ち込まれたレッセフェール経済政策は、イギリス主導のグローバル経済にインド経済を組み込むことに成功したが、小さな政府に固執することで、二〇世紀後半以降東東南アジアで生じたような、政府の積極的な関与の下での近代的製造業発展の可能性を植民地期インドから奪ったとしている。つまり彼らは、植民地支配を通じインドに持ち込まれたイギリス経済秩序が、植民地期インドの近代的製造業の停滞をもたらした、と考えるのである(Bagchi 1972; Ray 1992)。もう一つの説は、植民地期インドの近代的製造業の停滞は、植民地支配を通じたイギリス経済秩序に起因するのではなく、インド側の事情、特にインド経済の資本僅少労働豊富な要素賦存状況(factor endowment)に起因する、と考える。彼らはまず、植民地期インドには、近代的製造業の二大生産要素の一つである労働力は豊富かつ安価に存在するものの、もう一つの二大生産要素である資本は極めて僅少高価であった、と想定する。そのうえで、この相対的に資本が僅少かつ高価なインドの要素賦存状況が、資本の多用を必要とする近代的製造業の発展を阻害した、とするのである。[2] そのうえで彼らは、植民地期インドの近代的製造業が活発な活動を見せなかったのは、その要素賦存状況に的確に反応したインド国内の経営者の合理的な判断の結果であり、その意味で、その停滞原因は市場メカニズムにより的確に説明できるとしているのである(Gupta 2016; Morris 1983, 1987; Roy 2006)。

双方とも興味深い仮説である。しかし、いくつかの問題を抱えている。例えば、政府の関与であれ市場メカニズムであれ、双方の見解とも、これらのどちらかの方法を通じ経済取引は効率的に調整できたはずだ、もしくは実際に調整されていたと仮定し、そのうえで植民地期インドの近代的製造業停滞因を論じている。[3] しかし、ノースらが強調するように、政府の関与であれ市場メカニズムであれ、経済取引の大半は取引参加者間の情報の非対称性により、取引の調整は困難を伴うことが多い(North 1990)。そのため、多くの場合、情報の非対称性の緩和を目的に、取引参加者が共有するルールの束である経済制度もしくは企業組織が政府民間双方のレベルで構築され、取引の効率的な調整が図られる。昨今のインド経済史は、イギリス経済秩序や、要素賦存状況に代表されるインド側の事情に加え、こうした経済制度や企業組織の機能不全不十分な発展が植民地期インドの近代的製造業停滞の重要な要因であったと考えている。[4] 本稿は、植民地期インドにおけるイギリス経済秩序を体現したレッセフェール経済政策や植民地期インドの要素賦存状況の実態を紹介したうえで、これら不十分な経済制度企業組織の発展が、植民地期インドの近代的製造業の発展に具体的にどのような影響を与えていたのか、紹介する。

一、概観

近代的製造業がインドに次々出現したのはインド大反乱(一八五七—五八年)前後の一九世紀半ば以降である。以後紆余曲折を経ながら、一九二〇年後半には、インドは産出額世界第一二位の近代的製造業国となる。植民地期インドのこの近代的製造業の発展を主導したのは綿ジュートの二大繊維産業である。二〇世紀初頭からほぼ三〇年間、両産業あわせて近代的製造業部門付加価値生産額の五〇%程を産出した(Sivasubramonian 2000)。

双方の繊維産業ともその起源は一九世紀半ばにさかのぼる。インドで最初の近代的綿紡績会社は一八一七年スコットランド系商会により設立された。もっとも、近代的綿紡績業が順調に成長するのは一八五〇年代以降のことである。一八九〇年代までに、ボンベイ(ムンバイ)を中心にインド綿紡績業は、おおよそ一〇万人の労働力を有する一大産業に成長し、イギリスに次ぐアジア特に中国への綿糸の輸出元となった。しかし、二〇世紀初頭以降インドの近代的綿紡績業は日本の追い上げを受け、中国市場への輸出を一九〇五年から一九一三年の間に三分の一程度に減らすこととなる。その後日本製綿糸はインドへも輸出され、インドは国内でも日本製品との競争に直面する。加えて、それまでインド綿紡績業を主導してきたボンベイ綿紡績業は一九二〇年代以降、安価な労働力などを基礎に成長した国内他産地との競争にもさらされていく。こうした日本との競争にもかかわらず、植民地期インドの機械製綿糸は一九二〇年代以降も一〇〇%自給率を維持した。機械製綿布は、一九〇八/〇九年に三一%であった自給率を一九四七/四八年には一三二%とした。

ジュート産業は、先発のイギリスから資金技術支援をうけ、一八五〇年代誕生した。もっとも成長が軌道に乗るのは一八七〇年代以降のことである。第一次大戦前のグローバル経済の成長にけん引された同産業は、アメリカなど海外の市場開拓に成功し、一九世紀末世界最大の輸出元となった。他方、戦後のグローバル経済の低成長はジュート産業に影を落とした。もっとも、戦後期の困難にもかかわらず一九三六/三七年のジュート産業は労働者二九万人を抱え、海上輸出の一四%(額面)を占める一大産業であった。

これら二大繊維産業に加え、砂糖、マッチ、鉄鋼など多様な近代的製造業が植民地期インドに勃興した。このうち鉄鋼業はのちの議論と深くかかわるため、少し詳しく見ておきたい。インドで最初の近代的製鉄会社は一八一〇年代に始業した。しかし、安定経営の成功はタタ(ターター)鉄鋼所の設立(一九〇七年)まで待たねばならなかった。以後、植民地期インドは銑鉄自給率を一六%(一九〇九/一〇年)から一七六%(一九三六/三七年)まで大きく伸ばした。銑鉄の高い国際競争力の結果、例えば一九二八/二九年インドは銑鉄四五万トンを輸出し、そのうち三五万トンが未だ国内生産一〇〇万トンほどであった日本に輸出された。他方鋼塊自給率も二%(一九一二/一三年)から六六%(一九三六/三七年)へと大きく改善した(以下鉄鋼業関連情報は全てNomura 2018)。

にもかかわらず植民地期インド近代的製造業は、サイモン・クズネッツがいう経済構造の変容を伴う近代的経済成長の実現、つまり、科学的発見の生産活動に対する意識的応用および社会経済の急速な構造変化を伴いつつ一人当たり国民総生産を大幅に上昇させる、には不十分であった。例えば、経済構造変化のありようを示す、近代的製造業を含む製造業全体が国民総生産に占める比率の推移を見ると、植民地期インドの数値は同時期の日本と比し見劣りする。日本の数値は一八八〇年代の五%から一九三〇年代末の三〇%まで大きく増加した。ところがいち早くイギリス産業革命の影響を受けたインドでは、同比率は一一%(一九〇〇/〇一年)から一六%(一九三八/三九年)への微増に留まった。

既存の研究は、植民地期インドの近代的製造業は、タタ鉄鋼所を除き、一般に停滞していたと理解し、そのうえでこの停滞は労働生産性の低成長に起因するとしている(Wolcott 2016 ほか)。労働生産性の低成長率は、資本労働比率の低成長、資本分配率の減少、ならびに全要素生産性の低成長の三要因に起因する、と考えられる。[5] 植民地期インドにおいて資本分配率に大きな変化がなかったと仮定すると、労働生産性の低成長は、資本労働比率の低成長、全要素生産性の低成長、もしくはその双方に起因すると考えられる。

昨今のインド経済史研究は、実際、植民地期インドの労働生産性の動向は、資本労働比率および全要素生産性双方の成長率により規定されていたと考えている。つまり、低労働生産性に苦しんだ代表的製造業である綿紡績業の場合、主に資本形成の停滞に起因する資本労働比率の停滞と、リング紡績に代表される新規技術導入の遅れや労務管理の失敗などに起因する全要素生産性成長率の停滞がその低労働生産性の原因であった、と考えられている。他方、タタ鉄鋼所は積極的な資本形成と新規技術の取り入れにより資本労働比率、全要素生産性ともに高率での成長を維持していた、と考えられている(例えば Otsuka et al. 1988; Nomura 2005, 2018)。[6] では植民地期インドにおいて、資本形成と全要素生産性の双方の成否に影響を与えた要因は何だったのか。この問いに答える前に、これら要因に多大な影響を与えた、イギリス経済秩序下、植民地期インドに導入されたレッセフェール経済政策の概要を見ておこう。

二、レッセフェール経済政策

世界的教科書『ケンブリッジインド経済史』の著者の一人モリスが指摘するように、「植民地期インドは市場が何事をもできる壮大な社会実験の場」であった(Morris 1987: 154)。

イギリス経済秩序がインドに及ぶことにより、植民地期インドにもたらされたレッセフェール経済政策にはいくつかの特徴があった。第一に、国民総生産に占める財政収入の比率で測られた植民地期インドの財政規模は、イギリスや日本の数値より小さかった。インドの数値は一九〇〇年以降三〇年代まで、六から八%の幅で推移した。他方、イギリスや日本の数値は、一八九〇年代すでに一〇%程度であり、一九三〇年代日本は二〇%以上、イギリスは三五%程度となった。政府債務残高にも同様の傾向が見られる。インド政府の債務残高(ルピー債スターリング債合計)の国民総生産比は、一九〇〇年代初頭は日本やイギリスの数値より高水準であった(インド四九%、イギリス三一%、日本二〇%)。インドはその比率を一九三八年までに二六%に引き下げた。他方、一九三八年までにイギリスは一六〇%、日本も六四%まで引き上げた(Nomura 2019)。このように、植民地期インド政府の財政能力は極めて限られたものであった。言い換えれば、かつてマルクス主義経済学者が指摘したように、植民地期インドの政府は小さな政府に固執し、政府の積極的な関与に基づく近代的製造業の発展を実現するための財政的基礎を欠いていたのである。

この消極的財政政策は、イギリス植民地政策の重要な柱の一つであった。トムリンソンは次のように書いている。「[インド政府にとって死守しなければならない課題は]イギリス商品に市場を提供すること、ロンドンで償還されるスターリング債利払いほかの費用の支払いを確実のものとすること、および、インドの税収でインド駐留イギリス兵の費用を捻出しかつイギリス帝国の軍事基地としてインド兵の一部を利用すること、である」(Tomlinson 2013: 125)。消極的財政政策は二点目の実現に不可欠である。なぜなら積極的財政政策は過度なインフレを引き起こし、インドルピーを不安定化させる可能性がある。不安定な為替レートはイギリスの投資家を過度な為替リスクにさらすこととなり、「費用の支払いを確実」にしたい政策当局ならびにインドに多額の投資を行うイギリス人投資家には容認できない。そのため植民地期インド政府は消極的財政政策に固執したのである。同じ理由から印英間の大きな経済成長率格差にもかかわらず、植民地政府はインドルピーの対ポンド為替レート(名目)を一八九〇年代以降一三・三ルピーから一五ルピーの狭い幅に収めるよう腐心した。

税収確保他の理由から関税が引き上げられる第一次大戦まで、植民地政府のレッセフェール経済政策は低関税政策も伴った。自由貿易原理に従い植民地政府は一〇%(一八五九/六〇―六四年)、七・五%(一八六四―七五年)、五%(一八七五―八二年)、〇%(一八八二―九四年)、そして一八九四年以降は五%という低い一般関税を課した。この低関税はこの間植民地期インドの活発な輸出入を促進した。

レッセフェール経済政策下、近代的製造業発展のために政府が行使しうる財政基礎が極めて限られていた植民地期インドでは、近代的製造業は、その生産発展に必要な投入産出財の取引を、市場を通じ行わざるを得なかった。ではなぜ植民地期インドの市場は、近代的製造業の生産発展に必要な投入産出財の取引や技術発展を後押しし、労働生産性を改善できなかったのか。結論を先取りすると、その背後には、労務管理制度や証券取引所のような労働力や資本の取引を調整する経済制度企業組織の未整備があった。以下、近代的製造業の二大生産要素である労働資本取引のありようにに注目しながら、この点を明らかにしていこう。

三、労働取引

近代的製造業の発展は、いわゆる工場で働く、多数の熟練・未熟練労働者を必要とする。植民地期インドの近代的製造業に従事する労働者数は無視できないもので、一九四〇年代二〇〇万人を超えるまでになった。多くが都市部に位置する近代的製造業がインド各地から多数の労働者を雇用できた背景に、長距離移動を可能とする活発な全インド的労働市場の存在があった。

都市部への労働移動は、農村状況、インフラ整備状況など多様な要因により規定される。これら多様な要因の中でも重要なものに、賃金がある。現在の研究は、植民地期インドの未熟練労働者賃金と熟練労働者賃金は異なるトレンドを有していたと考えている。未熟練労働者の実質賃金は、一般物価に対する短期的調整能力に関し見解に相違があるものの、植民地期を通じて停滞していたとされている。他方、熟練労働者の実質賃金は未熟練労働者のそれよりも高く、さらに、遅くとも一九二〇年代以降に上昇し始めたと理解されている。

興味深いことに、熟練・未熟練労働者のインドと日本の名目賃金は一九〇〇年以降、第一次大戦勃発後一五年ほどを除いて、ほぼ同水準にあった。第一次大戦勃発とともに日本の名目賃金はインドを上回るが、一九三〇年代初頭以降の円ベースの名目賃金の下落とインドルピーに対する日本円の減価により両者の差はほぼ消滅した。それに伴い、日本綿紡績業の高い対印競争力は日本の工場経営者による労働者の搾取に起因するという声が印日双方で当時聞かれた。

もっとも、賃金は労働力取引調整の一手段に過ぎない。賃金に加え経済制度や企業組織も取引調整に重要な役割を果たす。ノースに従うと、これら経済制度企業組織には法に基づいたフォーマルなものと法の枠外のインフォーマルなものとがある(North 1990)。

植民地期インド最初の工場法は一八八一年に整備され、まず児童労働が制限された。続く一八九一年の改正工場法では成人女性労働が法の対象となった。成人男性が工場法の対象となったのは一九一一年以降である。第一次大戦以降、政府は労使関係への介入を強化し、結果として一九二六年には労働組合法などが整備された。これら労働関連法は、効果的に立案され厳格に施行されたとはいえないが、工場労働者の取引調整に一定の役割を果たした。

労働関連法は、労働時間や労働争議のありようなどに規制を設けたが、雇用昇進解雇などの調整は、主に法外の民間による経済制度企業組織により行われた。植民地期インドの近代的製造業は概ね二種の雇用管理制度を用いた。一つは直接労務管理制度、もう一つは間接労務管理制度である。総支配人現場監督などの経営スタッフは、理事会などが雇用管理に必要な情報を自ら収集し、自ら決定を行う直接労務管理制度の下、雇用管理されていた。他方、熟練・未熟練労働者の雇用管理は一般に間接労務管理制度の下、行われていた。インドではジョバー制度などとも呼ばれるこの間接労務管理制度の下、経営スタッフは雇用や管理業務一般を下層管理者であるジョバーに委託し、ジョバーは自らの個人的ネットワークを用い職務を遂行した。この個人的ネットワークは地縁血縁に加え宗教カースト由来の社会的紐帯に多く依拠していたと理解されている。サバルタン学派の中心人物の一人チャクラバルティはかつて、これら社会的紐帯を基礎とするジョバーの力を絶対視し、労働者とジョバーの関係を静態的固定的に解釈した(Chakrabarty 1989)。しかし一九九〇年代以降この仮説は実証的理論的に厳しく批判されている。昨今は、ジョバーが権限を過度に悪用した場合、労働者は強く反発し、かつ両者の関係は労働者の自発性時代性を反映して柔軟かつ動態的であったと理解されている(Chandavarkar 1994; Chibber 2013; Sen 1999)。

少なくとも第一次大戦まで間接労務管理制度は有効な労務管理制度であった。しかし一九二〇年代以降、特にボンベイ綿紡績業においてこの制度は強い改革圧力を受けることとなる。前述のように、ボンベイ綿紡績業は一九二〇年代以降国内外の強い競争圧力を受けるようになる。こうした中、同産業は、政府の要請の下、局面打開のため様々な策を講じた。その一つが、熟練・未熟練労働者の労務管理に対する、直接労務管理制度導入を通じた労働生産性の改善策であった。一九二〇年代以降熟練労働者の実質賃金が上昇し始めたことも、この傾向を後押しした。

具体的には政府から二つの要請があった。一つは、国内外の競争圧力の下、一九二七年インド関税報告書が、綿製品に対する関税導入と引き換えにボンベイ綿紡績業界に労働生産性の改善を要請したこと。もう一つは、一九二八年ストライキを機に発足したボンベイストライキ委員会が、生産性一般を改善すべく合理化計画の採用を要請したことである。要請を受け立案された合理化計画は、従来ジョバーが担った雇用管理を企業内の一部局が担うとともに、企業産業両レベルで雇用管理の諸基準を標準化することを重要な柱とした。例えば、賃金と仕事量の標準化もしくは同一労働同一賃金制度の導入は、企業産業両レベルの労働生産性を改善しうる効率賃金制度導入に必要不可欠だと考えられた。雇用昇進などの諸方針の標準化は、縁故優遇などが労働者の士気を削ぐことを解決すると期待された。そのうえでこれら標準化は、従来ジョバーが担った労働者の雇用管理を企業の一部局に属する労務管理官が一元的に行う直接労務管理制度を導入することで実現できると考えられた。

しかし、この新制度導入は緩慢にしか進まなかった(Chandavarkar 1994; Morris 1965, 1983)。理由の一つは、経営スタッフや中下層管理者がほかの企業の熟練労働者を頻繁に引き抜いていたことにある。事実、こうした労働者の引き抜きは、労働者を引き抜いた企業が、引き抜いた労働者の技能向上に必要な費用の支払いを免れることができるため、頻繁に行われた。その際経営スタッフや中下層管理者は、ターゲットとなる労働者が得ていた賃金より高い賃金を労働者に提示し、労働者を引き抜いていた。結果として、賃金と仕事量の標準化が企業産業両レベルで徹底できなかったのである。ボンベイ綿紡績業の業界団体ボンベイ綿紡績経営者組合は一九二〇年代、こうした引き抜きの規制を試みた。しかし、同組合は組合員に規制を強制する権限を持たず規制は失敗したのである。

タタ鉄鋼所も一九二〇年代以降直接労務管理制度導入を開始した。一つの試みとして、一九二一年会社内部に雇用局を設置し、当該部局が直接労務管理制度遂行に必要な情報を収集した。しかし、ジョバーに代わり労働者の管理を行う有能な労務管理官の継続的な発掘は難しく、直接型労務管理制度の導入はタタ鉄鋼所でも順調に進展したとは言い難い。その意味で、直接労務管理制度導入はタタ鉄鋼所にとっても容易ならざる試みであった。

四、資本取引

労働力に加え、近代的製造業の発展は、多くの資本を必要とする。次に植民地期インドにおける資本取引の実態を概観する。

イギリス経済秩序の下で採用されたレッセフェール経済政策のもと、一九世紀中葉以降植民地期インドの貿易量は貿易黒字を伴いながら増加した。この貿易黒字は一八六一年以降一九一三年まで平均して年三・四%のマネーサプライの増加をもたらした。この数値は、同期間の国民所得の年平均成長率二・三%より大きく、結果、金融深化(経済規模に応じた、当該国の経済活動を支える通貨(預金を含む)供給量の増加)を後押しした。

金融深化の進展もあり、少なくとも短期資金に関しては、植民地期インドは同時期の日本と同程度の金利水準にあった。つまり、植民地期インドの製造業停滞因を説明する既存の説の一つが主張していたように、資本そのものが僅少であった、とはいえない。例えば植民地期インドの準中央銀行が課す政策金利は日本の政策金利より低利であった(一九〇一―三七年平均インド六・一%、日本六・三%)。日本の消費者金融同様不当な利率として悪名高いバザールレートでさえ日本の主要商業銀行金利より低利であった(一九二三―三七年平均インド八・三%、日本八・七%)(Nomura 2019)。このように、植民地期インドの製造業が資金調達に苦慮していたということは、少なくとも短期資金について主張することは難しいように思われる。なお、先述のように二〇世紀前半の一時期を除いて印日間で名目賃金も明確な違いがなかった。このことは、この時期、少なくとも短期資金と労働力に関し、印日間の要素賦存状況に大きな違いがなかった可能性を示唆している(Nomura 2019)。

他方で、近代的製造業は短期資金に加え長期資金を必要とするが、植民地期インドはこの長期資金の調達に多くの困難を抱えていた。短期資金は一般に原材料購入などに利用される。他方、長期資金は機械設備など償却に時間がかかる財の購入に充てられる。一般的に短期資金は低い取引リスク不確実性から、多くの金融制度が比較的容易にその供給を行いうる。しかし多くのリスク不確実性から長期資金を供給できる金融制度は限られる。長期資金供給に資する金融制度として、一般に、株式会社制度、減価償却積立もしくはそのほかの準備金制度[7]、長期資金供給を目的とする銀行などがある。残念ながら植民地期インドの長期金利動向を示す整備された統計はない。にもかかわらず、植民地期インドの長期資金は、少なくとも日本と同程度の水準にあった短期金利を長期金利に転換する金融制度企業組織の不足、ならびにイギリス経済秩序主導の下導入されたレッセフェール経済政策が原因となり、高い金利が課されていたと考えられている(Chandavarkar 1994; Tripathi 2004)。

日本やドイツで重要な役割を果たした銀行による長期資金融資は、植民地期インドでは稀であった。日本やドイツでは、民間・政府系銀行を通じた長期資金の融資は、最後の貸し手機能を担う中央銀行により直接間接に支えられていた。しかし同様の機能を担いえた植民地期インドの準中央銀行は政府の消極的政策の影響で六カ月以上の貸付を禁じられていた(Nomura 2018: 36)。民間商業銀行もこの消極的政策に追随した。結果として、植民地期インドでは銀行を通じた長期資金融資は極めてまれであった。

減価償却積立ほかの準備金が重要な長期資金供給源となることはあった。例えば戦間期タタ鉄鋼所は総固定資本の三〇%以上を減価償却積立金から調達した。こうした事例にもかかわらず、減価償却積立ほかの準備金の役割は限定的であった。その原因として、これら資金は事業が順調に進展して初めて利用可能になるという点がある。加えて、後述する理由から植民地期インドの近代的製造業は高配当政策を採用する傾向が強く、この高配当政策によりこの種の資金調達には大変な制約が課されていた。

創業初期、植民地期インドの多くが長期資金供給源としたのは株式であった。事実、一八五〇年代のインド会社法制定を受け株式会社登録数は一八五一―六五年の三七三から一八六六―八二年の七七六へと急増している(Rungta 1970: 284)。三〇年ほどの間に株式会社登録数が急増したことは、株式会社制度が、長期資金調達の貴重な手段として、いかにインド人に好意的に受け入れられていたかを端的に示している。

しかしながら植民地期インドは、証券取引所の機能不全から、この株式を通じた長期資金調達にも多くの問題を抱えていた(Tripathi 2004)。インドで最初の証券取引所(のちのボンベイ証券取引所)は一八七五年設立された。しかし、実行可能な規則の不足から、証券取引所はディーラーのインサイダー取引等情報操作規制に失敗し、株式取引は不安定でリスクの高いものであった(Nomura 2018)。

証券取引所の不安定な取引は、植民地期インドの長期資金取引に二つの特徴を生み出した。第一は、個人的なネットワークを通じた株式売買の増加である。匿名性が高く、それゆえ取引に多くのリスクを抱える証券取引所は、企業から、自らの株式売買の場として、敬遠されるようになった。そのため、企業は、個人的なネットワークを通じ企業の正確な情報に一定程度アクセスできる企業経営者の親戚や事業仲間と株式の売買を積極的に行うようになった。こうした個人的な株式取引の広範な利用を反映して、創業当初、近代的製造業の株式は創業者や企業経営者の親戚事業仲間に所有されることが多く、これら広い意味での企業関係者の出資を待って、ネットワーク外の投資家も徐々に当該企業に出資した。こうした企業経営者とその親戚事業仲間は、日本の財閥と並び称せられることもある「経営代理会社」として組織化される場合が多かった。もっともこれら親戚や事業仲間は、事業の順調な進展を待って持株比率を減らした。第二に、株価変動の大きい株式の保有リスクを相殺するため株主は高配当を要求したが、この高配当は減価償却積立などの準備金積立に悪影響を与えた(Sen 1999: 119)。高配当政策が採用された理由はほかにもあった。上述のように、親戚や事業仲間は参画した事業が順調に進展し始めると株式を売却する傾向があった。このことは、個人的なネットワークで結びつく企業経営者とその親戚事業仲間からなる経営代理会社を株主総会で少数派にしてしまうリスクを伴った。そこで企業経営者は株主に高配当を約束し、ネットワーク外の株主から議決権の委託をうけることで株主総会での支配権を維持しようとしたのである(Goswami 1991: 106-108; Nomura 2014)。

これら証券取引所の不備やレッセフェール経済政策下の消極的経済政策などに由来する長期資金供給源の不足から、植民地期インドでは長期資金に高金利が課せられた。この高金利が、資本形成を鈍化させたのである。

ではなぜタタ鉄鋼所は、例外的に積極的な資本形成に成功したのであろうか。答えは一九一八年の株主総会におけるタタ財閥兼タタ鉄鋼所理事長DJタタの次の発言に見て取れる。

「〔高配当などを原因として〕株価が異常なレベルまで引きあがると、資本家は、労働者の賃金などを犠牲にして、〔更なる〕不当な配当を望むようです〔中略〕〔このようなおり〕製造業金融業界の関係者に、製造業や私たちの社会に最もふさわしい結果が引き出せるよう、こうした〔高配当〕傾向を回避するよう〔中略〕より理性的な対応をお願いします」。

この発言ののち、DJタタは戦時利益を享受するタタ鉄鋼所の配当を他社に比し低く抑え込んだ。他方、彼は、戦後の国際競争激化を見越し生産設備を大きく改善すべく年々の減価償却積立金を大幅に引き上げ、いわゆる大拡張計画を開始した。成長会計分析によると、資本形成はタタ鉄鋼所の一九一三／一四年以降二七年間の成長の四一%を説明するが、この資本形成の大半が大拡張計画によるものであった。その意味で、DJタタの経営姿勢が、この時期のタタ鉄鋼所の成長に重要な役割を果たしたと考えられる。

五、結論

本稿は、植民地期インド近代的製造業の停滞因に労働生産性の低成長があることを示し、この低成長の原因として資本形成と全要素生産性双方の低成長があることを示した。そのうえで、資本形成と全要素生産性の低成長は、レッセフェール経済政策下の消極財政に加え、労務管理制度、証券取引所など労働資本取引の調整を担う経済制度企業組織の不十分な発展もしくは機能不全により説明されるとした。

本稿が紹介した分析は、今後一次史料に基づく多様な経済制度企業組織分析により補完される必要がある。二〇一九年創設された隔年開催の学術会議(International Conference on Indian Business and Economic History)でも繰り返し指摘されているように、近年、インド製造業の来歴を明らかにする一次史料の発掘公開がインド国内で急速に進んでいる。このことは、今後これら経済制度企業組織分析を促進するとともに、一九八〇年代インド経済史の大家が熱望した一次史料に基づくインド経営史経済史の進展に大きく資するものと思われる。

注

（1）本稿のタイトルに与えられた「工業化」を一つの訳語とするindustrializationは多義的な用語である。本稿は便宜的に工業化を狭く定義し近代的製造業の発展と同義と理解する。なおインド史において近代的製造業とは通常、一八八一年以降制定改正されたインド工場法に準拠して定義する。例えば一九二二年改正工場法では、近代的製造業を「二〇人以上の労働者を雇用し、機械を用いて生産を行う」工場を有する製造業と定義している(Sivasubramonian 2000: 197)。

（2）自由な貿易交易が行われると、労働力が多く資本が少ない(労働豊富資本僅少な要素賦存状況の)国地域は労働集約型産業の生産輸出に特化し、輸出した財を、他国地域の資本集約型産業が生産した財と交換することで、自国ですべての財を自給するより、多くの財の消費が可能になる。この貿易交易のメリットゆえに、レッセフェール経済政策下自由な貿易交易が推進されると、植民地期インドは労働集約型産業の生産輸出に特化したと、この説の支持者は考えている。

（3）政府市場の高い調整能力を想定したうえで仮説を構築するという意味で、この二仮説は、一九九〇年代以前の開発経済学の二大パラダイム、経済的介入主義(economic interventionism)と経済的自由主義(economic liberalism)に各々類似している(Meier 1995)。

（4）近年、経済制度や企業組織が植民地期インドの経済活動に与えた影響が幅広く研究されている(Roy and Swamy 2016)。

（5）「資本労働比率」は労働者一人当たりの資本装備量を示す指標で、数値が大きければ資本集約的(相対的に資本を多用)、小さければ労働集約的(相対的に労働力を多用)であることを示す。「資本分配率」は産出された付加価値が生産要素の一つである資本に配分される比率を示す指標で、この数値が大きければ、「資本労働比率」により示される労働者一人当たり資本装備量が労働生産性の成長に大きく貢献することとなり、この数値が小さければその貢献が小さくなる。「全要素生産性」(total factor productivity: TFP)は、資本や労働力といった投入財などが様々な場で取引される際に生ずる取引上の効率性、もしくは技術発展の程度を示す指標である。効率性改善技術発展が生じるとその数値は大きくなり、改善発展が停滞すればその数値は小さくなる。全要素生産性は通常、付加価値の増分のうち、資本や労働力の増分で説明できない残差として求められる。

（6） Broadberry and Gupta(2010)も印英マクロ経済比較を通じ同様の結論を導いている。

（7） 植民地期インドにおいて、減価償却は、追加投資や修繕を賄う準備金の一部と理解されていた(Calcutta Stock Exchange Association 1937: 840)。

参考文献

石上悦朗・佐藤隆広（二〇一一）『現代インド・南アジア経済論』ミネルヴァ書房。

Bagchi, A. (1972), *Private investment in India, 1900-1939*, Cambridge, Cambridge University Press.

Broadberry, S. and B. Gupta (2010), "The historical roots of India's service-led development: A sectoral analysis of Anglo-Indian productivity differences, 1870-2000", *Explorations in Economic History*, 47-3.

Calcutta Stock Exchange Association (1937), *The Calcutta stock exchange official yearbook*, Calcutta, The Committee of the Calcutta Stock Exchange Association Limited.

Chakrabarty, D. (1989), *Rethinking working-class history: Bengal, 1890-1940*, Princeton, NJ, Princeton University Press.

Chandavarkar, R. (1994), *The origins of industrial capitalism in India: Business strategies and the working classes in Bombay, 1900-1940*, Cambridge, Cambridge University Press.

Chibber, V. (2013), *Postcolonial theory and the specter of capital*, London, Verso.

Goswami, O. (1991), *Industry, trade, and peasant society: The jute economy of eastern India, 1900-1947*, Delhi, Oxford University Press.

Gupta, B. (2016), "The rise of modern industry in colonial India", L. Chaudhary, B. Gupta, T. Roy, and A. Swamy (eds.), *A new economic history of colonial India*, London, Routledge.

Meier, G. M. (1995), *Leading issues in economic development*, Oxford, Oxford University Press.

Morris, M. D. (1965), *The emergence of an industrial labour force in India: A study of the Bombay cotton mills, 1854-1947*, Los Angeles, University of California Press.

Morris, M. D. (1983), "The growth of large-scale industry to 1947", D. Kumar and M. Desai (eds.), *The Cambridge economic history of India*, 2, *c. 1757-c. 1970*, Cambridge, Cambridge University Press.

Morris, M. D. (1987), "Indian industry and business in the age of laissez faire", D. Tripathi (ed.), *State and business in India: a historical perspective*, New Delhi, Manohar.

Nomura, C. (2005), "Corporate organization of Indian business enterprises during the British colonial period", *Japanese Journal of South Asian Studies*, 17.

Nomura, C. (2014), "The origin of the controlling power of managing agents over modern business enterprises in colonial India", *Indian Economic and Social History Review*, 51-1.

Nomura, C. (2018), *The house of Tata meets the second industrial revolution: An institutional analysis of Tata Iron and Steel Co. in colonial India*, Singapore, Springer.

Nomura, C. (2019), "Historical roots of industrialisation and the emerging state in colonial India", K. Otsuka and K. Sugihara (eds.), *Paths to the emerging state in Asia and Africa*, Singapore, Springer.

North, D. (1990), *Institutions, institutional change and economic performance*, Cambridge, Cambridge University Press. (ダグラス・C・ノース『制度・制度変化・経済成果』竹下公視訳、晃洋書房、一九九四年)

Otsuka, K., G. Ranis, and G. Saxonhouse (1988), *Comparative technology choice in development: the Indian and Japanese cotton textile industries*, Basingstoke, Macmillan.

Ray R. K. (1992), *Entrepreneurship and industry in India, 1800-1947*, Delhi, Oxford University Press.

Roy, T. (2006), *The economic history of India 1857-1947*, 2nd ed., New Delhi, Oxford University Press.

Roy, T. and A. Swamy (2016), *Law and the economy in colonial India*, Chicago, University of Chicago Press.

Rungta, R. (1970), *The rise of business corporations in India, 1851-1900*, Cambridge, Cambridge University Press.

Sen, S. (1999), *Women and labour in late colonial India: The Bengal jute industry*, Cambridge, Cambridge University Press.

Sivasubramonian, S. (2000), *The national income of India in the twentieth century*, New Delhi, Oxford University Press.

Tomlinson, B. (2013), *The economy of modern India: From 1860 to the twenty-first century*, Second Edition, Cambridge, Cambridge University Press.

Tripathi, D. (2004), *The Oxford history of Indian business*, Oxford, Oxford University Press.

Wolcott, S. (2016), "Industrial labour in late colonial India", L. Chaudhary, B. Gupta, T. Roy, and A. Swamy (eds.), *A new economic history of colonial India*, London, Routledge.

集 点 | *Focus*

日本植民地の経済
——台湾と朝鮮

平井健介

はじめに——植民地経済の分析視角

本稿の目的は、日本植民地時代の台湾（一八九五—一九四五年）と朝鮮（一九一〇—四五年）の経済について概観することにある。戦後に本格的にスタートした日本植民地経済史研究では、植民地統治への反省や、台湾と韓国の経済の混乱・停滞という当時の時代状況を受けて、日本の侵略・収奪による植民地経済の従属化のプロセスの解明に重点が置かれた。そこでは、被統治主体は衰退を余儀なくされるネガティブな存在として描かれてきた（収奪論）。しかし、一九六〇年代以降に台湾と韓国が経済成長を始めたという時代の変化を受けて、その歴史的起源を植民地時代に見出そうとする問題関心が生まれ、一九八〇年代以降になって「侵略と開発」（松本 一九八八）の双方を視野に入れた研究が進められるようになった。また、統計資料の発掘・整備が進み、帝国全体の経済構造を把握し、台湾と朝鮮の経済を国民経済計算の視点から評価できるようになった（溝口・梅村 一九八八、山本 一九九二）。その結果、インフラ・産業政策や帝国内分業を通じた産業化によって、台湾や朝鮮は日本に匹敵する実質GDPの成長を達成していたことが明らかとなり［**表1**］、被統治主体は経済環境の変化に対応しようとしたポジティブな存在としても理解されるようになった(近代化論)。

一方で、近代化論は植民地統治の持つ政治性・差別性を等閑視する嫌いがあるため、日本の植民地統治は良かったとする植民地賛美論と紙一重の危うさを持っている(金子 一九九七：一〇五―一〇六頁)。駒込(二〇〇三)は、帝国主義時代の植民地統治の特徴は「近代化」との密接な関係にあったが、植民地における近代化の特徴は、経済的近代化(資本主義化)の促進と政治的近代化(民主化)の抑制という不均衡にあり、近代化論は植民地的近代の一側面しか見ていないと鋭く批判する。また、板垣(二〇〇四)は、近代化論は資本主義化や教育・医療設備の普及などを以て計測される「近代化」を尺度として、それが発展したかを評価しており、近代化そのものが持っている抑圧的・差別的・暴力的な側面に着目していないとしている。

本稿では、近代化論の成果と問題の双方を念頭に置きながら、まず帝国日本の全体的な構造と植民地経済の展開を概観し、次に植民地の経済成長やそこでの日本の位置づけを相対化する視点に立った諸研究の成果を紹介する。(1)

一、植民地の開発――産業化、財政独立、帝国内分業

内地と外地

帝国日本は、法体系および行政機構が異なる「内地」と「外地」から構成されていた。(2) 内地とは憲法施行時の領土で、法律が原則として適用され、政府が統治する地域を指し、外地とは憲法施行後に獲得された領土で、その地域のために特別に定められた法規が適用され、外地行政府が統治する地域を指す。台湾と朝鮮は総督府を行政府とする外地である[表1]。(3)

新領土が内地と異なる統治形態を持つ外地とされた背景には、政府(官界)や軍部を支配する藩閥と、その対抗勢力

表1 内地・台湾・朝鮮の主要経済指標 1910-40年

	人口		実質 NDP		産業構造(%)			貿易結合度(%)
内地：面積38.3万km², 日本政府, 内閣総理大臣(文武官)＝行政権								
	総数(千人)	市部人口率(%)	総額(百万円)	1人当り(円)	第一次	第二次	第三次	
1910	49,184		7,559	154	31	20	50	17
1920	55,963	33.1	10,662	191	28	22	50	12
1930	64,450	36.4	13,287	206	23	32	44	22
1940	71,420	40.7	23,306	326	14	43	43	29
台湾：面積3.6万km², 台湾総督府, 台湾総督(武官→文武官)＝行政権・立法権・司法権								
	人口		実質 GDP		産業構造(%)			貿易結合度(%)
	総数(千人)	市部人口率(%)	総額(百万円)	1人当り(円)	第一次	第二次	第三次	
1910	3,254		342	105	36	20	44	82[82]
1920	3,694	9.7	437	118	37	20	43	76[76]
1930	4,593	13.5	716	156	39	23	38	84[82]
1940	5,872	18.2	903	154	35	28	37	91[86]
朝鮮：面積22.1万km², 朝鮮総督府, 朝鮮総督(武官)＝行政権・立法権・司法権								
	人口		実質 GDP		産業構造(%)			貿易結合度(%)
	総数(千人)	市部人口率(%)	総額(百万円)	1人当り(円)	第一次	第二次	第三次	
1911	16,615		950	57	53	6	41	65[65]
1920	18,619	3.4	1,447	78	64	11	25	71[71]
1930	21,058	5.7	1,857	88	52	14	34	82[81]
1940	24,302	11.6	2,859	118	42	32	27	84[82]

注1：実質NDPは1934-36年平均価格, 実質GDPは1935年価格.
2：貿易結合度は, 全貿易額に占める日本・台湾・朝鮮間の貿易額の比率. [ ]内は対内地貿易のみ.
3：貿易結合度のうち, 内地と台湾の1910年の数値は1911年の数値, 全地域の1940年の数値は1938年の数値である. 産業構造のうち, 朝鮮の1911年の数値は1912年の数値である.
出典：三和・原(2010：4, 9)；溝口(2008：6-7, 233, 387, 403)；金(2008：381, 392, 406-407)；溝口・梅村(1988：246-251)；橋谷(2004：10)

となった議会(政党)との対立があり、藩閥は新領土に対する議会の介入を阻止する統治体制を必要としていた。また、新領土では内地と異なる慣習が見られたことや、抗日勢力の効率的鎮圧が必要であったということも、内地と異なる統治体制が必要とされた要因であった(山室 二〇〇一：六六—六八頁)。政府は新領土を議会の影響力が及ばない直轄地とすることを構想し、総督に新領土の行政権のみならず立法・司法権も持たせ[**表1**]、その総督を政府の主務官庁に監督させる統治体制を築いた(檜山 一九九八)。

しかし、この統治体制は内外地行政の一体性を損なった。政府は総督の任免権と命令の承認権、議会は予算の協賛権を通じて外地に介入できたが(百瀬 一九九〇：四〇二頁)、外地の政策を構想したのは総督府であった。外地(総督府)利害と内地(政府)利害は基本的に一致したが、対外政策や産業政策をめぐって対立することもあった。政府は内外地行政の一体化を目指して、総督の立法権を制限する「内地延長主義」を導入したり、外地の監督官庁として拓務省や大東亜省を設置したりしたが、一体化には至らなかった(山室 二〇一一)。

開発志向

外地では経済的近代化をもたらす「開発」が志向された。その背景には、統治の正当性の確保のほかに、日清日露戦後の日本経済が直面した、財政難と国際収支の赤字という問題があった。財政難は外地経営に要する追加的な歳出を困難とし、政府は総督府に経営費を自弁する「財政独立」を求めた。総督府予算は特別会計として一般会計から切り離され、会計法によって議会の審議対象とされた。特別会計の赤字分は一般会計からの補充金で補填されたが、その財源確保のための増税案が議会で否決されると、財政独立は喫緊の課題となった(能地 一九八〇)。また、外地を輸入品の代替生産地とすることで、貿易赤字を緩和することが期待され、内地・外地間の貿易＝「帝国内分業」の促進が必要とされた。財政独立と帝国内分業は、外地の産業育成と相互促進の関係にある。その基盤整備として、地租改正、通貨・関税制度の再編、インフラ整備が進められた。

地租改正は、土地調査によって地籍を作成・登記して所有権者を確定する土地制度の変革と、地価を基準とする地租を所有権者に直接金納させる地税制度の変革から成り(宮嶋 一九九四)、土地の商品化や地租の安定化を促す効果を持った。地租改正の結果、総督府が把握する耕地面積は各地とも約一・七倍に増大し、大半の所有権者＝納税者が認定されたことで(江 一九七四、李 二〇〇四：三四四頁)、地租収入は増大・安定した。一方、土地の商品化は特に朝鮮で農民層分解をもたらし、地主が土地を集積したり産業資本家へ転化したりする一方、土地を失った農民は小作農となるか、都市や内地で労働者となることを余儀なくされた(橋谷 二〇〇四、水野 一九九九)。

通貨・関税制度の再編は帝国内の経済空間を一体化し、帝国内分業を促進する効果を持った。通貨制度では、金融ショックの他地域への波及の防止を目的として、政府は独自の通貨を発行する銀行(台湾銀行と朝鮮銀行)を設立し、その銀行券を流通させた。そして、それら銀行券と日本銀行券との等価交換を保証することで、帝国内の経済取引における為替リスクは解消された(波形 一九八五)。産業資金の供給は、台湾銀行や朝鮮銀行のほか、台湾商工銀行や朝鮮殖産銀行などの銀行、金融組合や信用組合などが行ったが、融資の対象は担保を有する企業や地主などに限られ、担保のない農民への金融では米穀商らによる青田貸が重要な役割を演じた。また、関税制度もほぼ統一され、帝国外からの輸入品には関税が賦課される一方、帝国内貿易は一部の例外を除いて関税が賦課されない自由貿易となった(山本 一九九二:七八—七九頁)。

インフラ整備は、鉄道、汽船航路、港湾、通信を対象とし、取引費用を節減して帝国内分業を促進する効果を持った。鉄道は、台湾では西部平野を南北に走る縦貫線、朝鮮では半島を南東から北西に走る京釜線を軸に整備され、私設の鉄道や軌道も地域交通を支えた(高橋 一九九五)。鉄道は内地・外地間の市場の一体化の促進に加えて、朝鮮では域内市場の形成も促した(竹内 二〇二〇)。汽船航路は、総督府が一定の条件で海運会社に補助金を下付する命令航路を通じて構築され、台湾では大阪商船や日本郵船、朝鮮では朝鮮郵船が定期航路を設けた(小風 一九九五)。そのほか、商品輸送のために様々な海運会社が不定期船を就航させた。港湾は、台湾の基隆港と高雄港、朝鮮の釜山港と仁川港を主な対象として、大型船舶の接岸を可能とする浚渫と大量かつ迅速な荷役を可能とする機械化が進められた(平井 二〇一九、尹 一九九六)。電信・電話網は、軍用電信を転用することで整備が始まり、当初は総督府主導で整備されたが、通信需要の増大を受けて次第に民間主導で整備されるようになった(李 二〇一五)。

農業成長

一九世紀後半から二〇世紀前半は、国際分業の拡大と諸科学の発展によって、農業の商業化と科学化が進んだ時代であった。台湾と朝鮮（特に台湾）では、農業の商業化は植民地化以前からある程度進展していたが、帝国内分業の形成を受けて加速した。科学的農業は、農業技術の開発機関と普及機関、人材育成機関を整備する「勧農政策」（士井二〇一八：六頁）が、末端行政組織、地域有力者の影響力、警察の強制力に支えられて実行されることで普及した。

まず、台湾で砂糖の増産が進められた。一九世紀末の日本の輸入貿易において、砂糖は棉花・綿製品に次ぐ規模であった。一八九九年に日本の砂糖輸入税が引き上げられ、輸入糖よりも台湾糖に有利な市場環境が形成された。総督府は一九〇二年に糖業奨励規則を施行して製糖会社に種々の補助金を与えたほか、製糖会社が農民から甘蔗（サトウキビ）を容易に購入できるようにするため、一九〇五年に製糖場取締規則を施行して各社に「原料採取区域」を設定し、区域内で栽培された甘蔗の独占購入権を与えた。また、総督府は糖業試験場を設置して甘蔗の栽培技術の改良に努めた。こうした育成策に日露戦後の起業熱が合わさり、内地資本を中心に製糖会社の設立が相次いだ。製糖会社は地域有力者を仲介役として、甘蔗の買収価格や特定の栽培法を条件とする奨励金を区域内の農民に提示し、栽培面積の拡大と生産性の向上に努めた（平井二〇一七：一三七―一七三頁）。台湾の砂糖生産量は急増し、一九二〇年代に台湾糖業のモデルは南洋群島や北海道など帝国内各地に伝播した。内地では砂糖消費量は増大し続けたが、帝国内各地で生産された砂糖の移入によって、一九二〇年代末に砂糖の自給が達成された。

一九二〇年代には米の増産が本格化した。内地では一九世紀末に米の自給が困難となり、政府は外国米を輸入して米価安定を図る「外米依存政策」を採っていた。しかし、第一次世界大戦後の世界的な食糧不足で外国米の輸入が不安定化すると、政府は帝国内で米を自給して米価安定を図る「帝国内自給策」を採用した（大豆生田一九九三）。

台湾では、一九〇八年に設立された農会の下で農事改良が進められていた。警察とほぼ一体化した地方行政の農事

表2　台湾・朝鮮における米増産策の結果 1920-35年

（生産量・純搬出量・消費量：千石，耕地面積：千ha，生産性：石/ha，1人当り消費量：石）

台湾	在来米			蓬萊米			純搬出量	消費量	1人当り消費量
	生産量	耕地面積	生産性	生産量	耕地面積	生産性			
1920	4,857	492	9.9				675	4,184	1.13
1925	5,182	481	10.8	731	58	12.5	1,588	4,325	1.06
1930	5,435	474	11.5	1,763	128	13.7	2,313	4,886	1.06
1935	4,917	412	11.9	4,137	264	15.7	4,643	4,412	0.88

朝鮮	生産量	耕地面積	生産性	純搬出量	消費量	1人当り消費量
1920	14,039	1,454	9.7	2,744	11,295	0.61
1925	16,017	1,486	10.8	4,555	11,462	0.59
1930	17,924	1,529	11.7	6,529	11,395	0.54
1935	21,882	1,598	13.7	8,431	13,451	0.59

注：純搬出量＝(輸出量＋移出量)－(輸入量＋移入量)

出典：金(2008：455-456, 572)，台湾総督府『台湾米穀要覧』各年

版である農会は、農民を強制的に加入させて会費を徴収し、米種改良や肥料共同購買などの事業を実施した。米種改良とは、台湾の在来米（インディカ種）のうち食味と生産性で優れた品種を選抜し、それを農民の保有する雑多な品種と交換することである。肥料共同購買とは、各農民が購入申請した肥料を農会が一括して商社から購入して農民に販売し、米の収穫期に肥料代を回収するものである。農民は肥料供給者の探索コストを節減できる、市価より安価に購入できる、肥料代を事前に準備する必要がない等のメリットを享受し、積極的に肥料を購入した（平井 二〇一〇）。

帝国内自給策への転換と農事試験場における高収性のジャポニカ種「蓬萊米」の開発は、農事改良を加速させた。蓬萊米は農会や米穀商の勧誘によって急速に普及した［表2］。肥料供給では、肥料需要の増大と多様化に対応できなくなった農会に代わって、台湾人米穀商による肥料での青田貸が増大した（同上）。さらに、南部の嘉南平原一四・五万haを灌漑する施設「嘉南大圳《かなんたいしゅう》」の建設が一九二〇—三〇年に進められ、雑作が支配的であった嘉南平原では、水稲作・甘蔗作・雑作の三年輪作が行われるようになった。

朝鮮では、「韓国併合」直後から稲作の改良が目標とされたが、財政難のために技術員の設置・派遣や講習会・品評会の開催などの

消極策に止まり（松本 一九九八：三三頁）、その結果、在村耕作地主が農事改良の主な担い手となった。地主は小作人との温情主義的関係や村落の地縁的関係といった伝統的秩序を媒介に、優良品種（内地品種）と労働力多投を結合させた改良農法を普及させていった（同：五五頁）。

帝国内自給策を受けて、朝鮮では一九二〇年に、灌漑整備による栽培面積の拡張と肥料多投による生産性の向上を通じて、米の増産と内地移出の増大を目指す「産米増殖計画」が開始された。本計画は農民の所得を向上させて、三・一運動で悪化した治安を回復するものとしても期待された（松本 一九八三）。本計画は企業者負担が大きいなどの理由で失敗したが、一九二六年に更新された計画では土地改良や肥料購入を対象とする補助金と政府斡旋低利資金が東洋拓殖会社や朝鮮殖産銀行を介して地主・富農を中心に供給されたほか（矢島 二〇一四）、土地改良を代行する機関が設置されたため、計画の達成率が高まった（河合 一九八六）。また、台湾と同様に、強制加入権を有する農事専門の準行政機関として朝鮮農会が設立された（土井 二〇一八：二二八頁）。土地改良や肥料に積極的に投資した地主は、投資に見合う増産のために、それまでの温情主義的関係を清算して小作人の栽培法を厳しく管理するようになった（松本 一九九八：五二頁）。

内地においても米の生産量は増大したが、消費の増大に追い付かなかった。拡大する需給のギャップは外地米の移入によって埋められ、内地の米自給は一九三〇年代前半に達成された。

工業化の進展

外地では第一次世界大戦期以降に工業部門が成長した（堀 一九九五、金 二〇〇二、堀内 二〇二一）。国策会社や製糖会社に代表される職工一〇〇人超の工場は内地人経営が圧倒していたが、(4) 職工五〇人以上九九人未満の工場は台湾人経営が内地人経営を凌駕し、職工五〇人未満の工場は台湾人経営と朝鮮人経営が内地人経営を凌駕した（木村 一九八八)。工業部門は、商品作物に乏しく農業部門の雇用吸収力が低い朝鮮では都市部で、多様な商品作物が栽培され農業部門の雇用吸収力が高い台湾では農村部で成長した(堀内 二〇二一)。また、農閑期が長く現金収入の乏しい朝鮮では、自家消費的性格の強い家内工業が広範に展開した(金 二〇〇二:一三五頁)。

工業部門が成長した背景には、工産品に対する域外(特に内地)需要のほかに、外地が徐々に工産品を消費する社会に変貌したことがあった(金 二〇〇二、堀内 二〇二一)。米や砂糖などの農産品の輸移出の増大は、それらの生産に要する資本財の需要や、外地の購買力の上昇による消費財の需要につながり、工業部門への投資資金も提供した。また、インフラ整備や都市開発が資本財の需要に、都市化[表1]や同化政策の推進に伴う新たな生活様式の普及が消費財の需要につながった。工産品需要には当初は輸移入品が供給されたが、たとえば石鹸のように高度な技術を要しない工産品では、次第に外地での代替生産が始まったのである(平井 二〇二一)。

一九三〇年代後半には戦争遂行のために帝国全土で経済の統制と軍事化が進められ、外地には内地の軍事工業が要する基礎的資材や資源の増産が求められた。大容量水力発電所の完成によって安価かつ大量のエネルギーが供給されると(北波 二〇〇四)、化学・金属工業を中心に内地資本の進出が相次ぎ、台湾ではアルミニウムやアルコール、朝鮮では石炭、鉄鉱石、銑鉄の生産が増大したが、間もなく終戦を迎えた(堀・木越 二〇二〇:二四七―二五〇頁)。

開発の帰結

開発によって外地の財政独立は早期に達成された(5)。台湾は補充金の受け取りが一九〇四年を最後に消滅し、ほぼ内地で消費された砂糖の消費税を総督府特別会計に繰り入れるという「隠れた補充金」が消滅した一九一三年を以て、財政独立を達成した。一方、朝鮮は財政改革によって一九一九年に一度は財政独立を達成したが、三・一独立運動を背景に治安維持費を中心として行政費が膨張した結果、一九二〇年代以降は補充金を受け取り続けた。

表3　内地の種類別・相手別貿易額 1935年

（単位：百万円）

輸　出	食料品		原燃料		軽工業品		重化学工業品		合計	
帝国圏	176	(55)	83	(46)	469	(23)	429	(62)	1,202	(37)
台湾	51	(16)	19	(10)	69	(3)	80	(12)	218	(7)
朝鮮	65	(20)	51	(29)	244	(12)	185	(27)	559	(17)
外　国	142	(45)	97	(54)	1,539	(77)	260	(38)	2,074	(63)
合　計	318	(100)	180	(100)	2,009	(100)	688	(100)	3,276	(100)

輸　入	食料品		繊維原料		鉱物性燃料		重化学工業品		合計	
帝国圏	616	(82)	40	(4)	42	(20)	126	(18)	1,015	(31)
台湾	277	(37)	0	(0)	1	(0)	23	(3)	314	(10)
朝鮮	282	(37)	38	(4)	7	(3)	70	(10)	486	(15)
外　国	137	(18)	943	(96)	170	(80)	570	(82)	2,257	(69)
合　計	753	(100)	983	(100)	212	(100)	696	(100)	3,272	(100)

注：合計には特殊取扱品を含む．帝国圏には関東州と満洲国を含む．
出典：山本（1992：128-129）

帝国内分業も急速に進展した。一九三〇年代の外地の対内地貿易率は約八〇%、内地の対外地貿易率は約二五%であり［表1］、これは欧米列強とその植民地の間の貿易結合よりも高い水準であった（堀 二〇〇九：二一七、二一九頁）。**表3**に示されるように、外地は食料供給を通じて内地の外貨節減に寄与し、内地の重化学工業品の市場としても重要な役割を果たした。外地は当初こそ消費財（食料や軽工業品）の市場に過ぎなかったが、次第にインフラ整備や製造業で需要される資本財の市場にもなったのである（同：二三〇頁）。一方、戦時期の内地で需要された原料（特に棉花）や燃料（特に原油）の供給での寄与は乏しく、日本の中華民国・東南アジア侵略が進められる背景の一つとなった。

帝国内諸地域の関係は分業だけではなく、内地と外地、あるいは外地と外地の利害が相剋することもあった。前者についてたとえば、外地米の移入による米価低落が内地農家の経営を圧迫するとして問題視されると、内地では外地米の移入を規制する気運が高まったが、朝鮮総督府は移入規制が朝鮮の農家経営を圧迫して統治の不安定化をもたらすとして反対した。この対立は一九三三年の米穀統制法の制定による外地米の移入規制、一九三四年の産米増殖計画の中止によって、内地利害を押し通す形で終結した（松本 一九八三）。後者について、一九三〇年代には砂糖市場も供給過剰に陥って減産の必要性が高まったが、帝国内各地の製糖業者は自らの利害を主張して減産に応じず、政府も内地が砂糖の主産地ではなかったために、積極的に問題解決に取り組まなかった(平井 二〇一七：八八―一〇二頁)。以上のように、政府は帝国全体で統一的な経済政策を構想していたわけではなく、内地の利害に反する状況が起こった場合に、外地の利害を圧迫する形で解決を図ったに過ぎなかった。

二、農業近代化の重荷——農民は忙しくなるばかり

前節で見たように、内地の経済問題の解決という文脈のなかで、外地は経済成長を経験した。では、その果実は外地のあらゆる主体に均霑《きんてん》されたのだろうか。本節では、この論点について、外地の最大の産業であった農業の近代化が農民に与えた影響を見ていく。

飢餓移出

まず、朝鮮の産米増殖計画が生み出した「飢餓移出」について検討しよう。飢餓移出とは、内地への米の移出の増大によって、朝鮮における米の一人当たり消費量が減少した現象を指し[表2]、それは雑穀の増産や満洲からの輸入を促した。たしかに、内地の米不足を受けて価格が上昇した米を販売して、代りに安価な雑穀を消費し、その結果カロリー摂取量が維持されていれば、飢餓移出は貧困化ではなく富裕化の表れと言える。しかし、朝鮮の一人当たり穀物・イモ類摂取カロリーは、一九二〇年頃を頂点に停滞・低下した(金 二〇〇八：五七二頁、林 二〇一九：四五頁)。また、一九二〇年代は一人当たり実質GDPの成長が全期間で最も低く[表1]、小作農率が一二ポイント上昇し、在内地朝鮮人が四万人から四二万人へ急増するなど、多くの指標が貧困化を示唆しているのである。

米価上昇の恩恵を受けたのは、内地人や朝鮮人の地主と米穀商であった(金 二〇〇二：八七—九五頁)。朝鮮では「韓国併合」の段階で水田の小作率が六五%という高水準にあった。非農業部門が未発達であったことは、地主に土地への執着を強める動機となり、小作契約における地主の交渉力を高めた(李 二〇〇四：三六七—三六八頁)。地主は増産につながる栽培法の使用を小作契約の条件とし、小作料を引き上げて増産分の多くを収得した。一九三〇年の一戸当り米の収得量は地主六二・三石、自作農五・四石、小作農二・二石であり、自作農や小作農は地租や小作料の納付、借金の返済などのために、わずかな収得米の大半を市場価格よりも低い庭先価格で穀物商に販売せねばならず、米価上昇の恩恵を受けにくかった(金 二〇〇二：九〇—九一頁)。農業近代化の成果には地域差・階層差があったのである。

近代化技術と生存の危機

農業の近代化は生産性だけでなく、リスクも増大させるという側面があった。品種改良はその最たる事例である。まとまった現金を得る機会に乏しい農民にとって、在来品種の栽培は合理的であった。在来品種は生産性も市場評価も低いが、その地域で発生する災害・病虫害への耐性が高く、主に自給向け生産であるため市場の影響も小さいという点で、生存に適した品種であったからである。他方、優良品種は生産性も市場評価も高いが、災害・病虫害への耐性は不確実で、肥料を多投してはじめて生産性が高くなるため、肥料の購入が不可欠であり、したがって市場向け生産が前提となった。栽培の失敗、想定外の災害、価格変動などで期待された収入が見込めなければ没落する可能性もあるという点で、優良品種は経済的上昇と没落の双方の機会をもたらす品種であった(以上、藤原 二〇一二：一二三—一三四頁)。

リスクの見地に立って、たとえば在来品種を「生存品種」、優良品種を「機会品種」と言い換えた場合、それぞれの品種に対するイメージは大きく変わる。しかし、内地の米不足に対応しなければならない統治者にとっては生産性や市場評価こそが重要なのであり、リスクは「優良」という言葉で覆い隠された。優良品種の栽培に抵抗する農民は多かったが、警察を動員しての半強制的な品種交換、あるいは経済的上昇機会の誘惑から逃れることは難しく、多くの農民がリスクに身を投じるようになったのである(同：七〇、七八、一三一―一三四頁)。

また、土木工学を活用した農業近代化の象徴である台湾の嘉南大圳も、農民の負担を増大させていた。嘉南大圳は、総督府がその放水時期を操作することで水稲作・甘蔗作・雑作の三年輪作を実行させるものであった。嘉南平原の農業生産量はたしかに増大した。しかし一方で、農民は三種類の作物の栽培法を修得する必要に迫られ、甘蔗作と水稲作に適するように土壌を改良する必要があった。こうした負担に耐えられない一部の農民は、指定外の、しかし慣れ親しんだ作物を栽培することで生存を図った(以上、清水 二〇一五：四八―四九、七二頁)。一見すると成功したように見える政策の裏には、政策の「副作用」を抑えるための農民の負担があったのである。

製糖業においても、製糖会社が導入した甘蔗栽培の科学的管理が、農民の負担となっていた。製糖会社は糖分量が最高に達した甘蔗を伐採するために、甘蔗の含有糖分量を計測できる糖度計を導入した。その結果、比較的長期間にわたっておこなわれていた甘蔗の伐採という重労働が、糖度が最高点に達している短期間に集中して行われるようになり、農民の労働強度は増した。それにもかかわらず、生産性の向上による利益の多くが製糖会社に帰していた。農民は会社の管理から逃れるために、地域有力者を中心に地下水を汲み上げる電動ポンプを電力会社から購入し、甘蔗作の対抗作である水稲作を可能にしようとした(以上、都留 二〇一四)。被統治者は「非文明的」でも「無知蒙昧」でもなく、文明・科学による支配に対して、同じく文明・科学の力で対抗するダイナミズムを備えていたのである。

三、植民地経済における「地域」——鳥の目と虫の目

植民地と帝国外地域——鳥の目

前節までは、植民地経済の展開を帝国日本の枠内で捉えてきた。一方で、植民地経済における「日本」の相対化を目的の一つに、帝国外地域とりわけアジアとの関係を解明しようとする研究が進められている。鳥の目になって、帝国日本よりも広域のアジア経済のなかに、台湾や朝鮮の経済を位置づけようということである。その背景には、一九八〇年代のアジア経済の成長を受けて、欧米との関係で捉えられてきた近代アジア経済を域内の経済的紐帯という視点から捉えなおそうとするアジア経済史研究の登場があった(水島 二〇一五)。

アジア経済史では国境を越えて形成される経済圏が分析の単位とされ、各経済圏を秩序づける商業ネットワーク(とくに華僑)が重視された。植民地経済史においても、商業ネットワークをキーワードとして日本植民地とアジアとの関係を解明しようとする研究が、とりわけ台湾を対象に進められている[6]。たとえば、台湾の主な輸出品であった包《ほう》種茶《しゅちゃ》の蘭領東インド向け輸出が増大した要因は、当地の購買力が欧米市場への一次産品輸出の拡大によって上昇したことに加えて、包種茶が華南から東南アジア一帯に広がる福建華僑のネットワークを通じて取引されたからであった(河原林 二〇〇三)。また、台湾人商人は華僑ネットワークと帝国日本内の物流をつなぎ、函館海産物の華南への輸出を主導したことも指摘されている(谷ヶ城 二〇一二：一〇九—一四〇頁)。

内地移出の代表的商品であった砂糖についても、帝国外地域との関係が重要であった。台湾糖の大半は内地へ移出されたが、内地の砂糖需給は帝国内では完結せず、アジア全体の砂糖需給の動向や、そこで活動する多様な貿易商の競争力に左右されており、台湾糖業は日本市場を介してアジア経済の影響を受けていた。また、砂糖を生産して内地

へ移出するには、甘蔗の生産性を上げる肥料、甘蔗を砂糖に加工するエネルギー、砂糖を輸送するための包装材などが必要となるが、たとえば包装材は中国やインドからの輸入に依存しており、輸入代替化が試みられたものの失敗した。これらの事例に示されるように、植民地経済は、濃淡の差はあるものの、帝国日本の中で完結して展開していたわけではなかったのである(平井 二〇一七)。

地域振興の諸相——虫の目

また、前節までは「台湾」や「朝鮮」を分析単位として植民地経済を見てきた。しかし、虫の目になって、台湾や朝鮮の特定の地域に入り込むと、植民地開発の新たな側面が見えてくる。なぜなら、台湾や朝鮮は均質な社会ではないし、開発政策がすべての地域を対象としたわけではないからである(加藤 二〇一七:一頁)。たとえば、開発の対象から外れた地域では衰退の危機が認識され、地域の住民は、統治者の利害に沿っての限りある資源の効率的配分という「統治の論理」に抗して、行政と交渉しながら地域振興策を勝ち取ったことが明らかになっている。従来、議会のない官僚天国である外地では統治者と被統治者(とりわけ民族運動家や地域有力者)の間に交渉の余地はなく、交渉＝親日派というレッテルが貼られてきた。しかし、統治者も被統治者もそれぞれの利害を一方的に主張し続けることはコストであり、そこに交渉の余地が生じたとされる(並木 二〇〇四)。

たとえば、台湾では一九二〇年に地方行政が刷新されて、一二庁が五州二庁に再編されたが、その際に嘉義庁は州への「昇格」が叶わなかった。衰退の危機感を抱いた嘉義街の内地人と台湾人の有力者は州の設置を要求する運動を展開し、それが叶わないと知ると地域振興策の要求に方針を切り替え、一定の成功を収めたのであった(藤井 二〇一八)。また、総督府の築港政策の対象から外れた安平港の人々も、築港という理想路線を放棄して、まずは修築を要求するという現実路線に切り替えることで、補助金を勝ち取った(平井 二〇一九)。このように、地域住民の近代化への欲求が開発を進めるという側面があったのである。

ただし、鄭(二〇〇五)が朝鮮の江景における地方振興を事例に指摘したように、運動の結果勝ち取った近代的設備(上水道、道路、学校など)は、それ自体は民族の区別なく誰もが利用可能なものであったとしても、植民地社会の構造によって、その恵沢を最も享受できたのは、主に内地人の資本家層であった。たとえば、道路の便益は、米を庭先で販売してしまう農民よりも米の流通を担う地主・商人たちにより大きかったし、学校も民族別に設定された入学定員によって、朝鮮人は内地人よりも高い競争倍率を勝ち抜かなければならなかった。開発の果実は、階層差と民族差を伴った。(7)

おわりに

日本植民地時代に台湾と朝鮮が経済成長(GDP成長)を経験したことは、もはや定説であると言ってよいだろう。しかし、それは植民地賛美論が指摘するような、植民地統治が良かったことを意味しない。なぜなら、GDPは「豊かさ」(welfare)を示す指標ではないし(コイル 二〇一五：三〇、九六―九七頁)、ある社会の経済に対する評価は、成長の高低ではなく、その社会が抱える経済問題が解消されたかという点から下されるべきだからである。また、データが客観性を保証するわけでもない。文書資料と同様に統計資料も人が作成したものである以上、作成者の主観や能力から自由ではない。様々な資料を組み合わせながら歴史像を構築していく必要がある。

植民地賛美論に絡めとられずに植民地経済を観察するには、本稿で見てきたように、少なくとも二つの視点が意識される必要がある。第一に、経済活動の過程における総督府や内地資本など統治側の影響力を相対化する視点である。経済成長は統治主体の政策だけで達成されたのではなく、政策が生み出す副作用の抑制も含めて、植民地統治下で変化する経済環境に積極的に対応する被統治者の活動が不可欠であった。また、高度な帝国内分業は帝国日本の世界史的な特徴であるが、外地の経済は帝国内部で完結していたわけではなく、とりわけ台湾ではアジアを中心とする帝国外地域の経済との関係も重要であった。

第二に、経済活動の結果を地域差・民族差・階層差に分けて捉える視点である。外地経済の成長は内地の経済利害に反しない限りで許されたのであり、内地利害と外地利害が衝突した際に後者が優先されることはなかった。さらに、経済成長の恵沢は植民地であるがゆえに地域・民族・階層で異なり、外地よりも内地、外地のなかでも内地人の社会的上位層(官吏、資本家、地主など)がより恵沢を受け易い構造にあったのである。

注

(1) 植民地経済史の研究潮流については、竹内(二〇二二)に詳しい。経済史以外の領域も含めて植民地研究を地域別に整理したものとして日本植民地研究会(二〇〇八)、植民地賛美論への批判として水野・藤永・駒込編(二〇〇七)がある。

(2) 「植民地」は多義的で定義が難しいことから、異法域を意味する「外地」が用いられ、民族に基づく地位や機会の差別を表す用語として「植民地性」が用いられる(駒込 二〇一八)。

(3) 台湾人や朝鮮人は、「国籍」では内地人と同じであるが、本籍の所在を基準とする「地域籍」では内地人と区別された。戸籍については、遠藤(二〇一〇)に詳しい。

(4) 植民地研究では経営史的分析が立ち遅れているが、例外的に国策会社と製糖会社の分析が内部資料を用いて進められている(久保 二〇一六、湊・齊藤・谷ヶ城 二〇二一)。

(5) 専売事業やインフラ事業などの官業からの収益も重要であった(平井 一九九七)。

(6) 朝鮮については石川(二〇一六)がある。

(7) 医療はこの典型例である。病院は立地・費用・差別などのため、内地人が主な利用者であった(鈴木 二〇〇六)。

参考文献

李昌玟(二〇一五)『戦前期東アジアの情報化と経済発展——台湾と朝鮮における歴史的経験』東京大学出版会。

李憲昶(二〇〇四)『韓国経済通史』須川英徳・六反田豊監訳、法政大学出版局。

石川亮太(二〇一六)『近代アジア市場と朝鮮——開港・華商・帝国』名古屋大学出版会。

板垣竜太(二〇〇四)「〈植民地近代〉をめぐって——朝鮮史研究における現状と課題」『歴史評論』第六五四号。

林采成(二〇一九)『飲食朝鮮——帝国の中の「食」経済史』名古屋大学出版会。

遠藤正敬(二〇一〇)『近代日本の植民地統治における国籍と戸籍——満洲・朝鮮・台湾』明石書店。

大豆生田稔(一九九三)『近代日本の食糧政策——対外依存米穀供給構造の変容』ミネルヴァ書房。

加藤圭木(二〇一七)『植民地期朝鮮の地域変容——日本の大陸進出と咸鏡北道』吉川弘文館。

金子文夫(一九九七)「植民地研究の現段階と課題」石原享一ほか編『途上国の経済発展と社会変動』緑蔭書房。

河合和男(一九八六)『朝鮮における産米増殖計画』未来社。

河原林直人(二〇〇三)『近代アジアと台湾——台湾茶業の歴史的展開』世界思想社。

北波道子(二〇〇四)「植民地における電源開発と電力業——朝鮮と台湾の比較研究から」堀和生・中村哲編『日本資本主義と朝鮮・台湾——帝国主義下の経済変動』京都大学学術出版会。

金洛年(二〇〇二)『日本帝国主義下の朝鮮経済』東京大学出版会。

金洛年編(二〇〇八)『植民地期朝鮮の国民経済計算 一九一〇—一九四五年』東京大学出版会。

木村光彦(一九八八)「台湾・朝鮮の鉱工業」溝口敏行・梅村又次編『旧日本植民地経済統計——推計と分析』東洋経済新報社。

久保文克(二〇一六)『近代製糖業の経営史的研究』文眞堂。

コイル、ダイアン(二〇一五)『GDP——〈小さくて大きな数字〉の歴史』高橋璃子訳、みすず書房。

小風秀雅(一九九五)『帝国主義下の日本海運——国際競争と対外自立』山川出版社。

駒込武(二〇〇三)「台湾における「植民地的近代」を考える」『アジア遊学』四八。

駒込武(二〇一八)「植民地主義」日本植民地研究会編『日本植民地研究の論点』岩波書店。

清水美里(二〇一五)『帝国日本の「開発」と植民地台湾——台湾の嘉南大圳と日月潭発電所』有志舎。

鈴木哲造(二〇〇六)「台湾総督府の医療政策――台湾公医制度の形成過程とその植民地的性格」『東アジア近代史』第九号。

高橋泰隆(一九九五)『日本植民地鉄道史論――台湾、朝鮮、満州、華北、華中鉄道の経営史的研究』日本経済評論社。

竹内祐介(二〇二〇)『帝国日本と鉄道輸送――変容する帝国内分業と朝鮮経済』吉川弘文館。

竹内祐介(二〇二二)「植民地研究――「植民地性」を探究する学問」松沢祐作・高嶋修一編『日本近・現代史入門』岩波書店。

江丙坤(一九七四)『台湾地租改正の研究――日本領有初期土地調査事業の本質』東京大学出版会。

鄭然泰(二〇〇五)「日帝の地域支配・開発と植民地的近代性」宮嶋博史・金容徳編『近代交流史と相互認識Ⅱ――日帝支配期』慶應義塾大学出版会。

都留俊太郎(二〇一四)「日本統治期台湾における篤農家と電動ポンプ灌漑――台中州北斗郡を事例として」『史林』第九七巻三号。

土井浩嗣(二〇一八)『植民地朝鮮の勧農政策』思文閣出版。

波形昭一(一九八五)『日本植民地金融政策史の研究』早稲田大学出版部。

並木真人(二〇〇四)「植民地期朝鮮における「公共性」の検討」三谷博編『東アジアの公論形成』東京大学出版会。

日本植民地研究会編(二〇〇八)『日本植民地研究の現状と課題』アテネ社。

能地清(一九八〇)「日清・日露戦後経営と対外財政 一八九六―一九一三――植民地経費を中心に」『経済学研究』二三号。

橋谷弘(二〇〇四)『帝国日本と植民地都市』吉川弘文館。

檜山幸夫(一九九八)「台湾総督府の律令制定権と外地統治論」中京大学社会科学研究所台湾総督府文書目録編纂委員会編『台湾総督府文書目録(第四巻)』ゆまに書房。

平井健介(二〇一〇)「一九一〇―三〇年代台湾における肥料市場の展開と取引メカニズム」『社会経済史学』第七六巻三号。

平井健介(二〇一七)『砂糖の帝国――日本植民地とアジア市場』東京大学出版会。

平井健介(二〇一九)「台南」古田和子編著『都市から学ぶアジア経済史』慶應義塾大学東アジア研究所。

平井健介(二〇二一)「日本植民地における「同化」の経済的条件――台湾人の入浴習慣の変容」『甲南経済学論集』第六一巻三・四号。

平井廣一(一九九七)『日本植民地財政史研究』ミネルヴァ書房。

藤井康子(二〇一八)『わが町にも学校を――植民地台湾の学校誘致運動と地域社会』九州大学出版会。

藤原辰史(二〇一二)『稲の大東亜共栄圏――帝国日本の〈緑の革命〉』吉川弘文館。

堀和生（一九九五）『朝鮮工業化の史的分析』有斐閣。

堀和生（二〇〇九）『東アジア資本主義史論Ⅰ――形成・構造・展開』ミネルヴァ書房。

堀和生・木越義則（二〇二〇）『東アジア経済史』日本評論社。

堀内義隆（二〇二一）『緑の工業化――台湾経済の歴史的起源』名古屋大学出版会。

松本武祝（一九九八）『植民地権力と朝鮮農民』社会評論社。

松本俊郎（一九八三）「植民地」一九二〇年代史研究会編『一九二〇年代の日本資本主義』東京大学出版会。

松本俊郎（一九八八）『侵略と開発――日本資本主義と中国植民地化』御茶の水書房。

水島司編（二〇一五）『アジア経済史研究入門』名古屋大学出版会。

水野直樹（一九九九）「朝鮮人の国外移住と日本帝国」杉原薫編『岩波講座 世界歴史19 移動と移民』岩波書店。

水野直樹・藤永壮・駒込武編（二〇〇一）『日本の植民地支配――肯定・賛美論を検証する』岩波書店。

溝口敏行編著（二〇〇八）『アジア長期経済統計1 台湾』東洋経済新報社。

溝口敏行・梅村又次編（一九八八）『旧日本植民地経済統計――推計と分析』東洋経済新報社。

湊照宏・齊藤直・谷ヶ城秀吉（二〇二一）『国策会社の経営史――台湾拓殖から見る日本の植民地経営』岩波書店。

宮嶋博史（一九九四）「東アジアにおける近代的土地変革――旧日本帝国支配地域を中心に」中村哲編『東アジア資本主義の形成』青木書店。

三和良一・原朗編（二〇一〇）『近現代日本経済史要覧〔補訂版〕』東京大学出版会。

百瀬孝（一九九〇）『事典 昭和戦前期の日本――制度と実態』吉川弘文館。

谷ヶ城秀吉（二〇一二）『帝国日本の流通ネットワーク――流通機構の変容と市場の形成』日本経済評論社。

矢島桂（二〇一四）「戦間期朝鮮における「産米増殖計画」と朝鮮殖産銀行」『社会経済史学』第八〇巻三号。

山室信一（二〇一一）「国民帝国日本における異法域の統合と格差」『人文学報』一〇一号。

山本有造（一九九二）『日本植民地経済史研究』名古屋大学出版会。

尹明憲（一九九六）「朝鮮における港湾および海運業」河合和男ほか編『論集 朝鮮近現代史――姜在彦先生古稀記念論文集』明石書店。

コラム｜*Column*

台湾人元「慰安婦」被害女性の声を聞く

――記録映画『阿媽の秘密』と『葦の歌』

三澤真美恵

「日本政府のずるいところはね、六〇年前の歴史をね、隠して、若い人たちに分からせない。だから、若い人たちは全然昔のことを知らないの。歴史を隠して、ずるいよ」。

日本軍性奴隷「慰安婦」とされた台湾人被害者を記録したドキュメンタリー映画『葦の歌』(二〇一五年、呉秀菁監督)のなかで、被害者の一人である陳桃さんが語った言葉だ。

日本の植民地だった台湾における被害形態には次の二種類が混在している。(1)働き口があると騙されて海外の「慰安所」に連行された漢民族の女性たち、(2)村落の近くに駐屯していた日本軍の雑用をするよう警察に言われ、毎日出向く中で突然レイプされ、日本敗戦後に軍が撤退するまで性暴力被害を受け続けた台湾先住民族の女性たち、である。

陳桃さんは前者にあたる。一九歳の時に看護婦の助手が必要だと騙されて高雄港から日本の軍艦でアンダマンに連れて行かれた。過酷な日々を耐え、やっとの思いで帰郷した彼女のトランクを、叔父は家の外へ投げ捨てた。「『お前みたいな卑しい女は知らない、一族の恥だ』と言われたの」。泣き顔を手で覆って天を仰ぐ陳桃さんの慟哭は、元「慰安婦」被害者が戦後いかなる白眼視に遭ったか、その一端を伝える。

『葦の歌』の前作にあたる『阿媽の秘密』(一九九八年、楊家雲監督)に登場する台湾先住民族のイワル・タナハさんは、第二の被害形態に該当する一人だ。イワルさんの父は抗日武装蜂起・霧社事件(一九三〇年)に参加して日本人に殺された。自給自足で貨幣経済とは無縁の生活を営んでいた先住民族にとって、日本の植民地支配によって祖先の土地を奪われ、牛馬のように使役される日々は耐え難かった。賃金不払いや女性へのレイプも相次ぎ、日本人への積年の恨みが爆発したのが霧社事件だった。事件から十余年後、イワルさんが婚約した同じ先住民族の青年も日本軍に徴集され南洋へ送られた。残されたイワルさんが日本軍による性暴力被害を受けた時、彼女には父母も婚約者もいなかった。一三歳だった。

戦後も、元「慰安婦」被害者が公的支援を求めて声を上げることは難しかった。なぜなら、抗日戦を戦った中華民国にとって、日本統治下にあった台湾の人々はかつての敵国人であり、白色テロを伴う戒厳令下では、何を理由に摘発されるかわからなかったからである。陳桃さんが体験したように性暴力被害者が逆に蔑まれる恐れもあった。

台湾人「慰安婦」問題が浮上したのは関連史料が発見された一九九二年のことだ。加害国たる日本も問題解決に向けて「女性のためのアジア平和国民基金」を設置した。だが、その考え方は被害者中心主義とは言い難く、台湾でも批判が相次ぎ、心身ケアを含めた元「慰安婦」被害者に対する台湾独自の支援は、中華民国政府の委託を受けた婦女救援基金会を中心に実施された。それは一九八七年に戒厳令が解除された台湾で「過去の独裁政権が人々にふるった暴力」を「解決すべき不正義の問題」として問う声が大きくなり始めた時期でもあった。二〇一六年には「慰安婦」を主題とする「阿嬤家AMA MUSEUM」も開館した。

ドキュメンタリー映画『阿媽の秘密』『葦の歌』日本語字幕付き2枚組DVD（発行：財團法人台北市婦女救援社會福利事業基金會 https://www.amamuseum.org.tw）

戒厳令解除後、民主化の過程で多くの関心を集めたのは、過去の独裁政権の不正義を正すこと、とりわけ一九四七年に中華民国の軍隊が市民を虐殺した二・二八事件の真相究明だったが、先住民族からは国家に奪われた土地の問題も提起されていた。この問題を明らかにしようとするならば、戦後の不正義のみならず植民地期に日本が軍事力で先住民族の土地を国有化したプロセス、すなわち日本の帝国主義による不正義まで追及せざるを得ない。この点で、二〇一六年に民進党政権の蔡英文総統が中華民国政府を代表し、台湾における過去四〇〇年の歴代政権が先住民族に対して行ってきた不正義に対して公式の謝罪を行い、日本の同化政策・皇民化政策に言及したことは注目に値する。さらに、台湾の司法は、二・二八事件による被害が認定された日本人に対する国家賠償を認める判断も示している。これは、被害事実を認定した場合ですら元「慰安婦」被害女性の賠償請求を棄却してきた日本の司法との大きな違いを示す形となった。日本政府を「ずるい」と評した陳桃さんの言葉は過去のものとなるどころか、ますます重みを増している。

『葦の歌』には、その陳桃さんを含む被害女性たちが、日本での裁判闘争を支えた日本人支援者と笑顔で語りあう場面も登場する。監督の呉秀菁さんは言う。「（被害を受けた）おばあさんたちがこの世を去っても、「慰安婦」問題は消失しない。だから、最も重要なことのひとつに、日本人にこの問題を理解してもらうことがある。映画によるコミュニケーションを通じて、なぜ日本は謝罪しないのかと若者が考え始める。こうした対話は、ほとんどの被害女性がこの世を去って直接日本政府に対して謝罪を求めることが出来なくなったいま、ますます重要になっている」と。

二本の記録映画は、台湾人元「慰安婦」サバイバーの声を届け、日本の帝国主義による女性への暴力について考えるきっかけを与えてくれる。

集点｜*Focus*

ネグリチュード運動の形成

中村隆之

はじめに――ネグリチュード運動とは何か

フランス語の“Négritude”をカナ表記した「ネグリチュード」は、「ネーグル（ニグロ）であること」を意味する。「ニグロ」はヨーロッパ系言語における黒人の蔑称であり、大西洋奴隷貿易・奴隷制の時代に「ニグロ」といえば商品としての「奴隷」を意味した。この差別語に接尾辞をつけて造られたネグリチュードとは、奴隷の過去を切断するのではなく、これを引き受けたところから、黒人が尊厳を有した人間だと表明する、黒人であることの自己肯定の語を指す。このネグリチュードという造語を冠した運動は、両大戦間期、とくに一九三〇年代のパリで誕生した。この運動は、第二次世界大戦後、アフリカ系知識人、すなわちカリブ海・南北アメリカに離散したアフリカ人の子孫とアフリカ大陸出身者双方の知識人の国際的紐帯を強め、アフリカ黒人文明の再評価を推し進め、文化的自律と政治的解放を求めることで、仏領アフリカの脱植民地化に一定の貢献を果たした。

この運動の背景にあるのは、当時のフランス植民地の世界的広がりである。フランスはカリブ海方面では一七世紀来、黒人奴隷制社会として築かれたマルティニック島、グアドループ島、さらに南米大陸の仏領ギアナ（ギュイヤンヌ)を有してきた。一九世紀後半にはヨーロッパの帝国列強によるアフリカ争奪戦の末、アフリカの広大な土地およびマダガスカル島を掌握し、仏領西アフリカ(AOF)と仏領赤道アフリカ(AEF)という広域的行政単位でもってサハラ以南アフリカを統治した。AOFはセネガルのダカールを拠点とし、モーリタニア、スーダン(現マリ)、ギニア、コートジヴォワール、ニジェール、オートヴォルタ(現ブルキナファソ)、ダホメ(現ベナン)の地域に及んだ。AEFは、コンゴのブラザヴィルを拠点とし、ガボン、ウバンギシャリ、チャドの四地域からなった。

ネグリチュード運動はカリブ海方面の植民地とアフリカ方面の植民地双方のアフリカ系出身者が担った。しかも、そのほとんどがフランス語表現の作家、とりわけ詩人だった。ネグリチュードとは、これから見るように、文学を中心とする文化運動であるが、この時代の文化運動は政治運動の意味を帯びていた。なぜなら植民地の文化運動が文化の自律性を表現する場合、運動は反植民地主義的意味を帯びるゆえ、統治側は政治運動として弾圧を試みるからである。このことは被抑圧者の側が文化を語るという行為が統治側にとっていかに危険であったのかを示している。二〇世紀前半においては植民者の言語でもって文化的自律を語る言葉が政治的な場を直ちに形成していったのだ。

それゆえネグリチュード運動史の記述とは、フランス語圏を中心にしたアフリカ系出身者による文化=政治領域の形成を描くことである。以下、本稿では二つの節に分け、前半の節では、第二次世界大戦以前、ネグリチュード運動の誕生と形成の過程を、後半の節では、戦後における運動の展開から世代間の対立を交えた脱植民地化期までを辿りたい。

一、両大戦間期における人種意識の生成

ネグリチュード運動の中心人物は、何よりも、この語を発明したマルティニック出身のエメ・セゼールと、この語

を普及させたセネガル出身のレオポル・セダール・サンゴールである。これに仏領ギアナ(以下、ギアナ)出身のレオン＝ゴントラン・ダマスを加えた三人が、一九三〇年代のパリで出会い、学生新聞『黒人学生』を発刊したことがこの運動の記念すべき出発点だと一般には捉えられる。実際、ネグリチュードの語の初出は『黒人学生』第三号(一九三五年)であり、文学表現のなかでは一九三九年を初出とするセゼールの長編詩「帰郷ノート」で最も知られる。

しかし、ネグリチュードが言葉として表明される以前、アフリカ系知識人や活動家がネグリチュードに類する人種(種族)意識を抱いていなかったと捉えるならば、それは事実に反する。むしろこの造語と直接には結びつかないアフリカ系の人々の文化活動が『黒人学生』とその後の第二次世界大戦後に隆盛するネグリチュード運動の基盤を築いたのだった。

実際、ネグリチュード運動は何よりも一九三一―三二年刊行のフランス語・英語両併記の雑誌『黒人世界評論』を直接継承している。この雑誌は、マルティニック出身のナルダル姉妹(ポーレット、ジャンヌ、アンドレほか)がパリ郊外クラマールのアパルトマンで週末に開いていたサロンでの交流から誕生した。

この交流がもたらしたのは、端的に、アフリカ的なものの再発見を通じた黒人意識の目覚めだった。意外に思われるかもしれないが、黒人という人種意識を介した超域的連帯は、それ自体、所与のものではなかった。なぜならアフリカ系住民は、西洋の人種イデオロギーを通じて形成された白と黒の優劣意識を長らく内面化してきたからだ。この人種イデオロギーは、西洋の植民地支配と奴隷制を正当化し、白人種を人種秩序の頂点に、黒人種を最底辺に位置づけてきた。支配者側に都合の良い人種イデオロギーは、フランスにおいても再生産されてきた。共和政期のフランス型教育は、共和主義的＝普遍主義的なフランス市民を形成することにあるが、この理念と人種イデオロギーは矛盾しない。このため、カリブ海の黒人エリートは、植民地でのフランス語やフランスの歴史教育を通じて、共和主義的価値観を内面化するとともに、文明の地はヨーロッパ、アフリカは未開で野蛮の土地だという社会進化論的な考え方を身につけていった。こうしてカリブ海の黒人エリートは、フランス式の知的洗練を身につけることで「文明化」した、アフリカ黒人よりも優れた「開化民《エヴォリュエ》」だと（ある意味で倒錯的に）自己をみなすようになる。ところが、宗主国に渡ったカリブ海の黒人エリートが直面するのは、マルティニック出身の精神科医フランツ・ファノンが『黒い皮膚・白い仮面』（一九五二年）で記したような、人種による差別体験だ。自分たちは「白人」ではなく「野蛮な黒人」として多数の白人に見られることに気づくのである。クラマールのサロンは、この開化民の意識を反省し、黒人意識の目覚めを可能とする交流の場となったのだ。

ところでフランスにおける黒人意識覚醒の最初の重要な契機は、一九二一年のルネ・マランのゴンクール賞受賞にある。マランはギアナ出身の両親のもとマルティニックで幼少期を過ごし、渡仏後は植民地行政官としてAEFに赴任し、その経験を題材にブラック・アフリカの人々の生活を描いた小説『バトゥアラ』で受賞した。小説は翌年に英訳され、アメリカ合衆国で一九二〇年代に興った黒人意識の芸術文化運動「ニュー・ニグロ」（ハーレム・ルネサンス）の英語作家にアフリカ的なものを発見させる役割を果たした。

ニュー・ニグロの作家は人種差別の苛烈な自国を一時的に去り、しばしばフランスに滞在した。時は文化・芸術が華やぐ「狂乱の時代」であり、ブラック・アフリカの芸術、ジャズやビギンといった黒人音楽などもエキゾティックに表象され、歓迎された。そうした環境のもと、彼らはパリに滞在し、マランのアパルトマンに表敬訪問をした。黒人同胞による国際的交流の場は広がり、クラマールのサロンもまたアメリカ黒人作家との社交の場となった。ナルダル姉妹は英語に堪能で、姉のポーレットはソルボンヌ大学初の黒人女子学生として英語文学を専攻、『アンクル・トムの小屋』の著者ストウ夫人で論文を執筆した。さらにポーレットとジャンヌは、人種意識の目覚めについての重要な記事を書き、ネグリチュード運動の先駆的役割を果たした（中村 二〇二二：三九―四五頁）。

セゼール、サンゴール、ダマスは、ナルダル姉妹のアパルトマンでラングストン・ヒューズやクロード・マッケイに出会う。セゼールによれば「アメリカのニグロ作家たちは私たちには一個の天啓でした。〔中略〕黒人たちとその誇り、ひとつの文化に帰属しているという彼らの意識と出会うということ、これがなによりも重要だった」(セゼール 二〇一一：二二頁)。ニュー・ニグロの作家の発見は、セゼールにおいて決定的であり、のちに高等師範学校での提出論文を「アメリカ合衆国のニグロ詩人における〈南〉という主題」と定め、帰郷後に仲間と始めた雑誌『トロピック』ではアメリカの黒人作家を紹介することになる。

アフリカ的なものの再発見は当時の民族誌学・人類学的知見からも同様にもたらされた。その重要な一つに、サロンを訪れていたハイチ出身のジャン・プライス＝マルスの民族誌的著作『おじはこう語った』(一九二八年)が挙げられる。ハイチのヴードゥー信仰を中心にアフリカ性の再発見を促す同著は、ハイチ人エリートのフランス文化礼賛の傾向を断ち切り、民衆文化およびアフリカ回帰を重視するハイチの文学運動アンディジェニスム(土着主義)に先鞭をつけたのだった。

なかでもセゼールとサンゴールに大きな影響を与えたのはドイツの人類学者レオ・フロベニウスの『アフリカ文明史』というタイトルで仏訳された研究書(一九三六年)だ。サンゴールによれば「アフリカの全有史および全先史がフロベニウスの驚くべき仕事によって解明された」(Senghor 1977: 398)。『アフリカ文明史』をサンゴールから借りたセゼールにとっては「文明の地としてのアフリカには歴史がある」ことを証明した点が重要だった(Fonkoua 2010: 61)。この研究書に先立ち、フロベニウスの文章を翻訳掲載したのも『黒人世界評論』だった。

このように『黒人世界評論』はアフリカ的なものの再発見とニュー・ニグロの作家の黒人意識に触れられる、きわめて重要な媒体だった。『黒人学生』は、『黒人世界評論』を引き継ぐものだが、と同時に『正当防衛』という別の媒体からも強い影響を受けている。

これはクラマールのサロンにも通っていたマルティニック出身の学生が刊行した文化雑誌だ。その過激な主張のために当局から奨学金の打ち切りを迫られて一号(一九三二年)しか発行されなかったが、当時の黒人学生に強い印象を残した。雑誌はシュルレアリスムとマルクス主義を方法論とし、その前衛的視座から、先行する世代に属するカリブ海の黒人詩人の表現の保守性を批判、さらに階級問題を棚上げにするクラマールのサロン周辺の知識人のエリート主義を批判した。階級闘争を鼓舞するマルクス主義は、ロシア革命(十月革命)を経てロシア共産党の呼びかけのもとに一九一九年に成立した第三インターナショナル、通称コミンテルンによる国際共産主義運動として、植民地出身の知識層にも期待をもって受け入れられた。コミンテルンは一九二二年、民族自決の一環に黒人の国際労働組織の強化を掲げる「ニグロ問題についてのテーゼ」を決議し、二八年以降、ブルジョワ左派を排する「下からの統一戦線」戦術を方針とした。『正当防衛』同人は、このコミンテルン方針に従い、人種問題は階級問題に包摂されるという考えをとったため、雑誌の主張のなかに人種意識を持ち込まず、むしろ有色ブルジョワとして自己を規定したところから、この階級の「裏切り者」になることを宣言した。

この階級意識の目覚めからグループの中心人物であった学生詩人エティエンヌ・レロは黒人労働組合に加入、組合の集会にも数回出席した(Dewitte 1985: 270-271, 302)。ネグリチュードの詩人たちは労働者との連帯の方向に積極的には進まなかったものの、サンゴールはレロを誘った黒人活動家(後述のクヤテ)との接点はあった(Edwards 2003: 266)。

当時の主流の解放運動は国際共産主義運動である以上、在仏黒人学生もまたその圏域にいた。このため『正当防衛』を支持する者も当然いたものの、『黒人学生』同人、とりわけセゼールはコミンテルンの国際共産主義運動には明確に距離を置いていた。しかし、ネグリチュード運動が生成する両大戦間期のパリには仏領アフリカ出身の黒人活動家がおり、国際的な黒人解放運動に貢献していた。

その代表格がセネガル出身のラミン・サンゴールだ。第一次世界大戦中、「セネガル狙撃兵」(実態は仏領アフリカ各地から招集された黒人歩兵)として戦地に赴いたあと、傷痍軍人になって復員したサンゴールは、国際共産主義運動に身を投じた。三八歳で亡くなるサンゴールは「ニグロの目覚め」(一九二六年)で、彼なりのネグリチュードをこう表明した。「われわれは自分たちを〈ニグロ〉と名乗る栄光に浴するのだ。〔中略〕われわれは自分たちの種族〔人種〕に対して、本来持つべき敬意の念を抱かせたいのである。それとともに世界中の全種族と対等であるという考えを抱かせたい。それはわれわれの種族の権利であり、われわれの義務である」(〔 〕は引用者補足、Senghor 2012: 43)。

ラミン・サンゴール亡きあと共産党系の黒人急進派グループを率いたスーダン出身のティエモコ・ガラン・クヤテは「ニグロ問題」を重視し、人種に基づく労働組合の組織化に力を入れた結果、一九三三年一〇月、フランス共産党より除名処分を受けた。人種意識による連帯は階級闘争という目的を曖昧化させる有害な思想だとみなされたのだ(中村 二〇二二:七〇―七二頁)。

国際共産主義運動に身を投じた黒人活動家は、英語圏のアフリカ系知識人や活動家とも接点を持ち、言語と地域を超えた国際的ネットワークを形成していった。ニュー・ニグロの作家マッケイはラミン・サンゴールとの交流を通じて在仏黒人学生に多大な影響を与える小説『バンジョー』(一九二九年)を執筆する(Mckay 2007: 214, 221)。クヤテは当時コミンテルン傘下のニグロ労働者国際労働組合委員会の機関紙『ニグロ・ワーカー』の編集長ジョージ・パドモアと懇意の仲だった(Edwards 2003: 261-276)。パドモアはファシスト勢力との戦いを最優先とし「ニグロ問題」を棚上げにするコミンテルンの戦術転換を契機にコミンテルンと決別し、アフリカ回帰やアフリカとの連帯を重視するパン・アフリカニズム運動の主導者となり、のちに『パン・アフリカニズムか共産主義か』(五六年)を著すことになる。

ネグリチュード運動も黒人活動家のネットワークと無縁ではなかった。パン・アフリカニズム運動の牽引者の一人にしてトロツキー派マルクス主義者C・L・R・ジェームズはハイチ革命史『ブラック・ジャコバン』執筆の資料収集にあたりパリの国立図書館を訪れ、クヤテのみならず(Edwards 2003: 276)、ダマスとも会っている。ダマスは一九三三年冬から翌年春にかけてパリに滞在するジェームズのアテンドを務めた(Véron 2021: 98-99)。

こうしたさまざまな交流と影響のもとに刊行されたのが『黒人学生』紙だ。セゼールがマルティニック学生協会の会長になったさい、同会機関紙『マルティニック学生』を一九三五年から『黒人学生』に改称して発刊した。名称変更により黒人学生に門戸を開いた紙面にするとともに人種意識を前面に打ち出すことで、在仏黒人学生の注目を集めた『正当防衛』との路線の違いを明確にしたのだ。『黒人学生』のなかでサンゴールはルネ・マランを賞賛する記事「ヒューマニズムとわれわれ」(一号)を、セゼールは同化主義批判と黒人意識を明確化する連載記事を書いた。ネグリチュードの語が確認されるのは同紙第三号の「人種意識と社会革命」だ。セゼールは同記事で「人種の自動的識別を断ち切ること、上っ面の価値を引き裂くこと、われわれのうちに直接的ニグロを捉えること、われわれのネグリチュードを一本の美しい木のように植えること、それが正真正銘の実をつけるまで」と書いたうえでこう記す。「革命的であるというのは、まあ良い。しかしわれわれニグロにかぎっては、それでは十分ではない。われわれは偶然に黒人であるような革命家であってはならない。そうではなく、まさに、革命的ニグロであるのだ。実詞〔ニグロ〕と性質〔革命的〕の双方にアクセントがあるということだ」(〔 〕は引用者補足、Césaire 2016: 33)。セゼールのこの見解は、階級闘争を人種意識と切り離すべきでないと考える点で、『正当防衛』のマルクス主義的展望を批判的に発展させたものだと捉えられる。セゼールは西洋的概念の領有化により、黒人種の歴史的文脈のなかでこれを変容させようとしたのだ。

両大戦間期、『黒人学生』同人のうちで注目すべき活躍をしたのは、戦後のネグリチュード運動では表舞台から遠ざかるダマスだ。自らの起源・経路に強い関心を抱いたダマスは一九三二年、民族学研究所の学生となり、二年後、人類学者マルセル・モースとポール・リヴェの勧めで故郷に戻り、ギアナでアフリカ文化を保持する逃亡奴隷の共同体の調査を託された。三四年、『エスプリ』誌に詩を発表し、さらに三七年、ネグリチュード運動の最初の宣言と評される詩集『色素』を出版した(Racine 1983: 194)。同詩集はアフリカのいくつかの言語に訳され、とくにコートジヴォワールのバウレ語に訳されることで、バウレ人の多くが三九年、ドイツ軍との戦いに備えるフランス軍での兵役を拒んだ(Racine 1988: 54)。これがきっかけで同年『色素』は国家安全侵害罪に問われ、ダマスは家宅捜索と尋問を受けた(Damas 1988: 14)。三八年出版のルポルタージュ『ギアナより還る』も同地の諸問題を告発する内容から植民地政府にその大部分を買収・焼却された(Racine 1983: 30)。

サンゴールは、セゼールやダマスと比べるとその主義主張において穏当だ。その穏当さはサンゴールが何よりアニミズム的世界に深く根ざした感覚と価値観を有しており、また、敬虔なカトリック教徒として神父から教育を受けてきたというセネガルでの生い立ちに由来すると考えられる(Delas 2007)。事実、サンゴールは、アフリカ人として、フロベニウスが認めたような歴史と文明に依拠できる点で、カリブ海・中南米出身のセゼールやダマスが持ち得ない強みがあった。サンゴールは一九三七年、大学教授資格保持者として故郷に錦を飾るようにしてダカールで講演を行う。「仏領西アフリカ(AOF)における文化問題」と題したその講演で、AOF住民を「アフリカ系フランス人」と捉えたところから、従来のフランス式教育と同時に、現地語教育、アフリカの伝統や歴史を教えることの重要性を説いた(Senghor 1984)。

一九三九年、第二次世界大戦の勃発により黒人学生の活動も一時的に休止に追い込まれる。ダマスは配属された植民地歩兵隊の敗北後、フランス国内を転々とし、レジスタンスに加わる。サンゴールも配属先の植民歩兵隊がドイツ軍に敗れ、四〇年六月に捕虜となるものの感染症の疑いで解放される。セゼールは好運にも戦争勃発の直前にマルティニックへ帰郷した。しかし、クヤテのように収容所で死亡し、生還できなかった者もいた。

二、脱植民地化期のネグリチュード運動

第二次世界大戦中、ドイツ軍占領下パリでは黒人知識人が戦後を見据えた計画を練っていた。その中心にいたのは

セネガル出身のアリウン・ジョップであり、捕囚を解かれたサンゴール、マダガスカル出身のジャック・ラベマナンザラなど戦後のネグリチュード運動を担うブラック・アフリカの知識人が密かに集った。ジョップはアフリカの今後の状況を議論する会にアルベール・カミュやドゴン人の研究で知られるフランス人民族誌家マルセル・グリオールなどを招き、アフリカ問題に関心を寄せる宗主国の白人作家・学者との関係を深めていった(Langellier 2021: 155)。ネグリチュードの知識人はアフリカの状況改善を目指しており、ジョップがその一手段として構想していたのがアフリカ文化をめぐる雑誌と出版物の刊行だった。

こうした計画を後押ししたのは、フランスの植民地政策の漸進的改善である。一九四四年、自由フランスのドゴール将軍はAEFのブラザヴィルでアフリカの将来をめぐる会議を開き、植民地諸制度の改革を約束した。これにより第三共和政時代のフランスがアフリカに布いた原住民制《アンディジェナ》(セネガルの四つのコミューン住民のみに市民権を認め、残りの地域住民は臣民として権利外に置く)が戦争終結後の一九四五年一二月に廃止された。新たに発足した第四共和政は植民地住民にフランス人と同等の市民権を認めた(中村 一九八二：一五〇頁)。

ネグリチュードの詩人が各地のフランス国民議会議員に選出されたのも大きい。一九四五年にはセゼール(共産党)とサンゴール(社会党)が、四八年にはダマス(社会党)がそれぞれ政治家としてのキャリアをスタートさせた。ジョップも元老院議員(社会党)を四六年から四八年まで務めている。

一九四七年、ジョップは満を持して雑誌『プレザンス・アフリケーヌ』を創刊、続いて四九年には同名の出版社を設立し、アフリカ人による文学作品やアフリカ理解のための書籍を出版する。この雑誌および出版社は、これから見るように、ネグリチュード運動を発信する脱植民地化のための主要な文化媒体となる。しかし、最初に出版した『プレザンス・アフリケーヌ』創刊号は、政治的立場を中立とする「文化誌」を標榜し、また、仏領アフリカの植民地状況を批判した『コンゴ紀行』の著者アンドレ・ジッドに巻頭言を依頼するなど、フランス人とアフリカ系出身者、つまり白人と黒人の協働である印象を強める編集方針をとった。主張や表現が行き過ぎれば、『色素』のようにすぐさま処分対象となる状況下で、アフリカ文化をめぐる雑誌は慎重に刊行されたのである。

こうした危機意識は当時の政治運動の状況を考慮に入れればなおさら持たざるを得なかった。フランスは植民地現地民の市民権・自治権拡大の要求には交渉に応じたが、独立運動と受け取れる行動は容赦なく弾圧したからだ。一九四七年、マダガスカルで計画された武装蜂起は徹底弾圧され、数万人の死者を出した。ネグリチュードの詩人にしてマダガスカル改革民主運動の政治家でもあったラベマナンザラは、この蜂起を扇動した容疑で逮捕され、九年にわたり拘禁された。第二次世界大戦直後の宗主国との関係のなかでの現実的な選択肢は、フランスの同化政策に即した市民権や自治権の拡大要求であったのは確かである。フランス共和国の理念は、市民としては自由にして平等であることを建前とする。このため植民地はこの理念を求めて同化を求め、進歩的な国家政策は場合によってはこれに応じる一方、憲法にあるように「一にして不可分」である領土の分離独立運動は弾圧姿勢で臨む。これが当時のフランスの対植民地政策の基本的構えだった。

こうしてアフリカでは一九四六年に結成された全域的な政党アフリカ民主連合(RDA)が市民権や自治権の拡大要求を求め、カリブ海ではセゼールがマルティニック、グアドループ、ギアナ、レユニオンの四つの植民地をフランスの県に昇格させる法案を同年に議会に提出し、可決を見た。これは四六年当時の植民地側からすれば進歩的勝利だが、実際には平等要求は絶えず先送りにされるため、これが脱植民地化期の政治的争点となっていく。

ネグリチュード運動の記念碑的作品は一九四五年から四八年にかけて出版された。戦前の運動の表舞台にダマスがいたとすれば、戦後はサンゴールとセゼールがその活動の中心を担う。サンゴールは『影の歌』(四五年)と『黒いホスチア』(四八年)を、セゼールは『奇蹟の武器』(四六年)、『帰郷ノート』(四七年)、『太陽、切られた首』(四八年)といった詩集を出版した。セゼールの『帰郷ノート』にはアンドレ・ブルトンが「偉大なる黒人詩人」と題した序文を寄せ、セゼールの存在をフランスの読者に知らしめる役目を果たした。さらにフランスにおける奴隷制廃止から一〇〇周年にあたる一九四八年にサンゴールが編者となった詩選集『ニグロ・マダガスカル新詞華集』が出版された。絶大な影響力を誇るジャン＝ポール・サルトルがセゼールに代表される黒人詩人を讃える序文「黒いオルフェ」を寄せたことも相まって、この詩選集はネグリチュード運動の代表的作品となった。

『ニグロ・マダガスカル新詞華集』に最年少で選ばれたセネガルとカメルーン出身の両親のもとに生まれたダヴィッド・ジョップは当時二二歳の学生だった。『プレザンス・アフリケーヌ』第二号に発表した、反植民地主義を明確に打ち出した最初の詩篇は、西アフリカのエリート養成校に通うアフリカ人学生に衝撃をもって受け止められた。理不尽な原住民制のもとでの強制労働を描く次のような詩を書いた。「鞭が鋭い音を立てる／汗と血に滲むお前の背中に鋭い音を立てる／こらえてみろ哀れなニグロよ／一日は長い／あまりに長いぞ　白人の、あんたのご主人様の白い象牙を運ぶには〔後略〕」(ジョップ 二〇一九：一〇頁)。

プレザンス・アフリケーヌの目的の一つはアフリカの若い世代に表現の場を与えることだった。この出版活動からアフリカ史の分野ではシェイク・アンタ・ジョップの『ニグロ諸国民と文化』(一九五四年)が出版された。古代エジプト文明の黒人起源説を打ち出したこの研究書は、当時のフランスの学界には認められず博士論文としての審査を断られたものだが、フランス語圏黒人知識人の必読文献として以後読み継がれていく。文学ではカメルーンの若手作家モンゴ・ベティが偽名で出版した反植民地主義小説『残酷な街』(五四年)をはじめ、ベルナール・ダディエ『黒染めのパーニュ』(五五年)、フェルディナン・オヨノ『使用人《ボーイ》の一生』(五六年)といった重要作を五〇年代に出版している。

セゼールがプレザンス・アフリケーヌの出版活動に積極的に携わるのは一九五五年以降である。同社から出版した『植民地主義論』(五五年)と『帰郷ノート』(五六年)は、現在まで読み継がれるロングセラーだ。さらにセゼールは、雑誌に掲載した挑発的な詩でもって、フランス共産党の作家アラゴンを相手取った「国民詩」論争を巻き起こし、社会主義リアリズムを基調とする教条主義的文学論を批判、黒人作家・芸術家にとっての創作とは何か、という根本的問いを投げかけた。セゼールが主張した「主体性への権利」は雑誌に集う黒人知識人の圧倒的な支持を得た(中村 二〇二二:一六一―一八一頁)。

創刊した当初は穏当な文化誌として出発した『プレザンス・アフリケーヌ』が文化=政治的な脱植民地化を議論するプラットフォームに変わりつつあった一九五〇年代中盤、脱植民地化の気運を受け、フランスの植民地政策もさらなる変更を余儀なくされていた。フランスにとって重要な植民地アルジェリアで五四年に蜂起が起こり、五六年三月、フランス政府は同地に対する武力弾圧の方針を固める。その一方で同年六月には、仏領アフリカに一定の自治権を認める大きな制度改革を定めた、通称ドフェール基本法を可決した。この基本法により諸国独立に向けた脱植民地化が整備されていく。

一九五六年九月、プレザンス・アフリケーヌを主催に三日間にわたってパリで行われた第一回黒人作家・芸術家(国際)会議は、フランス語圏のネグリチュード運動の高揚を印象付ける出来事だ。五五年のバンドン会議を模範にして実施されたこの会議は、アリウン・ジョップの司会進行のもと、最長老の出席者となったハイチのジャン・プライス=マルスを議長とし、セゼール、サンゴール、ラベマナンザラ、シェイク・アンタ・ジョップといった講演者に加え、アメリカ合衆国のリチャード・ライトや英領バルバドス出身のジョージ・ラミングといった英語圏の作家を招き、国際的な知識人の議論と問題意識共有の場を形成した。会議後にはプライス=マルスを議長、アリウン・ジョップを書記長とするアフリカ文化協会(SAC)が発足した。

この会議で確認された事項の一つは、真の文化の解放は政治的解放を通じて達成されるということだ(中村 二〇一三:一八八頁)。セゼールはこの会議の翌月、フランス共産党書記長モーリス・トレーズ宛の手紙を公表する。セゼールはその手紙でフルシチョフ報告後においてもスターリン主義に追随し、さらにアルジェリアの武力弾圧を支持したフランス共産党の方針を痛烈に批判し、共産党からの離党を表明した。セゼールは一九五八年五月に既成政党から独立したマルティニック進歩党を結成する。ドフェール基本法に従って実施された五七年の普通選挙でセネガル代表に選ばれたサンゴールは、仏領アフリカの脱植民地化のための政治体制について各地域の代表と議論を続けていた。

こうしたなかサンゴールとセゼールの政治的決断に注目が集まる。アルジェリア戦争の解決のため政界に復帰したドゴールが、一九五八年、第五共和政発足にあたって「フランス共同体」に対する加盟の是非を植民地や海外県に問うたのだ。このとき、加盟を拒否し、即時独立の選択をとったのはギニア一国のみだった。仏領アフリカでは共同体内に留まったうえでフランスとの政治的・軍事的・経済的関係を維持しつつ独立する方向が現実的だと考えられたのである。そのさい検討されていた「マリ連邦」構想は利害調整が困難となって最終的には解体し、一九六〇年、仏領アフリカの各地が独立するなか、セネガルではサンゴールが初代大統領に選出される。海外県マルティニックのセゼールの党は、フランス共同体加盟に反対を投じる方針だったものの最終的には賛成に回った。

この政治的選択は、急進的な政治意識をもつ若い黒人作家や政治家からの批判にさらされた。その批判の急先鋒にファノンがいる。ネグリチュードを実存として生きたうえで黒人意識からの脱却を果たしたファノンは、仏領アルジェリアでの病院勤務を経て一九五四年より開始された解放闘争に身を投じた。議会政治ではなく武力闘争による独立の奪取によって脱植民地化は真に達成されると考えるファノンを支える思想的基盤は、ナショナリズムに基づく第三世界主義であり、フランスとの関係を断ち切った独立ギニアの選択を強く支持した(中村 二〇一三：一九九–二〇〇頁)。

同様に在仏ブラック・アフリカ学生連盟(FEANF)もネグリチュード世代よりも急進的かつ根源的に、ナショナリズムに基づく全面的独立を求めた。一九五〇年にフランスで結成されたFEANFは『プレザンス・アフリケーヌ』の黒人学生特集(五三年)を出版し、「即時独立」を主張する、セネガル出身のマジェムート・ジョップの論考を掲載した。さらに五四年の第五回学生集会では、同集会で演説したサンゴールに対して不快感を表明するなど、サンゴールの政治的立場と対立し続けた(Diané 1990: 45)。ギニアの政治指導者セク・トゥーレとギニア民主党が「フランス共同体」への加盟拒否を同地住民に呼びかけるにあたっては、FEANFは代表団を派遣して加盟を拒否するよう働きかけた(*Ibid.*: 127-129)。

戦後のネグリチュード運動の代表となったサンゴールとセゼールは、以後、こうした根源的解放を求める後続の世代からの支持を得られなくなる。ネグリチュードを担った政治指導者は、フランスへの同化主義を批判し、黒人意識に基づく文化=政治領域の形成に努めた。この局面を「文化の異化」と呼ぶならば、政治家としてのサンゴールとセゼールは、旧宗主国フランスとの関係を断ち切らなかった、あるいは政治力学上これを断ち切れなかった点で、「政治の異化」を明確に打ち出せなかったと言える。

おわりに――ネグリチュード運動の遺産

ネグリチュード運動の起点は一九三〇年代に求められた。ところが、その終点は定かでない。確かであるのは、数多くの黒人知識人を巻き込み、脱植民地化運動を文化=政治的に推進したのが一九五〇年代だったことだ。戦後のネグリチュード運動を牽引するプレザンス・アフリケーヌは五九年に第二回黒人作家・芸術家会議をローマで、セネガル大統領サンゴールはSACの支援のもと、六六年ダカールで第一回世界ニグロ芸術祭を開催する。

ネグリチュードは一九六〇年代以降、サンゴールの思想および文化政策として広く行き渡ることになる。しかし、ナイジェリアのノーベル文学賞作家ウォレ・ショインカが「虎《タイガー》はタイグリチュードを主張しない、爪を出して飛びかかるのだ」と揶揄したように、ネグリチュード思想は、アフリカ諸国独立以後、黒人知識人から公に批判を浴びるようになる。なかでも一九九〇年代に隆盛したマルティニック発のクレオール性の文学運動は、黒人としてのアイデンティティに代わって諸文化の混淆を常態とする混成的アイデンティティを提唱し、『クレオール性礼賛』（八九年）でネグリチュードを徹底批判したことで論争にまで発展した。

また、フランス語圏アフリカでの独立後の公用語はフランス語にとどまり、現地語による国語化が概して進まなかった。この点はセネガルを事例に考える場合、一九三七年のダカール講演でバイリンガル教育の必要性を説いていたにもかかわらず、国内最大言語ウォロフ語の国語化には積極的に取り組まなかったサンゴール政権の言語政策の問題点が指摘されている（砂野 二〇〇七）。

ネグリチュード運動史に即するならば、言語の問題を重視してきたのはシェイク・アンタ・ジョップであり、一九五五年の国民詩論争においても現地語での執筆の必要性が一部の論者によって説かれていた（中村 二〇二一：一七四—一七七頁）。この国語化の取り組みはフランス語の言語帝国主義の側面を考えれば重要であり、言語ナショナリズムを育む観点から、真正なアフリカ文学はアフリカの諸言語で書かれたものであるという主張がなされている。その主張自体は正当であるにもかかわらず、「国民文学」を基準にする場合、宗主国の言語で書くアフリカ作家、とりわけ現代作家の評価は難しくなる。このため、フランス語で書く現代アフリカ作家の一人、コンゴ共和国出身のアラン・マバンクは「国民文学」それ自体に疑問を呈する。マバンクは、言語と文化が一致するという西洋近代から生じたナショナリズム的発想を問うことで、フランス語で書く黒人文学を他者の文学とみなしてきたフランス文学の正当性をも揺るがそうとする。マバンクはアフリカ文学の出発点にネグリチュードを据え、「フランスの黒人の歴史とはこのネグリチュードを経ることがなければ書かれえない、とさえ言いうる」と述べる（マバンク 二〇二二：九三頁）。

結局のところ、問われ続けているのは、第一回黒人作家・芸術家会議が確認した「真の文化の解放は政治的解放を通じて達成される」という命題であるのかもしれない。二〇二〇年、ブラック・ライヴズ・マター運動の世界的波及により、人種主義《レイシズム》が現代世界の取り組む重要な課題として再認識されるようになった。人種主義に関する最近の歴史研究の一つは、ヨーロッパ人はアフリカ人をニグロと呼んで奴隷にした結果、奴隷制廃止後、ニグロをヨーロッパ人の下位に押しとどめるために人種の観念に依拠し、科学的人種主義でもって黒人が劣等人種であることを正当化してきたのだと論じている(ミシェル 二〇二一)。この点を踏まえて最後に再確認すれば、ネグリチュード運動とは、こうしたヨーロッパの支配の歴史を覆すために必要とされた文化＝政治領域を形成する解放運動だった。その最中で発せられた真の脱植民地化とは何か、という問いは、人種主義ならびに植民地主義が依然として未解決であるかぎり、その今日性を失うことはないのである。

参考文献

ジョップ、ダヴィッド(二〇一九)『ダヴィッド・ジョップ詩集』中村隆之編訳、夜光社。

砂野幸稔(二〇〇七)『ポストコロニアル国家と言語――フランス語公用語国セネガルの言語と社会』三元社。

セゼール、エメ、フランソワーズ・ヴェルジェス(二〇一一)『ニグロとして生きる――エメ・セゼールとの対話』立花英裕・中村隆之訳、法政大学出版局。

中村隆之(二〇一三)『カリブ－世界論――植民地主義に抗う複数の場所と歴史』人文書院。

中村隆之(二〇二二)『環大西洋政治詩学――二〇世紀ブラック・カルチャーの水脈』人文書院。

中村弘光(一九八二)『世界現代史16 アフリカ現代史Ⅳ』山川出版社。

マバンク、アラン(二〇二二)『アフリカ文学講義――植民地文学から世界－文学へ』中村隆之・福島亮訳、みすず書房。

ミシェル、オレリア(二〇二一)『黒人と白人の世界史――「人種」はいかにつくられてきたか』児玉しおり訳、明石書店。

Césaire, Aimé (2016), "Nègrerie. Conscience raciale et révolution sociale", *Écrits Politiques 1935-1956*, Paris, Jean-Michel Place.

Damas, Léon-Gontran (1988), "La Négritude en question", Keith Q. Warner (ed.), *Critical Perspectives on Léon-Gontran Damas*, Washington, D. C., Three Continents Press.

Delas, Daniel (2007), *Léopold Sédar Senghor*, Croissy-Beaubourg, éditions aden.

Dewitte, Philippe (1985), *Les mouvements nègres en France 1919-1939*, Paris, L'Harmattan.

Diané, Charles (1990), *Les grandes heures de la F.E.A.N.F.*, Paris, Éditions Chaka.

Edwards, Brent Hayes (2003), *The Practice of Diaspora: Literature, Translation, and the Rise of Black Internationalism*, Cambridge(MA) and London, Harvard University Press.

Fonkoua, Romuald (2010), *Aimé Césaire*, Paris, Perrin.

Langellier, Jean-Pierre (2021), *Léopold Sédar Senghor*, Paris, Perrin.

Mckay, Claude (2007), *A Long Way from Home*, New Brunswick(NJ) and London, Rutgers University Press.

Racine, Daniel (1983), *Léon-Gontran Damas*, Paris, Présence Africaine.

Racine, Daniel (1988), "Léon-Gontran Damas and Africa", Keith Q. Warner(ed.), *Critical Perspectives on Léon-Gontran Damas*, Washington, D. C., Three Continents Press.

Senghor, Lamine (2012), *La violation d'un pays et autres écrits anticolonialistes*, présentation de David Murphy, Paris, L'Harmattan.

Senghor, Léopold Sédar (1977), "Les leçons de Léo Frobenius", *Liberté 3: Négritude et civilisation de l'universel*, Paris, Seuil.

Senghor, Léopold Sédar (1984), "Le problème culturel en A.O.F.", *Liberté 1: Négritude et humanisme*, Paris, Seuil.

Véron, Kora (2021), *Aimé Césaire*, Paris, Seuil.

焦点 *Focus*

アナーキストによる国境を越えた連帯

田中ひかる

はじめに

アナーキズムは、広い意味では人間による人間に対する「支配のない状態」(anarchy)を理想とする思考や実践もしくは態度(attitude)である。もっとも、二〇世紀前半まで、少なからぬアナーキストたちが掲げていた理念は、それよりも限定された「国家なき社会」であった。だが、アナーキストのあいだで一致点を見出すことが困難なほど、その内実は多様であった。それにもかかわらず彼らは、一九世紀末以来、国境を越えた連帯を実現してきた。それはなぜ可能だったのか。

まず確認すべきは、アナーキズムが一九世紀末から第一次世界大戦前まで、全世界に広がり、多数の支持者を獲得した後、ロシア革命以降は衰退に向かい、スペイン内戦後に消滅したかに見えたが、第二次世界大戦後、数度の「復活」・「波」と呼ばれる高揚、そして停滞を繰り返して今日まで存在し続けてきている、という点である(田中 二〇一五:四〇—四二頁、Levy and Adams 2017: 2-5)。

また、一九六〇年代以降に現れた「新しいアナーキズム」が、実際には二〇世紀前半までのアナーキズムの中にすでにあった、と指摘されるようになった点も重要である。たとえば、第二波フェミニズムの高揚を背景にして、帝政ロシア出身のユダヤ系移民でありアメリカでアナーキストになったエマ・ゴールドマン(一八六九―一九四〇年)の思想と生涯がラディカルなフェミニズムとして再発見され、また、エコロジーへの関心の高まりを背景に、ヴァイマル時代のドイツで工業文明を否定していたアナーキストの思想が発掘された(Shulman 1996: xi; リンゼ 一九九〇)。

さらに、革命を待ち望むのではなく、国家と資本主義による支配のただ中の「今・ここで」理想的な状況を作り出す、という主張が、「新しいアナーキスト」によるものとして注目されてきたが、実際には、一九世紀以来、アナーキストの間で同様の主張はあった、と指摘されるようになっている(田中 二〇一五:五七―六一頁)。

加えて、従来アナーキズムは、国民国家ごとに検討され、しかも、ほぼヨーロッパとアメリカ合衆国に焦点が当てられてきたが、近年では、過去から現在に至るまでの非ヨーロッパ世界におけるアナーキズムに関する研究が進展し、そのグローバルな広がりが明らかにされることで、西欧中心主義的な視点が相対化されてきた(Hirsch and van der Walt, 2010; Kalicha and Kuhn 2010)。その上近年の研究では、国境を越えた(transnational)枠組が重視されることに伴い、国境を越えて移動するモノや情報、そしてそれらを伝えた移民・亡命したアナーキストたちのネットワークが重視されるようになり、これがアナーキストの国境を越えた連帯を実現させたと考えられるようになっている(Bantman and Altena 2015: 3-22; Zimmer 2015: 1-8; 田中 二〇二〇a:二七―二八頁、Brodie 2020: 4-6)。そこで本稿では、一九世紀末から二〇世紀前半まで、アナーキストによる国境を越えた連帯が、どのようにして、どの程度まで実現されたのか、という問題を検討することにしたい。

一、一九世紀末から第一次世界大戦前まで

「行動によるプロパガンダ」と暴力革命論の共有

国境を越えてアナーキズムの理念を共有した最初の運動は、一八七〇年代に形成される、第一インターナショナルにおける反権威派（もしくは「バクーニン派」）によるものだった。彼らは、マルクスらが総評議会を通じてインターナショナルを権威主義的に運営している、と非難し、「未来社会の胎児」であるインターナショナルは、「自由と連合」という原理の「忠実な反映」でなければならず、「権威や独裁に向かういかなる原理をも内部から排除すべき」と主張し（渡辺 一九九四：二四〇頁）、今日では「新しい」と言われているアナーキズムの理念をすでに提起していた。

以上の運動を引き継ぎながら、パリ・コミューン参加者、そして、ピョートル・クロポトキンら亡命者たちが中心となった新たな運動の中で、アナーキストを自認する人々が現れる。一八八〇年頃から彼らの間で理念として提起されたのが、「各人はその能力に応じて働き、その欲求に応じて消費する」という「共産主義」（communism）であり、その後多くの支持を得ていくが、ピエール＝ジョゼフ・プルードンやミハイル・バクーニンらが主張していた「集産主義」（collectivism「各人はその能力に応じて働き、労働に応じて取る」）、および、私有財産を認め、漸進的な方法で理想を実現すべきとする「個人主義」（individualism）もそれぞれ支持を集め、以上の三つの潮流が相互に対立し、論争を繰り返した。これに対して、連帯を優先させるために、「形容詞抜きのアナーキズム」が提唱された（田中 一九九八：三六頁）。

このような未来社会の構想とともに、一八八〇年以降、アナーキストたちが議論していたのは、革命がいつ、どのようにして起きるか、革命が起きるまでの間、そして、革命が起きたとき、アナーキストは何をすべきか、という問題であった。クロポトキンが楽観的な革命のヴィジョンを描いたのに対して、ドイツ出身のヨハン・モスト（一八四六―一九〇六年）は、政府軍と革命勢力との間に起きる軍事的な衝突として革命を描いた。とはいえ、彼らはともに、ヨーロッパが革命前夜であるという認識のもと、「革命の精神」を民衆の間に喚起する「行動によるプロパガンダ」を提唱していた（田中 二〇〇二：一六九―一七三頁）。当初「行動によるプロパガンダ」は、行政文書などを人々の前で焼却するといった行為であったが(戸田 二〇二〇：三五〇―三五二頁)、一八八一年にアレクサンドル二世が暗殺されると、権力者の殺害といったテロルをも含むものとして主張されるようになった。その結果、同時期から一九世紀末まで、アナーキストを名乗るか、もしくはアナーキストによって影響を受けたと思われる人々による、警察関係者や国家の要人の殺害事件が多発する。それと同時に、アナーキストが確実な証拠もなく有罪判決を受けて死刑に処せられるという事件も起きていく(田中 二〇〇二、ジョル 一九七五：一三一―一七〇頁)。

ヘイマーケット事件とフェレルの処刑

一八八六年五月に起きたヘイマーケット事件の背景には、八二年末にアメリカ合衆国に移民したヨハン・モストによるプロパガンダと、それに呼応して高揚した、アメリカにおけるアナーキズム運動があった。彼らは、暴力革命を通じた国家なき社会の実現を目標とし、また、労働組合と結びつき、組合が未来社会の「萌芽」であると見なす、後のサンディカリズム(後述)ときわめて似通った運動を実現した。その中心のひとつであるシカゴで、八六年五月に起きたのがヘイマーケット事件である。一日八時間労働の要求を掲げる全米一斉ストライキが呼びかけられる中、警官による弾圧により労働者に死者が出ると、アナーキストが抗議集会を開催する。これを解散させようとした警官隊に向けて爆弾が投げ込まれ、混乱の中、労働者と警官の双方に死傷者が出る。その直後から、アナーキストらに対する弾圧が始まり、騒乱を教唆したという理由で七名のアナーキストたちに対して死刑が求刑され、控訴が棄却された後、助命嘆願運動が全米からヨーロッパへと広がる。二名が終身刑に減刑されるが、五名の死刑判決は確定し、一名は獄中で自ら命を絶ち、四名が公開で処刑された。裁判の不当性や階級社会の矛盾を告発し、アナーキズムの理想を説いた法廷での弁論など、処刑された人々が語った言葉、そして、事件に関する物語あるいは図像は、その後、世界各地のアナーキストたちによって演説や機関紙などで繰り返し取り上げられることにより、共通の記憶とシンボルとなり、国境を越えて共有されることになった。その結果、少なからぬ人々が、事件に関する様々な情報にふれたことを契機にしてアナーキストになった、と言われている(Avrich 1984; Zimmer 2015)。

その後、一九〇九年には、フランシスコ・フェレル(一八五九—一九〇九年)が、バルセロナで起きた暴動を扇動したという理由で死刑に処せられる。彼はバルセロナを中心として、教会や国家からの影響を排除した、子どもを主体とした自由な教育を実践する「近代学校」を運営したことにより、政府や教会から敵視され、証拠もなく逮捕され、そして処刑されたのだと考えられた。そのため、フェレルが逮捕されてから処刑されるまで、全世界で、アナーキストだけではなく多様な人々の間から抗議行動が起き、処刑後、人々はフェレルを様々な形で記念し、さらにニューヨークでは一九一〇年から、フェレルの思想を受け継ぐ教育の場がゴールドマンらによって設立・運営されるようになる(Avrich 1980)。この年から翌年初頭にかけて日本では、幸徳秋水をはじめとする社会主義者やアナーキストらに対する弾圧が起き、フェレル事件の時と同様、世界各地のアナーキストが抗議の声をあげる。

幸徳秋水と国境を越えるネットワークによる連帯

幸徳秋水が、議会主義を放棄し、「直接行動」を支持すると宣言したのは一九〇七年のことであったが、その要因としては、それ以前から、アメリカのアナーキストと手紙を通じた交流をしていたこと、読書を通じてクロポトキンの思想を知ったこと、サンフランシスコで数カ月間を過ごす間に社会主義者やアナーキストたちと交流したことなどがあげられる。とりわけ、交流したアナーキストや世界産業労働者組合(Industrial Workers of World＝ＩＷＷ)のメンバーに「人種的偏見」がなかったこと、また、サンフランシスコ地震で被災した住民による相互扶助に「無政府的共産制」の「有益なる実験」を見たことなどは、その思想転換をもたらした重要な要因だったと考えられる(幸徳秋水全集編集委員会 一九六八)。帰国後、幸徳は欧米のアナーキストやＩＷＷと、書簡とともに機関紙などを交換し、また、アナーキストの国際通信に記事を寄稿する。以上の時期には、東京在住の中国人留学生らが幸徳らから影響を受け、アナーキズムを支持するようになる(山泉 一九九一、嵯峨 一九九六、山泉・田中・山本 二〇二二、Day 2020)。

しかし一九一〇年、幸徳ら二〇名以上が検挙・起訴され、翌一一年一月そのうち一二名が処刑された。以上の過程で、日本の社会主義者たちは、幸徳らに対して不当な弾圧が加えられているという情報を国外に伝え(西川 一九八五)、これに呼応して、アメリカとヨーロッパ各地で抗議行動が起き、また、処刑後、遺族を支援するために義援金が日本に送られた。さらに、各国で発行されていたアナーキストたちの機関紙の巻頭などに、幸徳ら日本の社会主義者の写真が掲載され、加えて、生前に幸徳と書簡を通じた交流があったクロポトキンらが、高潔さや思いやりのある人物として幸徳を描いた(Havel 1911: 357-358; 山泉 一九九六、Tanaka 2013: 83-96)。各国のアナーキストが抗議行動を起こしたのは、自分たちと同じように、アナーキズムという思想や理念を理由に幸徳らが弾圧された、ということだけで共感したのでなく、伝えられた写真や人物像から強い印象を持ったからでもあろう。

大杉栄らの虐殺を伝えた国境を越えたネットワーク

大逆事件の際に起きた国際的な情報の伝播は、一九二三年九月、大杉栄が伊藤野枝らとともに虐殺された時にも起きる。大杉からアナーキズムを学んだ印刷工の延島英一(一九〇二―六九年)や山鹿泰治(一八九二―一九六〇年)など日本のアナーキストたちが、アメリカ合衆国やヨーロッパのアナーキストおよびサンディカリスト(後述)に、大杉らの虐殺に関する記事を送り、この情報を広め、日本政府に抗議するよう訴えると、同年内には、それら世界各地で発行されていたアナーキストとサンディカリストの機関紙上に各国語で日本から送られた記事の翻訳あるいはその要約が掲載された。大杉らの虐殺がこれだけ迅速かつ広範囲に伝えられたのは、まず、記事を送った延島らがそれ以前からアメリカやヨーロッパのアナーキストなどの機関紙に記事を送りその名を知られていたからであろう(田中 二〇一六)。

また、大杉は、フランス滞在時に現地のアナーキストたちと交流し、集会で「日本のメーデー」について演説して逮捕されたが、彼を奪還しようとする労働者が警察署に押しかけるという騒ぎが起きている。大杉は演説の中で、日本のメーデーが、郊外や屋内ではなく、市の中心や街頭で行われる、と主張し、これに呼応した聴衆が「そとへ出ろ」、つまり、集会が開催されている会場の「そとへ出ろ」と叫んだ。ヨーロッパから日本に伝えられたメーデーが、日本でラディカルな性格を帯び、これが大杉の演説を通じてフランスに伝えられ共感を得た瞬間であった(大杉 二〇一五)。

大杉らの虐殺より二年前の一九二一年、ニコラ・サッコ(一八九一―一九二七年)とバルトロメオ・ヴァンゼッティ(一八八八―一九二七年)が殺人罪で死刑判決を受け、これに対する抗議行動が全世界に波及した。だが判決はくつがえることなく、二七年、処刑を待つまでの間、ヴァンゼッティは、中国人アナーキストの巴金(本名は李尭棠)から受け取った書簡に返事を出し、困難があっても前進を続けよと巴金を励ました。このときのやりとりを契機にして、巴金の小説『滅亡』が生まれた(山口 二〇一九)。

幸徳、大杉、そしてサッコとヴァンゼッティらの死を伝えた新聞の中には、IWWなどサンディカリストの機関紙もあった。大杉が殺害された一年前、サンディカリストたちは、国境を越えた連帯を作り出すために、「国際労働者協会」を結成し、これが以上のような世界各地のアナーキストたちに関する情報を伝える、国境を越えたネットワークの強化に寄与していた。

国境を越えるサンディカリズム

アナーキズムから影響を受けた労働運動であるサンディカリズム運動は、一九世紀末からフランスで始まり、ヨーロッパ、南北アメリカ、アフリカ、オーストラリア、アジアなど、世界各地に広がった。サンディカリズム運動で共有されていたのは、階級闘争が不可避であるという認識、労働者階級が政党と国家から自律し、ストライキ、ボイコット、サボタージュを含む直接行動を通じて労働条件を改善する、という闘争の方法、革命の手段としてゼネストを用いる、そして、労働組合が、革命後の社会の基盤である、という考え方であった。またサンディカリストたちの中には、アナーキズムや社会主義など特定の政治・社会運動からの影響を意図的に明言しないかあるいは否定する人々も多く見られた。

他方、アナーキストたちの間では、労働組合が労働条件を改善するだけにとどまっていること、農民など多様な人びとがサンディカリズムから除外されていること、さらに、軍事的な衝突を想定せず、ゼネストを通じて革命が起き、理想社会が実現できる、という楽観的な見通しを持っている、という点で、サンディカリズムに極めて批判的なアナーキストも多く、両者の対立は世界各地で見られた。

ただし、サンディカリストの中でアナーキズムからの影響を受けていた人々は、ロシア革命後にボリシェヴィキによって創立された赤色インターナショナル(プロフィンテルン)に対抗し、一九二二年、ベルリンで、サンディカリストによる国際大会を開催する。ここで、一五カ国、一五〇万人の労働者が加わる「国際労働者協会」(サンディカリスト・インターナショナル)が結成された。その際、この組織は、第二インターナショナルや第三インターナショナルのような政党によるものではなく、革命的労働者の国際組織である、とされていた(Zimmer 2019)。この国際組織に加わった少なからぬ人びとの間では、この時期からアナルコ・サンディカリストという語が使われるようになる。

このような国際組織が生まれた背景には、第一次世界大戦前から、サンディカリズムに共感したアナーキストたちが移民や亡命の途上でサンディカリズムを世界に広めていたという事実がある。そのような移民や亡命の経験は、彼らの間に、植民地もしくは植民地的な状況の中で苦しむ人々への共感と連帯の感情と行動を生みだすことになる。ここから、反植民地闘争におけるナショナリストとアナーキストの連帯が生まれる。

反植民地闘争とアナーキズム

個人の自由や独立を重視し、ヒエラルキーに不信感を抱いているという点でアナーキズムは、抑圧的な統治システムのもとで生きていた人々に訴える力があったといわれる（アンダーソン 二〇一二：一〇二頁）。これは植民地の宗主国で抑圧されていた人々だけでなく、その植民地に生きる人々についても当てはまることであった。実際、アメリカの西海岸に住むインド系移民のナショナリストたちは、アナーキストたちとの連携を模索し、オスマン帝国支配下のエジプトでは、イタリア系移民アナーキストたちによる影響が、とくにイギリスによる占領に反対するエジプト人の間に見られた(Zimmer 2017: 179)。

他方、アナーキストたちも、植民地支配に対する抵抗運動や独立運動に、しばしば共感を示した。たとえば、パリ・コミューンに参加したためフランス植民地ニュー・カレドニアへの流刑に処せられたルイズ・ミシェルは、同地で蜂起したカナク人に共感した。また、一九世紀末以来、アナーキストたちは、アイルランドのフィーニアンなどによるテロルを含めた闘争に共感を示し、影響も受けている（田中 二〇〇二、Laursen 2019: 153, 161）。さらに、アメリカにいたイタリア人移民アナーキストたちは、イタリア軍によるエチオピアへの侵攻に抗議するとともに、キューバの独立戦争を支持した。なぜなら「我々は肌の色、人種、言語、習慣に関わりなく、あらゆる抑圧された人々と感情を共有するからである」(Zimmer 2017: 177)。加えて、植民地アルジェリア出身のモハメド・サイール(Mohamed Saïl, 一八九四―一九五三年)は、第一次世界大戦終了後、パリでアナーキストとなり、アルジェリアに対する植民地支配を非難した(Laursen 2019: 155-156, 161)。

金子文子の場合は、無籍者であることなどを理由に自身を排除・抑圧してきた日本人を嫌悪する一方、抑圧に対して立ち上がった朝鮮の人々に自己を重ね合わせて彼らの側に立ち、朴烈ら朝鮮人アナーキストとともに活動し、一九二三年、大逆罪で起訴されると、「民族独立思想」について、「権力に反逆する点に於て共鳴します」という連帯の意志を法廷で表明した(山田 一九九六:二一四頁)。

もちろん、植民地支配を打破して独立しても、それは、新たな支配と抑圧を生み出すだけである、と批判するアナーキストも多かった(Zimmer 2019: 178-179)。それでも彼らは、国家が他の国々や地域の人々に支配を拡大する帝国主義戦争には強く反対し続けた。ところが第一次世界大戦が始まると、彼らの間に戦争を支持する人々が現れ、戦争に反対するアナーキストたちとの間に対立が生まれる。

二、第一次世界大戦とロシア革命におけるアナーキストたち

第一次世界大戦とアナーキストたちの論争と対立

第一次世界大戦が始まると、多くのアナーキストから尊敬を集めてきたクロポトキンが、ドイツによる勝利がヨーロッパ全土で軍国主義を実現させ、イギリスやフランスなどのリベラルな政治体制を破壊する、という理由から、ドイツをはじめとする同盟国に対する連合国の勝利が必要である、と主張し始める。これに対してエッリーコ・マラテスタらは、戦争は資本家とその協力者たちによる争いであり、連合国の勝利を擁護することは、植民地の人々に対するさらなる抑圧を認めることである、アナーキストが目指すべきは国際的に連帯したプロレタリアートによる社会革命を通じた国家の解体である、と反論する。これに対して翌一六年、クロポトキンら一〇名以上のアナーキストたちは、連合国による勝利の必要性を主張する宣言を発表する(Levy 2017)。とはいえ、クロポトキンらの主張が多数の支持を得ることはなかった。アメリカ合衆国でも多くのアナーキストはマラテスタと同様の見解を保持し、戦争を肯定する人々は少数派であった。また、一九一七年四月にアメリカの参戦が決まるまで、彼らは活発な反戦運動を展開し、アメリカ参戦後も、反戦を唱えて投獄されたアナーキストをはじめとする政治囚への恩赦を訴える運動が展開さ

れた(Zimmer 2017; Ferguson 2017)。

ロシア革命とアナーキスト

ロシアで二月革命が起きると、アメリカやヨーロッパ各国に住む移民や亡命者たちの中からロシアに帰還する人々が続々と現れ、ロシアでアナーキズムおよびサンディカリズム運動を拡大していく。しかし、十月革命で権力を握ったボリシェヴィキは、とくに一九一八年春頃から、アナーキストに対して弾圧を強めていく。そのためモスクワなどを拠点にしていたアナーキストたちは弾圧から逃れるために、ウクライナに活動の場を移し、新たな組織「ナバト連合」をハリキウで立ち上げ、さらに、ウクライナ各地に支部を設立していき、やがてネストル・マフノが率いる農民軍による白軍や赤軍との戦闘、および運動の拠点となった地域での活動に合流する。だが、ボリシェヴィキによるマフノ軍に対する弾圧、およびアナーキストに対する度重なる弾圧の結果、ロシアにおけるアナーキストによる組織的な運動は壊滅する(Avrich 2005[1967]; 田中 二〇二〇b)。

一九二一年三月、クロンシュタットでの兵士による蜂起に対する鎮圧を目の当たりにして、ゴールドマンや、彼女とともにロシアに強制送還されたアレクサンダー・バークマンらは、ロシアを去る決意をする。また、彼らの尽力で釈放されたアナーキストたちとその家族がロシアから出国し、二二年初頭までにはベルリンにたどり着き、ドイツのサンディカリストによる支援を受ける。ロシア人アナーキストたちは、ロシアで迫害されたアナーキストたちのリストを公表し、ロシア語の定期刊行物を発行し、ロシア人亡命アナーキストの運動を作り出そうと試みた。他方、ゴールドマンらは、ボリシェヴィキ政府を鋭く批判する記事などを発表し続けた。こういった情報に依拠して日本の大杉栄は、アナ・ボル論争の中で、「ロシアの革命は誰でも助ける。が、そんなボルシェヴィキ政府を誰が助けるもんか」と主張した(田中 二〇〇六、二〇二〇b)。同時期に始まったのが、ロシアで投獄・流刑されたアナーキストたちを救援する活動であった。

三、ロシア革命以降の時代

アナーキスト赤十字による国境を越える救援活動

一九世紀以来、ロシアでは政治囚・流刑囚を救援する活動があった。一九〇五年の革命以降になると、ロシア国外の亡命者による救援組織が結成される。しかし、アナーキストは支援対象から常に排除されていた。そこで、ロンドンとニューヨーク、そしてアメリカ合衆国の各地で「アナーキスト赤十字」が設立される。彼らはダンスパーティーなどのイベントを開催して義援金を集め、手紙とともにロシアの囚人たちに送り、あるいは、囚人たちから受け取った手紙を機関紙上に掲載するなどして監獄の劣悪さを知らしめた(田中 二〇一二)。

アナーキスト赤十字の活動は、二月革命勃発によっていったん終結する。臨時政府によって政治犯への恩赦が出され、亡命者の帰還も可能になったからである。ただし、アメリカで参戦と徴兵に反対するなどして逮捕された政治囚たちを救援する活動を続けた組織もあった。同時期のロシアでも、ボリシェヴィキ政権によるアナーキストに対する弾圧が強まり、救援組織が結成される。さらにベルリンでも、亡命ロシア人アナーキストら、そしてドイツのアナルコ・サンディカリズム運動が合同した救援組織が結成され、政治囚とその家族を支援し、弾圧の実態をヨーロッパやアメリカで知らしめる活動を開始する。この活動は、当初はバークマンが中心であり、その後、ベルリンを拠点とするサンディカリスト・インターナショナルによって担われた。彼らと協力しながら、アメリカでも、ロシア革命後にはいったん終結した同様の救援活動が再開されるが、ナチの政権掌握からスペイン共和国の敗北、第二次世界大戦勃発に至る混乱により、救援活動の中心はヨーロッパからアメリカに移り、救援対象はスペイン内戦から逃れた難民を含む全ヨーロッパのアナーキストに拡大される(同上)。

スペイン内戦・革命とアナーキストの国際的な支援活動

一九三六年七月から約三年続いたスペイン内戦は、アナーキストとサンディカリストにとっては「革命」でもあった。彼らは都市の産業および農業の集産化と自主管理を進め、また、前線で戦う軍事組織においても、指揮官の命令に従うか否かということまで投票で決めた(Brodie 2020)。

ロシア革命以降、ヨーロッパでもアメリカ合衆国でも沈滞していたアナーキズム運動は、この内戦と革命に刺激を受けて活性化される。内戦勃発以前、ナチの迫害から逃れてスペインに亡命していたドイツ人アナーキストたちは、国外に対するプロパガンダを行い、また、各国からスペインに赴き義勇兵として前線で闘った人々もいた。さらに、国外でスペインのアナーキストを支援するための活動が展開され、機関紙の発行や映画の上映を通じてスペインの状況を伝えて支援を呼びかけ、募金を集めてスペインに送った。加えて、アナーキズムに対する支持を前面に押し出さず、知識人や左翼政党関係者、そして平和主義者などと協力して展開した支援活動があった。その中には、反乱軍に占領された地域から発生した大量の難民やその子どもたちに対する支援活動があった(*Ibid.*)。

したがってスペイン内戦・革命は、アナーキストから見ればヨーロッパと南北アメリカ大陸におけるアナーキズム運動とが国境を越えて結びついた出来事でもあった。内戦と革命の敗北は、スペインのアナーキストだけでなく、彼らを支援した国外の人々にとっても大きな打撃であった。しかしながら、スペインに向かい革命に参加したアナーキスト、国外で支援活動に携わった人々、そしてスペイン国外に逃れたアナーキストたちは、当時体験した運動の高揚を忘れず、その後も様々な活動に関わり続け、当時の体験や教訓を後世に伝えた(Baer 2015: 184-188; Brodie 2020: 190-192)。

最後に、二〇世紀前半までは主流ではなかったが、第二次世界大戦後に起きたアナーキズムの「復活」の中で再発見されてきた運動の事例として、エマ・ゴールドマンと、彼女から影響を受けた女性たちによるアナーキズムについてみておきたい。

エマ・ゴールドマンと二〇世紀前半の国境を越える女性によるアナーキズム

一九世紀末から現れた女性のアナーキストたちの中でも、エマ・ゴールドマンは、女性の解放を訴え、国境を越えて世界各地の女性たちに影響を与えた。彼女は、アナーキズムにおける女性の解放を「今・ここで」の問題とするとともに、自己の内面にある家父長主義的規範を放棄し、「愛し愛される権利」を行使することで女性は解放される、と主張することで際立っていた。伊藤野枝は、以上の主張およびゴールドマンの「生き甲斐のある生き方」から強く影響を受けた女性の一人であり、一度も会ったことがないゴールドマンと、国境を越えて共鳴しあっていた(田中 二〇二一)。

さらに、ゴールドマンから影響を受けただけでなく、女性によるアナーキズム運動を展開した数少ない事例の一つが、スペインで内戦勃発直前に結成された「自由な女性たち」(Mujeres Libres＝ＭＬ)である。ＭＬは、最盛期にはスペイン国内の支部が一六〇以上、会員は約三万人を擁し、国外九カ国に支部があった。運動を分裂させるという男性からの批判を受けながらも、女性の教育、セックスワーカーのケア、職業教育など多様な活動を展開した。そしてこれらの活動を、ゴールドマンはＭＬの国外代表として支援し続けた(Kaymakçıoglu 2011: 45-101; Brodie 2020: 129-132)。ＭＬは、その規模と活動の内容から、今日から見ても特筆すべき運動であった。

おわりに

以上見てきたように、二〇世紀前半まで、アナーキストたちは、国家なき社会を理想として共有するという理由だけで、自らの意志に基づき、言語や政治的・地理的境界の壁を乗り越えて結びついた。それゆえ、アナーキストたちは一度も出会ったことがない人々の思考や態度、あるいは「生き方」に共感し、遠く離れた場所でアナーキストが国家から弾圧されれば、あるいは革命を開始すれば、その人びとと連帯した。彼らの心情は、ある移民アナーキストが詩の中で語った言葉「全世界が我が故郷／自由こそ我らが法」と重なり合っている(Zimmer 2015)。他方でアナーキストたちは、何がアナーキズムなのか、反植民地闘争に参加するべきか否か、戦争に反対するべきか否か、といった問題をめぐり論争と対立を繰り返した。そこに「正解」はなく、それぞれが「正しい」とその場で判断すること以外に方法はなかった。そして、これが、思想にも行動にさえも「支配のない状態」を実現させることを理想とするアナーキズムの特徴であり、今日に至るまで人々が魅力を感じ続けてきた理由も、そこにある。

参考文献

アンダーソン、ベネディクト(二〇一二)『三つの旗のもとに――アナーキズムと反植民地主義的想像力』山本信人訳、NTT出版。

大杉栄(二〇一五(一九二三))「日本脱出記」『大杉栄全集』第七巻、ぱる出版。

幸徳秋水全集編集委員会(一九六八)『幸徳秋水全集』第六巻、明治文献。

嵯峨隆(一九九六)『近代中国の革命幻影――劉師培の思想と生涯』研文出版。

ジョル、ジェームズ(一九七五)『アナキスト』萩原延壽・野水瑞穂訳、岩波書店。

田中ひかる(一九九八)『アナーキストの未来社会論争――一八八四～一八八六年―自由社会論をめぐって』一橋大学古典資料セン

ター。

田中ひかる(二〇〇二)『ドイツ・アナーキズムの成立――『フライハイト』派とその思想』御茶の水書房。

田中ひかる(二〇〇六)「大杉栄が出席できなかったアナーキスト国際会議(二)――ロシア革命についてのアナーキストの認識」『初期社会主義研究』第一九号。

田中ひかる(二〇一二)「ロシアで投獄されたアナーキストを救援するための組織とその活動について――ニューヨークのアナーキスト赤十字を中心に 一九〇五~一九二〇年代」『歴史研究』第四九号。

田中ひかる(二〇一五)「「新しいアナーキズム」はなぜ「新しい」のか――思想と運動の変容に関する史的考察」『歴史研究』第五二号。

田中ひかる(二〇一六)「大杉栄たちの虐殺を世界に伝えたアナーキストの情報ネットワークについて」『初期社会主義研究』第二六号。

田中ひかる(二〇二〇 a)「ロシア出身のユダヤ系移民によるアナーキズム運動――「人の移動」と思想・運動の形成」『ロシア史研究』第一〇四号。

田中ひかる(二〇二〇 b)「ロシア革命とロシア人アナーキスト――亡命者たちの思想変容」『近代ヨーロッパと人の移動――植民地・労働・家族・強制』山川出版社。

田中ひかる(二〇二一)「伊藤野枝によるエマ・ゴールドマンの思想の受容について――大杉栄・荒畑寒村との比較を中心に」『初期社会主義研究』第二九号。

戸田三三冬(二〇二〇)『平和学と歴史学――アナキズムの可能性』三元社。

西川正雄(一九八五)『初期社会主義運動と万国社会党――点と線に関する覚書』未来社。

山泉進(一九九一)「「大逆事件」研究――Emma Goldman と日本の初期社会主義者」『明治大学人文科学研究所紀要』第三〇冊。

山泉進(一九九六)「大逆事件と *Freedom*」『明治大学教養論集』第二八七号。

山泉進・田中ひかる・山本健三(二〇二二)「幸徳秋水・クロポトキン往復書簡」『初期社会主義研究』第三〇号。

山口守(二〇一九)『巴金とアナキズム――理想主義の光と影』中国文庫。

山田昭次(一九九六)『金子文子――自己・天皇制国家・朝鮮人』影書房。

リンゼ、ウルリヒ（一九九〇）『生態平和とアナーキー——ドイツにおけるエコロジー運動の歴史』内田俊一・杉村涼子訳、法政大学出版局。

渡辺孝次（一九九四）『時計職人とマルクス——第一インターナショナルにおける連合主義と集権主義』同文舘。

Avrich, Paul (1980), *The Modern School Movement: Anarchism and Education in the United States*, Princeton: Princeton University Press.

Avrich, Paul (1984), *The Haymarket Tragedy*, Princeton: Princeton University Press.

Avrich, Paul (2005[1967]), *The Russian Anarchists*, Edinburgh, Oakland and West Virginia: AK Press.

Baer, James A. (2015), *Anarchist Immigrants in Spain and Argentina*, Urbana, Chicago and Springfield: University of Illinois Press.

Bantman, Constance and Bert Altena (2015), "Introduction: Problematizing Scales of Analysis in Network-Based Social Movements", *Reassessing the Transnational Turn: Scales of Analysis in Anarchist and Syndicalist Studies*, New York: Routledge.

Brodie, Morris (2020), *Transatlantic Anarchism during the Spanish Civil War and Revolution, 1936–1939*, *Fury over Spain*, London and New York: Routledge.

Day, Takako (2020), "Takeshi Takahashi's Chicago-Part 1" (http://www.discovernikkei.org/en/journal/2020/9/25/takeshi-takahashi-1/) 最終閲覧日二〇二一年三月三一日。

Ferguson, Kathy E. (2017), "The Anarchist Anti-Conscription Movement in the USA", *Anarchism 1914–18: Internationalism, Anti-Militarism and War*, Manchester: Manchester University Press（以下、*Anarchism 1914–18* と略記）.

Havel, Hippolyte (1911), "Justice in Japan", *Mother Earth*, January.

Hirsch, Steven J. and Lucien van der Walt (eds.) (2010), *Anarchism and Syndicalism in the Colonial and Postcolonial World, 1870–1940: The Praxis of National Liberation, Internationalism, and Social Revolution*, Leiden and Boston: Brill.

Kalicha, Sebastian, and Gabriel Kuhn (eds.) (2010), *Von Jakarta bis Johannesburg: Anarchismus weltweit*, Berlin: Unrast Verlag.

Kaymakçıoglu, Goksu (2011), *Emma Goldman, American Aide to Mujeres Libres in the Spanish Civil War 1936–1939*, Saarbrücken: LAP Lambert Academic Publishing.

Laursen, Ole Birk (2019), "Anti-Imperialism", *The Palgrave Handbook of Anarchism*, Cham: Palgrave Macmillan（以下、*The Palgrave Handbook of Anarchism* と略記）.

Levy, Carl (2017), "Malatesta and the War Interventionist Debate 1914-1917: From the 'Red Week' to the Russian Revolutions", *Anarchism 1914-18.*

Levy, Carl and Matthew S. Adams (2017), "Introduction", *The Palgrave Handbook of Anarchism.*

Shulman, Alix Kates (1996), "Foreword to the 1996 Edition", *Red Emma Speaks: An Emma Goldman Reader*, 3rd Edition, New Jersey: Humanities Press International.

Tanaka, Hikaru (2013), "The Reaction of Jewish Anarchists to the High Treason Incident", *Japan and the High Treason Incident*, London: Routledge.

van der Walt, Lucien and Michael Schmidt (2009), *Black Flame: The Revolutionary Class Politics of Anarchism and Syndicalism,* Edinburgh and Oakland: AK Press.

Zimmer, Kenyon (2015), *Immigrants against the State: Yiddish and Italian Anarchism in America*, Urbana and Chicago: University of Illinois Press.

Zimmer, Kenyon (2017), "At War with Empire: The Anti-colonial Roots of American Anarchist Debates during the First World War", *Anarchism, 1914-18.*

Zimmer, Kenyon (2019), "Haymarket and the Rise of Syndicalism", *The Palgrave Handbook of Anarchism.*

コラム｜*Column*

ベトナム南部社会と宗教運動

武内房司

二〇世紀前半期、ベトナム南部においては、大小さまざまの宗教運動が勃興した。ホアハオやカオダイなどと呼ばれる教団はそうした潮流を代表するものといえる。時のフランス植民地当局は、人々の宗教熱が政治化することを恐れ、情報の収集とともに宗教者への取締りや監視を強めた。戦時期、仏領インドシナに進駐した日本軍もまた、ベトナム南部の宗教運動に深くかかわり、民族主義的傾向の強いホアハオやカオダイなどの宗教勢力への接近を試みた。たとえばサイゴン(現在のホーチミン市)に拠点を置く日本の憲兵隊は、一九四二年一〇月、フランス当局に幽閉されていたホアハオ教の教主フイン・フー・ソーを奪還し、サイゴンの憲兵隊本部近くに保護した。当時の日本軍はベトナム南部社会において宗教勢力が政治党派以上に強い影響力を持ち始めていたことを認識していたのである。

こうしたベトナム南部の宗教運動をベトナム語の宗教文献やフランスに残るアーカイブズ資料を用いて詳細に描き出し、その歴史を非ベトナム語圏に広く知らしめたのは一九八三年に刊行されたフエ・タム・ホー・タイの『ベトナムにおける千年王国主義と農民政治』(以下、『千年王国』と略。Hue-Tam Ho Tai, *Millenarianism and Peasant Politics in Vietnam*, 1983)であった。タイのこの研究は、ベトナム南部がフランスの植民地となる前後の時期からカオダイやホアハオなどの近代宗教運動の登場までを長期的なスパンでその展開を詳細に跡づけたものであった。刊行から三〇年以上を経て、ベトナム史家のチャールズ・キースは、「『千年王国』を振り返る」と題する小論を公にしている(Keith, Charles, 'Hue-Tam Ho Tai's Millenarianism and Peasant Politics in Vietnam: A Retrospective', *Journal of Vietnamese Studies*, Vol. 12, No. 3, 2017)。そのなかでキースは、中国の近代をとらえるにあたり「ウェスタン・インパクト」の意義を強調する従来のパラダイムを批判し、中国社会の内在的かつ持続的なコンテキストを重視する「中国に即したアプローチ」の必要を説いたポール・コーエンと同様の視点を『千年王国』の中に見出し、その意義を高く評価している。すなわち、阮朝から植民地期にいたるベトナム南部社会の底流にある連続性、多様性に注目する「ベトナムに即した」研究であると。もっともフエ・タム・ホー・タイ自身は、キースが論文を寄せた同じ『ベトナム研究』誌のなかで自らの研究活動を振り返り、『千年王国』を準備していた当時はベトナム戦争のさなかにあり、メコンデルタでフィールドワークを行うことなどできず、結果として民族誌的ディテールや場の感覚を欠いたものとなったことを認めている。しかしそれでもキースのいうよ

宝山奇香の創設者ドアン・ミン・フエンを祀ったトンソン古寺にて，1999 年

らに、行政側のアーカイブズや世俗的な文献からはうかがえない、実際に経験した人々の目を通してベトナムの宗教を捉えようとしたことが本書の強みともなっている。これは、アメリカでのタイの研究を支えた父君のホー・ヒュウ・トゥオンの存在が大きかったようである。ホー・ヒュウ・トゥオンはフランス留学中の一九二九年にトロツキズムの運動に関わったが、一〇年後にはスペインのアナーキストらに対するスターリンの処遇を契機にコミュニズムと決別したジャーナリストであり、ゴー・ディン・ジエム政権下においても政府批判を行い逮捕された経験を持つ。さらには六〇年代末に自身の故郷であるベトナム南部のカントーで盛んであったホアハオ教やその源流となった宝山奇香などの宗教に回帰した知識人であった。両親から提供された各種宗教文献やソン・ナームなどのベトナム南部出身の人文作家たちが描き出す土着世界が、行政文書や政治・軍事記録に依拠した既存の研究に対抗する上で役立ったのだという。

その上で、フエ・タム・ホー・タイは「書き直すとすれば、カンボジア国境地帯の多民族・多文化状況をもっと強調しただろう」と述べている。ドイモイ政策後、タイら海外在住のベトナム人(越僑)だけでなく外国人研究者も現地観察が可能となり、近年、中国民衆宗教に関心を持つ研究者もベトナム南部を訪れることができるようになった。一九世紀後半以降、華人社会が東南アジアに広まるにつれて儒仏道の三教一致型の民衆宗教が、ベトナム南部多民族社会に広まり、そのなかから民族の境界を越え、宝山奇香や、カオダイ教に大きな影響を与えた明師道などの宗教が成立したことが明らかとなりつつある。今から二〇年ほど前、筆者もカンボジア・ベトナム国境の町チートンにある宝山奇香系四恩孝義派の本山であるフィーライ・タムビュウ寺を訪れたことがある。ベトナム戦争後に起こったベトナム・カンボジア紛争の被害を受けた地でもあり、ポルポト軍の攻撃により犠牲となった人々の慰霊塔が印象的であった。こうした現実から、ともすればクメール、ベトナム両民族間の対立の構図の根深さを思い描いてしまうが、しかし、それもベトナム南部の歴史の一部でしかなく、宝山奇香が成立するにあたって華人宗教とともにクメール人宗教家もその展開に深く関わっていたことが近年指摘されている。こうした多民族空間からどのように二〇世紀前半期の大きな政治・宗教運動が登場していったのか、改めて問い直してみる必要があるだろう。

【執筆者一覧】

藤原辰史(ふじはら たつし)
1976年生．京都大学人文科学研究所准教授．食と農の現代史．

池田嘉郎(いけだ よしろう)
1971年生．東京大学大学院人文社会系研究科准教授．ロシア近現代史．

中野耕太郎(なかの こうたろう)
1967年生．東京大学大学院総合文化研究科教授．アメリカ現代史．

飯塚正人(いいづか まさと)
1960年生．東京外国語大学アジア・アフリカ言語文化研究所教授．イスラーム学，中東地域研究．

石井香江(いしい かえ)
1972年生．同志社大学グローバル地域文化学部准教授．社会史，ジェンダー研究．

篠原 琢(しのはら たく)
1964年生．東京外国語大学大学院総合国際学研究院教授．中央ヨーロッパ近現代史．

野村親義(のむら ちかよし)
1971年生．青山学院大学国際政治経済学部教授．インド近現代経済史．

平井健介(ひらい けんすけ)
1980年生．甲南大学経済学部教授．日本植民地経済史，近代アジア経済史．

中村隆之(なかむら たかゆき)
1975年生．早稲田大学法学学術院准教授．環大西洋文化研究．

田中ひかる(たなか ひかる)
1965年生．明治大学法学部専任教授．社会思想史．

高嶋 航(たかしま こう)
1970年生．京都大学大学院文学研究科教授．東アジア近現代史．

小野仁美(おの ひとみ)
1965年生．東京大学大学院人文社会系研究科助教．イスラーム法，チュニジア地域研究．

長井伸仁(ながい のぶひと)
1967年生．東京大学大学院人文社会系研究科教授．フランス近現代史．

三澤真美恵(みさわ まみえ)
1964年生．日本大学文理学部教授．台湾近現代史，華語圏映画．

武内房司(たけうち ふさじ)
1956年生．学習院大学文学部教授．中国近代史，中国・ベトナム宗教運動史．

【責任編集】

永原陽子(ながはら ようこ)
1955年生．京都大学名誉教授．南部アフリカ史．『人々がつなぐ世界史』〈MINERVA 世界史叢書 4〉(ミネルヴァ書房，2019年)．

吉澤誠一郎(よしざわ せいいちろう)
1968年生．東京大学大学院人文社会系研究科教授．中国近代史．『愛国とボイコット――近代中国の地域的文脈と対日関係』(名古屋大学出版会，2021年)．

岩波講座 世界歴史 21　　第16回配本(全24巻)

二つの大戦と帝国主義 II　20世紀前半

2023年2月22日　第1刷発行

発行者　坂本政謙

発行所　株式会社 岩波書店　〒101-8002 東京都千代田区一ツ橋2-5-5
電話案内 03-5210-4000　https://www.iwanami.co.jp/

印刷・法令印刷　カバー・半七印刷　製本・牧製本

　ISBN 978-4-00-011431-8

岩波講座

世界歴史

A5 判上製・平均 320 頁（黒丸数字は既刊，＊は次回配本）

全㉔巻の構成

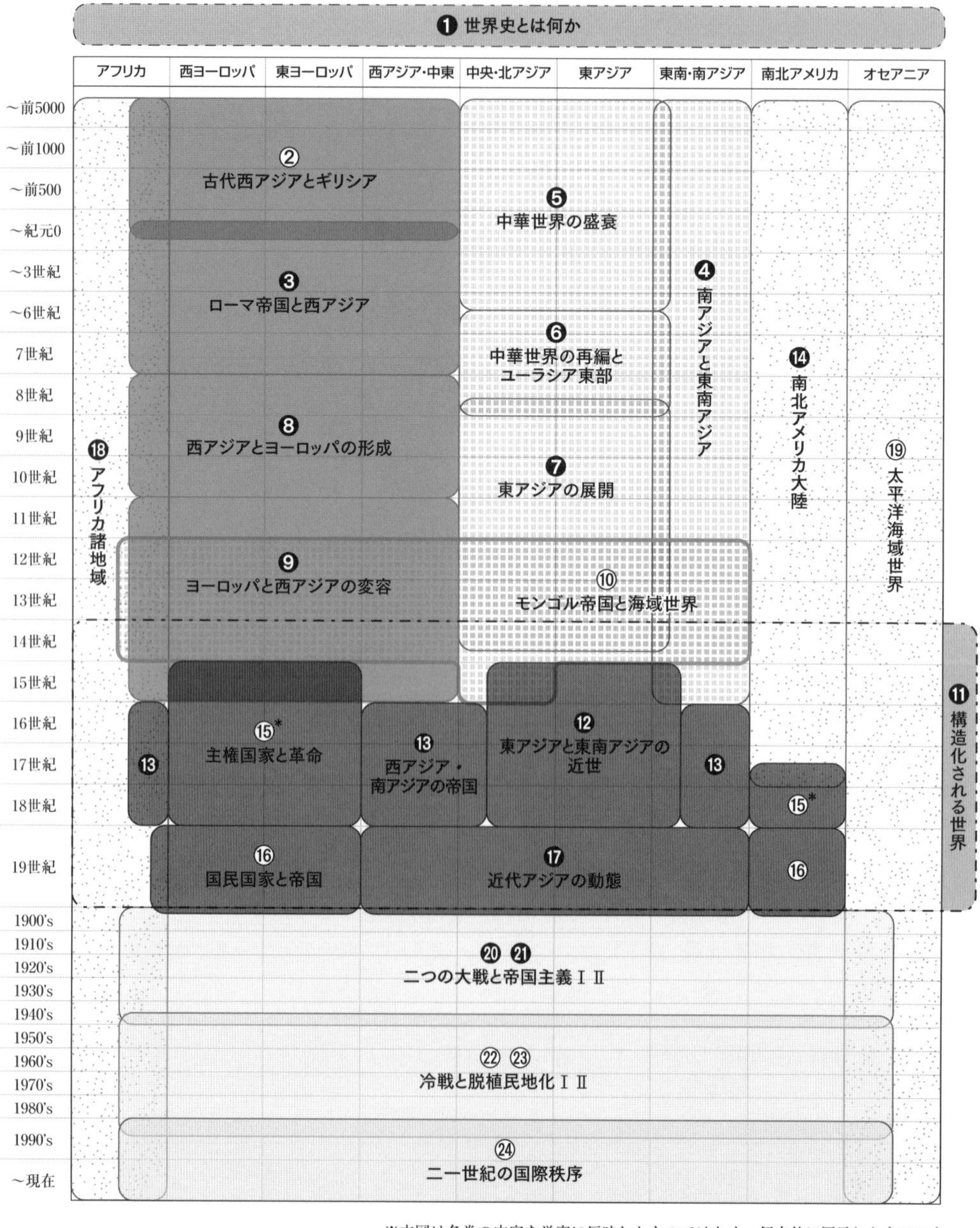

※本図は各巻の内容を厳密に反映したものではなく，便宜的に図示したものです．